Diogenes Taschenbuch

Ludwig Marcuse

Philosophie des Glücks

Von Hiob bis Freud

Diogenes

Vom Autor revidierter und
erweiterter Text nach der Erstausgabe von 1948
Umschlagillustration:
Henri Matisse, ›Die Musik (Skizze)‹,
Collioure, Juni–Juli 1907
Öl und Kohle auf Leinwand, 73,4 x 60,8 cm
The Museum of Modern Art, New York
Schenkung von A. Conger Goodyear
zu Ehren von Alfred H. Barr, Jr.
Copyright © 1995 ProLitteris, Zürich
Foto: Copyright © 1996
The Museum of Modern Art,
New York

Veröffentlicht als Diogenes Taschenbuch, 1972
Alle Rechte vorbehalten
Copyright © 1972
Diogenes Verlag AG Zürich
www.diogenes.ch
30/02/8/13
ISBN 3 257 20021 8

Für Sascha

Inhalt

I.

Was ist Glück?

Es gibt Sehnsüchte, die nicht altern. Sie werden höchstens einmal, von Zeit zu Zeit, unmodern – und dann wieder, von Zeit zu Zeit, modern.

Zu diesen ewig jungen Uralten gehört das Glück. Babylonier, Juden, Inder, Griechen, Chinesen, Römer, Araber, Perser, Byzantiner und viele Glückliche und viele Unglückliche im Jahrtausend danach haben über das Glücklichsein nachgedacht. Und heute denkt wieder Einer nach. Und morgen wird wieder Einer nachdenken. Und nur die Gedankenlosen sagen: Glück – ist nichts als eine Vokabel.

Dieses Buch folgt jenen königlichen Wegen zum Glück, die einige große Vorfahren sich gebahnt haben. Da war zum Beispiel der biblische Hiob. Dreitausend Jahre bevor ›das Streben nach dem Glück‹ als ein Recht in die Konstitution des jungen Staates Amerika aufgenommen wurde, stritt Hiob für das Recht auf Glück, das von der Sinai-Konstitution garantiert worden war. Das ist der große Auftakt gewesen. Und noch Kant, Zerstörer aller Gottes-Beweise, konstruierte im Achtzehnten Jahrhundert einen Gott – aus der Voraussetzung heraus, daß da jemand existieren müsse, der dem Tugendhaften sein Glück verbürgt.

Als man dann – irgendwann nach Hiob – entdeckte, daß keine Macht des Himmels und der Erden für das Glück eines Menschen sorgt, kam man auf die Idee, dieses Glück unabhängig zu machen, sowohl vom Himmel als auch vom Lauf der Welt. Das deutsche Märchen ›Hans im Glück‹ schildert einen sehr jungen Mann, der die ungeheure Entdeckung machte: das Glück liegt in dir. Diese Einsicht hatte sehr große Folgen, die Hans allerdings noch nicht aussprach.

Liegt das Glück in mir, so liegt es im Bezirk meiner Macht. Ergo: Jeder ist seines Glückes Schmied.

Dieser Märchen-Hans war also der Erste, der das Glück in die Reichweite des Einzelnen brachte. Das war sein Schritt über Hiob hinaus. Hans war nicht gerade der erste Ratgeber in der Angelegenheit: wie werde ich glücklich? – aber doch gewissermaßen der Ahnherr aller Ratgeber. Erst nach seiner Erfahrung: dieses Glück ist nicht ein Schatz irgendwo draußen, abhängig von einem himmlischen oder irdischen Mächtigen irgendwo draußen – dieses Glück wächst vielmehr in meiner eigenen Seele ... wurde es sinnvoll, Anweisungen zum glücklichen Leben zu geben.

Der Klassiker des Glücks lebte dann in Griechenland, um dreihundert vor Christi Geburt. Es war der Grieche Epikur. In Leidenschaft entbrannt für das Glücklichsein, lehrte er seinen Freunden, was für ein großes Glück dieses Glück ist und aus wieviel verschiedenen Quellen man es schöpfen kann. Zugleich errichtete er einen hohen philosophischen Zaun um den Garten dieses Glücks. Denn er war sich bewußt, wie gefährdet es ist. Seit jener Zeit gibt es Epikuräer. Epikuräer sind Leute, welche einen unbändigen Enthusiasmus fürs Glück haben – und außerdem noch sehr auf der Hut sind gegen alle Gefahren, die ihnen drohen.

Der Größte unter den Epikuräern war nicht der berühmte Römer Horaz, der Wein und Weib in Oden und Episteln besang und sich zum Meister bekannte. Der Größte war jener mysteriöse Mann, den man Ecclesiastes zu nennen – und als den trübsten Griesgram der Weltgeschichte zu zitieren pflegt: »Alles ist eitel!« Er lebte, wahrscheinlich, einige Generationen nach Epikur, in Judäa – zur Zeit, da dieses Land überflutet wurde mit griechischen Ideen. Er war erfüllt vom Gedanken an die Nichtigkeit des Daseins – und pries daneben das unermeßliche Glück, da zu sein, pries es um so leidenschaftlicher, je deprimierter er in die Abgründe starrte, an deren Hängen es blüht. Seit Ecclesiastes sind die leidenschaftlichsten Epikuräer jene glückseligen

Tragiker, die Trotzdem sagten. Nietzsche war einer von ihnen. Seine Autobiographie mit dem bleichen Titel ›Ecce Homo‹ beginnt mit den strahlenden Worten: »Das Glück meines Lebens ...«

Dies also sind die ersten Etappen gewesen: Hiob verkündete, daß Gott, der göttlichen Konstitution gemäß, unter bestimmten Bedingungen den Menschen glücklich zu machen habe. Hans im Glück machte in einer gottlosen Zeit den Menschen unabhängig sowohl vom Schöpfer als auch von den Zufällen der Schöpfung – und verlegte das Glück in den Bereich des Innern; also in den Bereich des menschlichen Willens. Dies Innere erforschte Epikur, betete das Glück an als Quelle alles Guten – und suchte sorgsam, sie einzuhegen. Und der Epikuräer Ecclesiastes fand sogar noch in der düstersten Region der Seele – den Feuer-Strom des Glücks.

Aber der philosophische Zaun um den Garten des Epikur machte aus diesem Garten noch nicht eine uneinnehmbare Festung. Das epikuräische Glück war doch recht anfällig. So versuchte man, sich zu helfen, indem man aus dem glücklichen Alltag ausbrach – nicht in eine Garten-Oase, sondern in viel sicherere Regionen jenseits des Alltags. Man brach aus der Welt der Gebundenheit, wo man gebunden war an den Nexus von Wunsch und Befriedigung, aus in das Reich der Freiheit, wo man frei war, nichts mehr wünschen zu müssen. Da lebte im Ersten Jahrhundert nach Christi Geburt der Stoiker Seneca. Er fragte: »Hat der Mensch nicht die Kraft sich unabhängig zu machen von allem, was ihn feindlich treffen kann? Er braucht doch nur in Gleichgültigkeit, in Kälte gegen die Welt – nichts an sich kommen zu lassen.« Dies Erlebnis der Unabhängigkeit, der Freiheit, des Mir-kann-nichts-geschehen gab Seneca und den Seinen ihr Glück, dieses Stoiker-Glück: ein ungefährdeteres Glück, als Epikur es genossen hatte.

Auch ein römischer Schriftsteller aus Afrika, Augustinus, versuchte es im Vierten Jahrhundert nach Christi Geburt mit dem stoischen Glück. Er aber wurde nicht glücklich damit. Er fand, nach vielen Abenteuern, sein Glück erst – im Glauben an seinen Erlöser. Der schenkte ihm das Vertrauen, das er brauchte, um glücklich zu sein. Im Schutze Christi blühte in ihm jenes so sinnlich blühende Glück auf, das er dann aufzeichnete unter dem Titel ›Der Gottes-Staat‹. Jedoch ist eine solche Antizipation des Glücks nur für die ein Glück, die fähig sind, in einer vergegenwärtigten Zukunft zu leben.

Mancher – in jener Aera, in der man auf den Gottes-Staat wartete – wollte nicht verzichten auf diese Vor-Freude, doch ebensowenig auf das weniger große, aber realere Glück, welches die Gegenwart bisweilen und dann sofort zu vergeben hat. Es gab Menschen, die sich im Palast sehnten nach dem glücklichen Frieden des Klosters, und im Kloster nach den gar nicht friedlichen Freuden des Palastes. Ein solcher Mann war um das Jahr Elfhundert der glückliche Höfling und glückliche Mönch Psellus, den man wegen seiner enormen Gelehrsamkeit den Aristoteles von Byzanz nannte. Er näherte sich in seinem Leben auf zwei geradezu entgegengesetzten Wegen dem Glück – fand es hier und fand es da, fand es hier nicht ganz und fand es da nicht ganz. Und gehörte zu jenen, deren Leben uns lehrt, daß es einen Plural von Glück gibt – und daß diese Mehrzahl, die nach den Gesetzen der Logik bisweilen widerspruchsvoll ist, in Wirklichkeit ausgezeichnet zusammengehen kann.

Die großen Glücks-Chausseen sind allerdings schnurgerade. Schnurgerade sind die Bahnen des glücklichen Stoikers und des glücklichen Heiligen – und schnurgerade ist die Bahn des glücklichen Denkers. Niemand aber hat so vollendet wie Spinoza das Glücklichsein im Denken beschrieben. Niemand hat so klar wie er ausgesprochen, daß er nachdachte, um glücklich zu werden – und im Erkennen sein Glück fand. Und niemand hat dieses besondere Glücklichsein so klassisch vorgelebt: kein griechischer Denker und kein mittelalterlicher.

Im Achtzehnten Jahrhundert war dann – unter den englischen Moralisten, den französischen Enzyklopädisten, den deutschen Aufklärern, den amerikanischen Gründern der Republik – sehr viel die Rede vom Glücklichsein; fast ebensoviel, wie im Neunzehnten vom Unglücklichsein. Aber erst dem Neunzehnten Jahrhundert gehören jene zwei Männer an, welche im Zeitalter des Kapitalismus, der Technik, der Massen-Kultur und der ungestillten religiösen Sehnsucht riesenhafte Anstrengungen machten, glücklich zu werden und Glück zu verbreiten: der englische Fabrikant Robert Owen und der russische Glücks-Sucher Leo Tolstoi. Sie haben zwei große Möglichkeiten, zum Glück zu gelangen, exemplarisch vorgelebt: die politische, in der Etablierung einer Glücklichen Gesellschaft; und die moralische, in der Etablierung des inneren Reichs eines glücklichen Heiligen.

Am Anfang des Neunzehnten Jahrhunderts suchte der englische Fabrikant Robert Owen die Glückliche Gesellschaft zu gründen: zuerst in Schottland und dann in Amerika. Seine Experimente sind charakteristisch geworden für viele Versuche zur Verwirklichung des Glücks in den letzten hundertundfünfzig Jahren. Für Epikur, für Seneca, auch noch für Augustin ist das Glück sozusagen Privatsache gewesen; die eigenste Aufgabe und das eigenste Werk. Im Neunzehnten Jahrhundert wurde es öffentlichste Angelegenheit. Der Einzelne, fand man, kann nur im Schoß einer Glücklichen Gesellschaft zu seinem Glück gelangen. Owen war allerdings noch individualistisch genug, zu glauben: ein Einzelner könne diese Gesellschaft mit einem Handstreich in die Welt setzen.

Am Ende jenes Jahrhunderts jagte dann Tolstoi dem Glück nach – sowohl auf den gebahnten Wegen als auch durch viele dunkle Gründe. Das Wort Glück ist in seinen Werken, Tagebüchern, Briefen auf vielen, vielen Seiten. Er hielt nichts von der Glücklichen Gesellschaft, weil sie höchstens durch Gewalt herzustellen sei. Auch hielt er, der größte Künstler seiner Zeit, nichts von der Diktatur des Schönen Scheins, dem Wagner in Bayreuth gerade den üppigsten Tempel errichtet hatte. Der große Epiker konnte nicht glücklich werden im Schönen Schein, den er schuf. Er suchte das Glück im radikalen Gutsein. Der Glückliche Heilige, der auf keinen Himmel wartete, war sein Ziel.

Auf so vielen Wegen und Umwegen suchten sie glücklich zu werden.

Welchen Gewinn aber haben wir davon, diesen Wegen und Umwegen nachzugehen? Diese Trunkenen des Glücks, diese Propheten des Glücks, diese Pioniere zum Glück geben Schutz gegen die beiden berühmten Irrlehren, die seit je dem Menschen das Glück auszureden suchten. Die eine sagte immer: das Unglück ist das entscheidende Ereignis des Daseins. Das sogenannte Glück ist nichts als Eindämmung, vielleicht sogar Aufhebung des Unglücks. Schon der Platonische Sokrates entwickelte diese Theorie. Wer auf ein anderes Glück aus ist, sagten sie, wer die Illusion hegt, daß es ein positives Glück gibt, öffnet nur Tür und Tor dem Unglück. Ein glückliches Leben ist ein Leben, das frei ist – von dem hoffnungslosen Streben nach Glück.

Die Glücks-Rezepte, die auf diesem Boden wuchsen, rangieren von der milden Mahnung, nicht so viel vom Leben zu wollen – bis zum radikalen Befehl: die Beziehung zum Leben auf ein Minimum herabzusetzen. Vom indischen Dhammpada und einigen christlichen Kirchenvätern bis zu den englischen, deutschen, französischen Pessimisten des Neunzehnten und Zwanzigsten Jahrhunderts scheint dies Rezept in immer neuen Formeln verkündet worden zu sein.

Die andere, gemäßigtere Lehre gegen das Glück sagt immer: Glück und Unglück werden sehr überschätzt in ihrer Bedeutung für das Leben des Menschen ... Vor allem waren es die idealistischen Philosophen, denen es nicht so sehr um Glück und Unglück zu tun war als: um die Erfüllung der sogenannten Bestimmung des Menschen. Nicht daß sie leugneten, es gäbe auch so etwas wie Glück. Aber sie hielten es für übertrieben, soviel davon herzumachen. Es gehöre nicht zu den ganz großen Dingen des Daseins, sagten sie. Empfinde man, sagten sie, beim Essen oder bei der Lösung eines Problems oder bei der Durchsetzung eines Gesetzes auch noch nebenbei Glück – um so besser. Man ist kein Kostverächter. Es ist eine ganz hübsche Beigabe, dieses Glück. Es ist eine freundliche Laune des Geschicks, uns auch noch Glück empfinden zu lassen – anläßlich der ernsten Unternehmungen, die wir als nahrungssuchende Wesen oder als Förderer der Wissenschaft oder als Wähler des Bezirks XVI in die Wege leiten. Aber dieses Glück ist eben nur – wie man sich im Zeitalter der Industrie am besten ausdrücken mag –: ein Nebenprodukt. –

Die Enthusiasten des Glücks, die in diesem Buch dargestellt werden, sind Zeugen gegen diese Irrlehren. Und nicht nur mit ihren Argumenten; vor allem mit ihrem Leben. Denn sie philosophierten über das Glück im Überschwang des Glücks – oder des Unglücks. Es kam ihnen nicht auf eine wissenschaftliche Untersuchung an. Es kam ihnen darauf an, ihr Glück herauszusingen oder ihr nach Glück sehnsüchtiges Herz zu befriedigen. Dabei kamen sie, in vielen verschiedenen Prägungen, zur Ablehnung aller anderen Götter neben dem Glück. Der englische Philosoph Priestley drückte dies einmal so aus, im Jahre 1768: Gerechtigkeit und Wahrhaftigkeit hätten in sich nichts Herrliches – wenn man von ihrer Beziehung zum Glück des Menschen absähe... Man kann hinzufügen: auch die Vernunft und die Freiheit und der Fortschritt und die Kultur haben in sich nichts Herrliches, wenn man von ihrer Beziehung zum Glück des Menschen absieht. Es ist erst dieses Glück, das allem Schönen und Guten seinen Wert verleiht.

Die Vertiefung in die Geschichte des Glücklichseins soll den Willen zum Glück aufhellen und kräftigen. Was aber fängt man an mit der glühendsten Begeisterung fürs Glück und mit dem profundesten Wissen ums Glück? Auch der leidenschaftlichste Wille, auch das umfassendste Wissen gibt uns kein Glück. Der Leser hält die Hand hin. Er will ein Rezept.

Der Leser, der vor einem Buch sitzt, kann mit seinem Widerspruch nicht an den Autor heran. Deshalb ist es die Pflicht des Autors, sich auch noch zum Vertreter seines ernstesten Opponenten zu machen. Ich sehe vor mir einen, der sagt: ich will gar nicht wissen, was irgendwelche mehr oder weniger uralten Asiaten und Europäer über das Glück gedacht haben. Wozu dieser Umweg, der dazu noch nirgendwohin führt? Mir ist es allein darum zu tun, wie ich noch in diesem Kalenderjahr glücklich werden kann. Ich will nicht Bildung, ich will ein Rezept. Für Bildungsgierige sind genug Enzyklopädien da. Bildung in einer solchen brennenden Frage führt immer nur zur vornehmen Verschleierung, daß der Autor auch keinen Rat weiß... Und an dieser erregten Rede ist etwas dran. Wie lautet das Rezept?

Es gibt ganz gewiß Mittel gegen das Unglücklichsein. Ein Fakir, zum Beispiel, falls er ein guter Pädagoge ist, kann Schüler trainieren zu Schmerzlosigkeit und Leidlosigkeit. Es gibt dann auch noch Rezepte für Glücks-Pillen, wie es Rezepte für Schlaf-Pillen gibt. Man kann das Glück ebenso gut zwingen wie den Schlaf. Und die Apotheke ist nicht unbekannt. Übrigens sind die chemischen Medikamente weniger in ihrer Wirkung vom Individuum abhängig und zuverlässiger als die psychologischen. Alkohol und Opium sind der Erfahrung nach genereller wirksam als der Film.

Aber dies Glück meint der Leser nicht, der sein Rezept will. Ihm schwebt (wenn auch noch so unklar) ein Glück vor, das den grauen Alltag durchdringt, ihn auflöst in Helle; während jedem verschriebenen Glück, jedem Glück, das die Nerven kurzfristig vergewaltigt, nach dem Rausch ein nur noch glückloserer Alltag folgt.

Kurz: der Leser sucht jenes berühmte Glück, welches die Philosophen immer meinten, wenn sie von ihm sprachen. Was ist das für ein Glück? Was ist Glück?

Der römische Denker Seneca, der Lehrer des Kaisers Nero, schrieb im Ersten Jahrhundert nach Christi Geburt an seinen Bruder einen dreißig Druckseiten langen Brief über ›Das Leben im Glück‹. Das Schreiben begann mit dem Satz: »Glücklich zu leben, Bruder Gallio, ist der Wunsch aller Menschen.« Seneca hielt diesen Wunsch geradezu für ein ›natürliches Verlangen‹.

Zugleich sah er aber auch, daß die Befriedigung dieses natürlichen Verlangens höchst problematisch ist. Denn es ›fehlt die Einsicht, wodurch man glücklich wird‹. Das ist die Meinung vieler Doktoren des Glücks gewesen. Sie hielten die Unwissenheit über den Weg zum Glück für fast ebenso verbreitet wie den Wunsch, glücklich zu werden.

So schrieb zum Beispiel (sechzehnhundert Jahre nach Seneca) der Denker Spinoza am Ende seines Hauptwerks, der ›Ethik‹, einen Absatz, in dem wieder von dieser Unwissenheit der Menge über den rechten Zugang zum Glück die Rede ist. »Wie wäre es möglich«, heißt es dort, »daß das Glück von allen vernachlässigt wird, wenn es offen vor uns läge und ohne Mühe gefunden werden könnte.« Natürlich möchten alle glücklich leben. Nur sind sie nicht fähig oder machen sich nicht die Mühe, das Glück zu finden. Spinoza hingegen bemühte sich sehr.

Diese Mühe ist seit je die eigentliche Mission der Philosophen gewesen – auch wenn sie das nicht immer anerkannt haben. Ja, oft haben sie diesen Anspruch ganz ausdrücklich abgewiesen. Und viele, die heute den erlauchten Namen ›Philosoph‹ tragen, halten es geradezu für unseriös, jenen vagen Begriff Glück, wie sie sagen, jene sentimentale Überschwenglichkeit Glück, wie sie sagen, ernst zu nehmen. Aber die Umwandlung der Philosophie in Geschichte der Philosophie oder Erkenntnistheorie oder Soziologie ist nichts als ein Zeichen für die Abwesenheit von Philosophie.

Wo es Philosophen gab, gab es auch das rätselhafte Glück.

Oft genug versicherten sie allerdings: die Frage, die es stellt, sei bereits gelöst; und es läge nur an den unbelehrbaren Menschen, daß sie noch nicht glücklich seien. Die Menge, hieß es, ist nicht nur zu dumm, das Glück zu finden. Sie ist sogar zu dumm, das von den Philosophen Gefundene in Empfang zu nehmen. Deshalb ermahnte Seneca seine Mitmenschen immer wieder: sich doch auf der Reise zum Glück ›nicht ohne Kundigen‹ zu entscheiden, ›wohin man wolle – und auf welchem Wege‹.

Aber wie, wenn jeder ›Kundige‹ etwas anderes kündet? Die Unphilosophischen können sich gegen den Vorwurf der Philosophen sehr leicht verteidigen – mit dem Hinweis auf jedes Lexikon der Philosophie. Dort ist nachzulesen, was alles schon einmal als ›Glück‹ definiert worden ist. Der gebildete Römer Marcus Terentius Varro rechnete aus, daß zu seiner Zeit 288 verschiedene Lehrmeinungen über das Glück existierten. Und das ist bereits zweitausend Jahre her. Es liegt also ganz gewiß nicht an der sogenannten blöden Masse, daß man das Glück nicht zu finden weiß.

Liegt es an den Philosophen, die sich nie einigen konnten? Das Wort Glück hat in allen Sprachen etwas Vieldeutiges. Es ist wie eine Sonne, die eine Schar von Wort-Trabanten um sich herum hat: Behagen, Vergnügen, Lust, Zufriedenheit, Freude, Seligkeit, Heil. Jede dieser und ähnlicher Vokabeln hat dann und wann schon einmal die Sonne gespielt, das Wort Glück vertreten – stand aber auch dann und wann schon einmal im heftigsten Gegensatz zum Glück. So ist das ›Glück‹ mit Bedeutungen schwer beladen. Propheten, Poeten, Denker haben ihre Theorien und Visionen vom Menschen und seinem Glück diesem Wort aufgeprägt – bisweilen auch noch den Widerspruch gegen die Glücks-Theorie ihrer Gegner. Manchmal versteht man dies Wort überhaupt nur, wenn man weiß, gegen wen es gemünzt worden ist. Ich kannte einen alten Gelehrten, der den griechischen Ausdruck für Glück (Hedone) nicht aussprechen konnte, ohne daß sich sein Gesicht vor Ekel verzerrte.

So ist das Wort Glück ein Ablade-Platz für die Ideen und Wertungen von Jahrhunderten geworden. Man vergleicht solch ein Wort am besten uraltem, verwittertem und bemoostem Gestein – diesem Ablade-Platz für tausendjährige chemische Prozesse. Zwar wird an jedem Tag von neuem und leichtsinnig der Versuch gemacht, es säuberlich zu definieren. Doch diese kleinen definitorischen Sätzchen, die so duftig und adrett antworten auf die Frage: was ist Glück?, decken sie nur mit ärmlichen Antworten zu. Sie setzen hinter eine lange Geschichte des Nachdenkens – eine kurze Gedankenlosigkeit. Weshalb aber hat niemand die große, abschließende Antwort gegeben – obwohl es so viele Antworten gibt?

Man kann mit dem Finger hinweisen auf dieses Glück. Es ist nicht nur zu fühlen, es ist auch zu sehen und zu hören. Es erscheint in den Augen eines Menschen, in seiner Stimme, an der Nasenspitze, um den Mund herum, in der Haltung. So haben es die Künstler aller Zeiten beschrieben, abgebildet, in Musik gesetzt. Weshalb ist es nicht zu definieren, wo es doch mit den Händen zu greifen, mit den Augen zu sehen, mit den Ohren zu hören ist?

Aus demselben Grund, aus dem (zum Beispiel) das ›Christentum‹ nicht zu definieren ist. Man lese nacheinander: die Worte Christi, die Briefe des Paulus, die Poesie des Franciscus, die Exercitien des Loyola, die Schriften des Meister Eckhardt, die Traktate Kierkegaards, die Aphorismen Nietzsches – und mache den Versuch, alle diese hervorragenden Äußerungen in eine Definition zu pressen: Christentum ist ...

Ganz ebenso ist es mit der langen Reihe der Definitionen: Glück ist ... Sie zeigt: was alles schon einmal Glück gewesen ist; was alles schon einmal jemand glücklich gemacht hat; wie vielfältig der Mensch Glück hervorgebracht hat. Das *eine* Glück erhält seine vielen Gesichter von den zahllosen Ursprüngen, aus denen es wuchs. Das große Glück ist wahrscheinlich kein Plural; aber seine Herkunft ist plural.

Und alle herrischen, beschränkenden, beschränkten Definitionen: ›Glück ist . . .‹, stammten aus dem Irrtum, daß Glück nur auf einem einzigen Wege entstehen kann. Dieser Irrtum aber geht darauf zurück, daß der oder jener wirklich nur auf diesem oder jenem Wege Glück produzieren konnte. Ein einzelner hatte infolge seiner begrenzten Anlagen fürs Glücklichsein (seine körperliche, charakterliche, soziale, weltgeschichtliche Beschränktheit begrenzte ihn) nur diesen einen Weg, glücklich zu werden. So definierte er das Glück auf der Grundlage seiner spezifischen Möglichkeit, es zu erlangen. Jeder Einzelne ist ein spezifisches Glücks-Potential.

Einer ist besonders begabt für körperliches Glück, ein anderer für geistiges. Einer hat Talent nur für das Glück, das der Gaumen und das Geschlecht gibt; ein Talentierterer entdeckt, daß selbst die traditionellen Fünf Sinne nur eine winzige Auswahl der Pforten sind, durch die das Glück in einen einziehen kann. Einer fand im Denken alles Glück und einer im Weg-Denken. Die Geschichte des Glücklichseins ist lang und reich. Nur die ganze Geschichte, nicht eine ihrer Episoden kann das Glück definieren.

Das Glück war nicht fertig am Siebenten Tage – ebensowenig wie der Himalaya und das Mittelmeer. Adam und Eva im Paradies erlebten wahrscheinlich noch nicht das Glück eines Sonnen-Aufgangs in der Wüste. Epikur erlebte wahrscheinlich noch nicht das Liebes-Glück Romeos und Julias – und Seneca noch nicht das Spinozasche Glück der intellektuellen Liebe zu Gott. Die Geschichte der Kultur ist ganz gewiß auch eine Geschichte des immer differenzierteren und abgründigeren Unglücklichseins. Sie ist aber daneben ebenso eine Geschichte des immer umfänglicheren Glücklichseins. Und diese Geschichte hat noch eine Zukunft. Man kann die Vergangenheit nicht aufsummieren in ein: ›Glück ist . . .‹ Und man kann die Zukunft nicht abschneiden mit einem: ›Glück ist . . .‹

Definitionen des Glücks waren also stets: kleine Gedankenlosigkeiten oder große Konfessionen. Einer bekannte, was ihn glücklich machte. Wenn er sagte: »Glück ist...«, so meinte er (auch wenn er es nicht wußte): ›Mein Glück ist...‹ Die Geschichte des Glücklichseins ist die Geschichte jener Menschen, die ihr Glück suchten und fanden. Deshalb geben wir dem Leser, der eine Definition will, nicht, was er will. Ja, er sei ausdrücklich davor gewarnt, sich mit einem Vorbild zu identifizieren. Das ist meist Selbst-Betrug. Man lebt sich ein in fremdes Glück – und versäumt dabei sein eigenes.

Doch ist dies vorbildliche Glück nicht gleichgültig. Die Menschheit hat, im Lauf eines langen und breiten Lebens, viel Glück durchlebt und durchdacht. Das geschah auch für Dich und für Mich. Was da in mehreren tausend Jahren an den verschiedensten Punkten der Erde – in Jerusalem und Athen und Rom und Byzanz und Amsterdam und Moskau – erarbeitet worden ist, kann nicht schlicht übersehen werden. Der Blick auf jene große leuchtende Reihe von Epikur bis Nietzsche schenkt zwar kein Rezept, nicht einmal eine Definition. Aber macht Mut zum eigenen Glück; nährt das eigene Talent zum Glück. Und belehrt mich über die Wege, die gangbar, und die Wege, die nicht gangbar sind – zu Meinem Glück.

Mein Glück – das kann nur meine Schöpfung sein, die niemand mir abnehmen kann. Glücklichsein ist eine Kunst, wie man seit je weiß. Um ein Künstler zu werden, braucht man Begabung, Fleiß und Vorbilder. Um ein Glücklicher zu werden, braucht man dasselbe. Wer ein Glücks-Rezept verlangt, ähnelt einem Mann, der ein Dicht-Rezept verlangt. Begabung und Bemühung muß jeder von sich aus beibringen. Doch kann er deshalb noch nicht auf die Vorbilder verzichten. –

Wer aber auf das Glücklichsein verzichtet, erfüllt sein Dasein nicht. Denn Jeder ist – der Anlage nach: eine neue Variante des Glücks. –

II

Hiobs Recht auf Glück

Im Alten Testament werden die Freuden des Daseins oft und gern gepriesen. Es ist in hohem Maße ein Testament der Fröhlichkeit.

Im Talmud wird ein Weiser zitiert, der im Leben ein Hochzeits-Fest sah. Einer seiner Zeitgenossen verkündete sogar: Gott wird die zur Rechenschaft ziehen, welche die guten Dinge des Daseins nicht genossen haben. Und ein anderer lehrte: »Die ganze Welt ist geschaffen worden, damit der Mensch sein Vergnügen finden kann.«

Das Glück der biblischen Welt fließt aus dem guten Einvernehmen zwischen dem Schöpfer und seinem Geschöpf. In einer Atmosphäre von Vertrauen genießt man froh alle guten Dinge. Man gehorcht seinem Herrn, baut auf ihn – und es ist sein Wille, daß sein gehorsam-gläubiges Kind glücklich ist. Gott dienen und das Dasein genießen, ist nicht von einander zu trennen. Frömmigkeit und Glück gehören zusammen. Gott liebt einen vergnügten Gottesdienst. Die religiösen Festtage sind zugleich Tage gesteigerter Lebensfreude. »Du sollst fröhlich sein vor dem Herrn.«

Nun erlebte das Volk des Alten Testaments im Sechsten Jahrhundert vor Christi Geburt das Unglück des nationalen Zusammenbruchs und der Babylonischen Verbannung. Und es waren genug Schriftsteller da, die nachwiesen, daß dieses Unglück wohlverdient war. (Das läßt sich immer nachweisen.) Aber da war mindestens Einer, der zweifelte die Gleichung von Frömmigkeit und Glück, von Unglück und Gottlosigkeit radikal an. Dieser Eine hieß Hiob.

Das Fundament jener Juden, die (wie Hiob vor seinem Unglück) im Glauben an den Sinai-Bund lebten, war: das Recht des Menschen auf Wohlergehen, falls er selbst seinen Teil des Bündnisses mit Gott erfüllt. Dieses (bedingte) Recht auf die Freuden des Daseins, garantiert vom Schöpfer und Regenten der Welt, ist eine tiefe Überzeugung gewesen, die nicht nur im Jahrtausend vor Christi Geburt und nicht nur an einer einzigen Stelle der Erde herrschte. (Und sie herrscht hier und da noch heute.)

Hiob aber wurde der große Ahnherr, der diesen Glauben erschütterte. Und alle späteren Ratgeber in der Frage: wie man zum Glück kommen kann, wurden erst notwendig, nachdem Hiob gezeigt hatte: daß Glück *nicht* die Belohnung für ein frommes Leben ist, verbürgt von einer konstitutionellen göttlichen Welt-Regierung.

Die ungeheuerliche Geschichte
eines siebzigjährigen frommen Mannes

Vor dreitausend Jahren (oder noch einige Jahrhunderte früher) lebte im Norden Arabiens ein mächtiger Scheich, dem siebzig Jahre lang alles gedieh – und dem es dann plötzlich sehr schlecht ging. Und da diese Wendung vom Glück zum Unglück schnell und schroff war, stellte der Mann, der so schrecklich betroffen wurde, höchst ausschweifende Fragen. Das Leben wurde ihm ungemein fragwürdig. Von einer Stunde zur andern merkte er, daß das Glück und das Unglück ein ganz schweres Problem sind.

Dieser denkwürdige Mann, Hiob, existierte zu seiner Zeit in einer Gegend mit dem Namen Uz – und in den Zeiten seitdem, bis zum heutigen Tag, im Gedächtnis der Menschheit. Vielleicht existierte er auch gar nicht; und er ist nur die Erfindung eines jüdischen Schriftstellers gewesen oder eines jüdischen Schriftsteller-Kollektivs, etwa aus dem Fünften Jahrhundert vor Christus. Auch weiß man nicht, wer der Biograph oder der Dichter dieses Hiob gewesen ist. War er ein Réfugié, der von Babylon nach Jerusalem zurückgekehrt war? Oder der Enkel eines solchen Mannes?

Diese unbeantwortbaren Fragen sind jedoch nicht so

wichtig wie andere, die man eher beantworten kann: woher stammt, Hiobs Meinung nach, das Unglück? Und kann man sich sein Wohlergehen verdienen?

Hiob war ein mächtiger Großgrundbesitzer. Er besaß 7000 Schafe, 3000 Kamele, 500 Joch Rinder, 500 Eselinnen, 7 Söhne, 3 Töchter und reichlich Gesinde. Er nahm also ziemlich viel Platz auf der Welt ein. Weit und breit war niemand so glänzend wie er.

Die Stammesgenossen waren geblendet von so viel Glanz. Die Jungen gingen aus Ehrerbietung beiseite, wenn sie seiner ansichtig wurden. Die Spitzen der Behörden legten sich die Hand auf den Mund, sobald er in eine ihrer Beratungen zu kommen geruhte. Wenn er gesprochen hatte, wurde nichts mehr hinzugefügt. Einer Rede von ihm folgte das Schweigen der Andacht – das in unserer Welt kaum noch bekannt ist.

Gott ging mit ihm um, wie Herren mit ihrem besten Knecht umzugehen pflegen. Der hohe Herr war sehr zufrieden und sah auf ihn, wie man auf ein Prunkstück sieht. Man konnte Staat mit ihm machen. Er war ein Vorbild an Tugend. Er beschützte die Witwen, die Waisen und die Armen, die Blinden und die Lahmen. Den Ungerechten zerbrach er die Backzähne und riß ihnen den Raub wieder aus dem Maul. So war er prächtig von innen und von außen; und fühlte sich so. Er war im Einklang mit sich, mit den Mitmenschen und mit seinem Gott. Die Zukunft war ebenso licht wie die Gegenwart. Hiob war glücklich.

Da geschah das Folgende. Eines Tages trat ein Bote bei ihm ein und meldete eine peinliche Geschichte. Eine Nomaden-Bande war von Saba her eingebrochen, hatte Hiobs Rinder, die gerade pflügten, weggefangen, hatte auch Hiobs Eselinnen, die auf der Weide waren, mitgenommen und Hiobs Knechte getötet. Nur der Bote dieser Hiobs-Post war entkommen.

Hiob hatte noch keine Zeit gehabt, die schlechte Nachricht zu verdauen, als ihm der Verlust seiner sämtlichen Schafe und Hirten gemeldet wurde. Ein Feuer hatte sie weggefressen. Und schon war ein dritter Unglücks-Bote da; das Unglück trat offenbar mit verteilten Rollen auf. Der Dritte erzählte von drei Haufen chaldäischer Männer, welche die Kamele gestohlen und die Kamel-Treiber hingemacht hatten. So ging Stück für Stück des mächtigen Besitzes vor die Hunde.

Der letzte Kurier, der den vorletzten wie aufs Stichwort ablöste, brachte die schlimmste Neuigkeit. Hiobs Ältester hatte an diesem Tag seine Brüder und Schwestern zu einem guten Essen geladen. Man tafelte recht vergnügt, als es plötzlich sehr stürmisch wurde. Schließlich packte der Wind das Haus und deckte mit ihm Hiobs Nachkommenschaft so gründlich zu, daß niemand von ihr die Sonne wieder sah. (Übrigens, als der reiche Mann so viel, ja alles verlor – behielt er immer noch sein Weib. Wollte der Autor, der doch einen gründlichen Bankrott zu schildern hatte, damit sagen: daß der Verlust der Ehefrau nicht so beträchtlich ist?)

Schließlich traf ihn noch ein Schlag, ganz ohne Boten. Heute würde man das so darstellen: die furchtbaren Aufregungen, die der alte Mann hatte durchmachen müssen, kamen in einer Hautkrankheit an die Oberfläche. Aber wie auch der ursächliche Zusammenhang gewesen sein mag: Hiob war plötzlich von Kopf bis Fuß mit stinkenden Geschwüren übersät.

Da saß nun der glänzende Agrarier, ganz ohne Glanz – und war gar nicht mehr Er. Was früher einmal sein Antlitz gewesen war, war nun aufgeschwemmt und häßlich gefleckt. Die Zähne standen kahl herum in der Einöde eines schattenhaften Gesichtes. Und so schattenhaft war der ganze Mann. Er fiel vom Fleisch und glich einem traurigen Geist, der zum Zeichen der Trauer Haut und Knochen angelegt hatte. (Moderne Diagnostiker sind der Ansicht, daß Hiob Elefantiasis gehabt hat.)

Natürlich benahm sich die Umgebung gegen ihn nicht

mehr wie gegen Hiob. Die Gattin konnte den Gestank nicht aushalten. Das Personal hatte vor so einem Herrn nicht den leisesten Respekt. Man antwortete nicht einmal mehr, wenn er schellte. Selbst jenes verachtete, gottlose Gesindel, das man irgendwann wegen irgendeines Vergehens aus dem Lande herausgejagt hatte, sang nun Spottlieder auf die einstige Zierde von Uz.

Trotzdem verlor Hiob den Kopf nicht; er blieb sich noch eine ganze Weile treu. Das heißt: er blieb noch eine ganze Weile dem alten Hiob treu. Gewiß, er zerriß sein Kleid, er raufte sich das Haar. Und laut posaunte er seinen Bankrott in die Welt: »Ich bin nacket von meiner Mutter Leibe kommen, nacket werde ich wieder dahinfahren.« Das fällt einem Menschen meist erst dann ein, wenn er keine guten Kleider mehr anzuziehen hat. Aber Hiob sah doch auf seine gar nicht erbauliche Nacktheit immer noch mit den frommen Augen des Besitzers von einst – und sagte, ganz friedlich: »Der Herr hat's gegeben, der Herr hat's genommen; der Name des Herrn sei gelobt.« (Die Weltanschauung eines Menschen hält sich oft noch – auch wenn er schon gar keinen Grund mehr für sie hat.)

Frau Hiob – die ihren Mann vielleicht loswerden wollte, vielleicht meinte sie es aber auch wirklich gut – redete ihm heftig zu, sich das Leben zu nehmen. Da wurde er geradezu unhöflich – und nicht nur zu ihr, sondern zum ganzen weiblichen Geschlecht; er flüsterte etwas von närrischen Weibern. Er war ganz und gar gegen Selbstmord. Und er hatte auch schon eine Theorie dafür – ebenso, wie sein Zeitgenosse, der indische Buddha, und wie Buddhas später Nachfahr, der Deutsche Schopenhauer. Selbst Pessimisten gehen ungern so weit. Hiobs Theorie gegen den Selbstmord lautete: haben wir Gutes empfangen von Gott, so dürfen wir nicht gleich die Flinte ins Korn werfen, wenn es einmal nicht so gut ist.

Er konnte also schon eine ganze Portion vertragen. Bis dann das Schlimmste eintrat: einige gute Freunde machten ihm einen Kondolenz-Besuch. Und was zu viel ist, ist zu viel. Dieser Besuch bewirkte, was die härtesten Schläge vorher nicht bewirkt hatten: er brachte den Hiob aus dem Gleichgewicht. Dabei waren diese Freunde von der besten Absicht beseelt. Sie hatten einen weiten Weg gemacht, um ihren von Gott so hart geprüften Freund zu trösten. Sie trafen einige Wochen nach der Katastrophe ein und erkannten ihn kaum wieder. Das erschütterte sie sehr. Sie weinten ganz bitterlich. Sie zerrissen ihre Kleider, bedeckten ihren Schädel mit Erde und saßen sieben Tage und sieben Nächte neben dem Elenden in schweigender Trauer auf der nackten Erde. Und solange der Fall nicht diskutiert wurde, ging auch alles recht gut. Dem Hiob wurde wahrscheinlich etwas leichter ums Herz; und so machte er diesem Herzen Luft, indem er ganz gewaltig übertrieb – was immer sehr gut tut. Er schrie zum Beispiel: »Warum ist das Licht gegeben den Mühseligen, und das Leben den betrübten Herzen?«

Ebenso heilsam wie das Übertreiben ist das Verallgemeinern, eine versteckte Art von Übertreiben. So klagte Hiob, verallgemeinernd: »Muß nicht der Mensch immer im Streit sein auf Erden, und sind seine Tage nicht wie eines Taglöhners?« Hiob hatte offenbar ganz vergessen, daß seine Tage durchaus nicht die Tage eines Taglöhners gewesen waren.

Die Freunde vernahmen solche pessimistischen Sätze gar nicht gern. Das war ihnen viel zu subversiv. Sie hätten lieber etwas Erbauliches aus dem Munde ihres Freundes gehört, etwas Aufbauendes. Man will schließlich die Früchte seines Mitleids sehen. Man kann schließlich nicht in alle Ewigkeit neben Unglücklichen sitzen und trauern. Bei aller Freundschaft, es waren schließlich nicht *ihre* Rinder und nicht *ihre* Söhne, die dahin waren. Sie mußten den Fall Hiob nun endlich zu einem befriedigenden Abschluß bringen, um sich mit gutem Gewissen wieder den eigenen Geschäften zuwenden zu können.

So trösteten sie. So gaben sie gute Ratschläge. Trost und

Rat ist oft die Abwehr des Nicht-Betroffenen gegen das Leid des Betroffenen. Trost und Rat sind – neben anderem – auch eine Maske der Distanz. Als nun Hiob diese billigen Predigten hörte, die sein Leid überhaupt nicht in Betracht zogen, wurde er sehr ungemütlich. Wahrscheinlich merkte er erst bei dieser Gelegenheit, daß er gar nicht so ein perfekter Dulder war, wie er sich selbst noch vor kurzem eingebildet hatte. Der Sturz von oben nach unten hat oft sehr revolutionäre Effekte. Man macht eine Generalabrechnung, wo man es früher gar nicht so genau wissen wollte. Und Hiob legte nun – angestachelt durch die Salbadereien der drei Freunde, die *keinen* Haut-Ausschlag hatten und *nicht* bankrott waren – ganz fürchterlich los. Er sagte ganz laut, was er von dieser so gefeierten Welt-Regierung eigentlich halte: nämlich gar nichts. Die Freunde, mit ihren kindischen Tröstereien, hatten ihm überhaupt erst ein Licht aufgesteckt, was ihm und der ganzen Menschheit angetan wird.

Es ist sehr oft so: wenn einer erst aus dem Gleichgewicht kommt, dann fällt er auch gründlich. Plötzlich fällt diesem Grundbesitzer gründlich ein, was er schließlich immer gewußt hat: »Wer in die Hölle hinunterfährt, kommt nicht wieder herauf.« Wem aber so etwas erst einmal aufgeht, dem ist nur noch schwer der Mund zu verbieten. Und alles, was er sich selbst bisher verwehrt hatte, zu sagen, kam nun, in der Angst seines Herzens, ans Licht. Den drei Herren, die zu Besuch gekommen waren, war diese Wendung schrecklich peinlich. Sie sagten sich: wohin würden wir kommen, wenn wir diese Ordnung des Lebens, in der es uns gut geht, in Frage stellten? Und da ihnen die Reden des Hiob geradezu umstürzlerisch klangen, riß ihnen die Geduld. Und sie zogen andere Saiten auf. Dieser außer Rand und Band geratene Bankrotteur mußte endlich zur Raison gebracht werden. So kam es, daß die Freunde, die zu ganz anderen Zwecken hergekommen waren, sich als Hüter der Ordnung aufspielten, die vom höchsten Herrn dieser Ordnung direkte Informationen erhalten. Sie kanzelten den Unglücklichen ab wie einen ungezogenen, dummen Schuljungen. Was den Geprügelten natürlich nur noch radikaler machte.

Die Freunde sind nun schon lange keine Freunde mehr. Sie sind Anwälte des Zustands der Dinge, in dem es ihnen gut geht. Und sie triefen vor Selbstgerechtigkeit. Sie glaubten mit rhetorischen Fragen beweisen zu können, was Hiob mit tieferlebten Fragen anzweifelt. Hiob schreit: »Warum leben denn die Gottlosen, werden alt, und nehmen zu mit Gütern? Sie jauchzen mit Pauken und Harfen, und sind fröhlich mit Flöten.« Die Freunde haben darauf nichts zu antworten als: »Wo ist ein Unschuldiger umgekommen?« »Wo sind die Gerechten je vertilget?« »Meinst du, daß der Allmächtige je das Recht verkehre?« ... Gerade das meinte Hiob. Sie aber antworteten auf die ernstesten Fragen, indem sie die abgestandensten Phrasen bis zum Überdruß wiederholten.

Sie wollten ihn mit ihrem Geschwätz mundtot machen. So schmetterten sie eine Kalender-Weisheit nach der andern in die Luft. Glück hat, wer es verdient – prahlten sie. Unglück hat, wer es verdient. Man wird glücklich, indem man hübsch befolgt, was einem in der Schule und im Religions-Unterricht gelehrt wurde. Denn da existiert Jemand, hoch oben, der für Tugend – Glück zahlt ... Wenn also Hiob jetzt unglücklich ist, so folgern sie, so muß er einiges auf dem Kerbholz haben. Woher sonst die Geschwüre?

Bisweilen sind die Freunde sogar nicht einmal ganz abgeneigt, ihm zu glauben, wenn er so leidenschaftlich seine Unschuld beteuert. Da haben sie dann ein neues Argument zur Rechtfertigung des Erfolgs und des Mißerfolgs. »Meinst du wohl«, philosophieren sie, »daß du wissest, was Gott weiß?« Und sie erfinden Sünden, die er nie begangen hat – nur um zu beweisen, daß der Welt-Regent ein guter Richter ist. Grundsätzlich behaupten sie, so oder so: der Unglückliche muß auch schlecht sein; denn sonst stimmt die ganze Rechnung nicht. Falls aber Hiob dennoch gut sein sollte – die Freunde scheinen auch schon skeptisch angefressen zu sein – haben sie noch diese Reserve-Lösung bereit: »Wie mag ein Mensch gerecht sein vor Gott?« – Das aber, liebe Freunde, ist ein sehr gefährlicher Satz. Da könnte leicht einer zu der Folgerung kommen: also kann man sich die ganzen Tugenden schenken, wenn man sowieso nicht gerecht sein kann.

Den Freunden ist offenbar bei all dieser Selbstgerechtigkeit nicht sehr wohl. So haben sie noch ein drittes Argument zur Rechtfertigung dieses Unglücks auf Lager – das ihrem Freund Hiob vielleicht etwas schmeicheln soll. Sie sagen: »Selig ist der Mensch, den Gott strafet.« Sie sagen: »Der Mensch wird zum Unglück geboren, um (wie die Vögel) empor zu schweben.« Und wenn auch diese Freunde bestimmt keine Lust hatten, mit stinkenden Geschwüren zu schweben – so hatte ihre gute Idee doch eine große Zukunft. Sie wuchs sich aus zu dem Satz des deutschen Philosophen Hegel: »Die Strafe ist die Ehre des Verbrechers.« – Aber dieses leise Entgegenkommen der Freunde war nur sehr leise und ganz folgenlos. Im Wesentlichen blieben sie dabei: es wird schon einen moralischen Grund haben, lieber Hiob, daß du so arm und so krank bist.

Am selbstgefälligsten benimmt sich ein vierter Freund, der erst sehr spät auftaucht. Er ist der Jüngste im Kreise, was er dadurch zu kompensieren sucht, daß er etwas Rüdes gegen die Alten sagt. Es ist eine geläufige Vorstellung, daß die Jugend immer progressiv ist. Das ist falsch; sie ist nur immer – vital. Und man kann das Rückwärts ebenso vitalisieren wie das Vorwärts. Dieser Jüngste ist nun solch ein quicklebendiger Rückwärtser. Er macht den drei Freunden des Hiob die bittersten Vorwürfe, daß sie zu milde mit diesem Sünder umgehen. Er ist sehr empört darüber, daß dieser Habenichts es wagt, zu seinen durch die Geschwüre bezeugten Sünden nun auch noch den Frevel des Lästerns hinzuzufügen. Dieser Jüngste ist in der hier versammelten Gesellschaft von Erfolgs-Anbetern der massivste Ideologe des Erfolgs: Gott ›vergilt dem Menschen, danach er verdient hat«. Und er gibt zum besten, was er tun würde, wenn er in einem solchen Elend wie dieser Hiob säße: er würde den Kampf gegen die herrschende Macht aufgeben. Wenn du gehorchst, lieber Hiob, dann wirst du gute Tage haben und mit Lust leben und alt werden. –

Hiob sagt zu dem ganzen, vierfältigen Gerede schlicht, laut und vernehmlich: Nein! Alle diese schönen Redensarten gleiten an ihm ab und entlocken ihm nur eine ebenso dezidierte wie karge Antwort: »Es sei ferne von mir, daß ich Euch recht gebe.« Das ist nicht allzu höflich, aber klar.

Er streitet nicht mit den Phrasendreschern. Aber er teilt ihnen in aller Ausführlichkeit mit, was er von ihnen hält. Und da Hiob ein guter Psychologe ist, entlarvt er recht gründlich ihre ordinäre Art. Sie benutzen also sein Unglück, um sich aufs hohe Roß zu schwingen. Weil es *ihm* schlecht geht, tun *sie* sich dicke. »Wollt Ihr wahrlich Euch über mich erheben und meine Schmach mir beweisen?« fragt er sie höhnisch. Er läßt sich nicht einreden, daß er schlechter ist, weil es ihm schlechter geht. Ach, er versteht sie zu gut. Und natürlich dünken sie sich nicht nur besser, sondern auch klüger. Aber auf ihn macht diese Klugheit nicht den geringsten Eindruck. Allen ihren weitschweifigen Weisheiten setzt er die kurze Verachtung entgegen: »Was Ihr wißt, das weiß ich auch.« Eure Gescheitheiten nützen mir nicht die Bohne. Glaubt Ihr nicht, daß ich genau so klug und von oben herab zu Euch sprechen könnte – wenn Ihr in meiner Lage wäret? Ihr meint doch nicht im Ernst, daß mein Schmerz von Eurer Trösterei und von Eurem Tadel aus der Welt geschafft wird? Im Gegenteil! Deshalb verschont mich bitte.

Ihr könntet mir allerdings helfen, wenn Ihr eine Weile den Mund hieltet und mir aufmerksam zuhörtet. Legt doch einmal meine Leiden in die Waagschale. Aber dazu seid Ihr ja viel zu feige. Ihr habt ja Furcht vor meinem Unglück. Deshalb strengt Ihr Euch so an, meine dringende Frage mit Eurem kindischen Geschwätz zuzudecken . . .

Ein Psalm lautet: »Ich bin jung gewesen, und alt worden, und habe noch nie gesehen den Gerechten verlassen, oder seinen Samen nach Brot gehen.« Die Frage, die Hiob auf dem Herzen hatte, lautete: wie konnte es passieren, daß ich, der ›Gerechte‹, in solch ein Unglück geriet? Und weshalb antwortet mir nicht der Herr der Welt auf meine Frage? Ich stelle ihn vor das Gericht, das er selbst eingerichtet hat. Ich klage: »Gott weigert mir mein Recht.«

Ein deutscher Dichter, Heinrich von Kleist, schrieb die Geschichte des Michael Kohlhaas, der sein Recht wollte und sonst nichts. Hiob war ein biblischer Kohlhaas. Er kämpfte nicht für seine Kamele und nicht für seine glatte Haut. Er kämpfte für sein Recht. Er verlangte ein Urteil, auf das er nach der Konstitution (dem Sinai-Bund) Anspruch hatte. Es glaubten damals vielleicht noch nicht alle Juden an diesen Vertrag. Die Herrschaft des Einen Gottes und seiner Rechtsordnung war wohl auch im Fünften Jahrhundert noch nicht völlig anerkannt. Hiob aber hatte ganz offenbar in diesem Glauben siebzig Jahre zugebracht. Und er pochte jetzt auf den Schein, den Moses seinerzeit in Empfang genommen hatte. Hiob stellte sich auf die Hinterbeine und sagte: »Von dem Recht, das mir zusteht, werde ich nicht lassen.«

Was stand ihm zu? Zu Horeb hatte Gott einen Kontrakt geschlossen mit den Hebräern. Solange Jahve nur ein jüdischer Lokal-Gott gewesen war, ist die Gruppe sein Kontrahent gewesen. Zur Zeit des Hiob aber (vielmehr: zur Zeit seines Biographen) war Gott bereits ein universaler Richter, der dem Einzelnen nach dem Gesetze sein Glück und sein Unglück zuteilte. Jedes Individuum, das sich zu ihm bekannte, war sein Kontrahent – also auch Hiob. Der hatte sich verpflichtet, die Zehn und viele andere Gebote zu halten. Dafür hatte sich der Herr verpflichtet: daß Hiob lange leben werde, und daß es ihm wohl ergehen werde auf Erden. Hiob hatte seine Verpflichtungen gehalten – wie von allerhöchster Stelle anerkannt wird. Und trotzdem geht es ihm so miserabel? Andere halten gar nichts. Und trotzdem geht es ihnen hervorragend? Gott ist kontraktbrüchig geworden. Die Tafeln vom Sinai, die für Gehorsam – Glück versprechen, sind nur ein Fetzen Papier. Der himmlische Rechts-Partner möge sich stellen und diesen Zustand der Dinge rechtfertigen ... Keiner der Freunde des Hiob ging auf dies Plädoyer ein. Es waren samt und sonders Drückeberger und hatten viele Nachfolger in der Geschichte der Religion und Philosophie.

Hiob aber kämpfte wie rasend für ein ordentliches Gerichts-Verfahren: er kämpfte für das ihm zustehende Wohlergehen. Doch war seine Position recht schwach; die Rechts-Sprechung und die Exekutive waren offenbar in einer einzigen Hand. Vergeblich wandte er sich an den obersten Beamten – mit der Bitte, einen allerhöchsten Gerichtshof zuzulassen, der unabhängig sei. Ach, Hiob war kein Feind der Konstitution, kein Anarchist. Er wollte nicht die Welt-Regierung stürzen. Warum ›hältst du mich für deinen Feind?‹ fragte er sehr rührend seinen Gegner Gott. Hiob war nicht hochfahrend wie Prometheus. Hiob wollte keine Macht-Probe, nur ein Schieds-Gericht; nur sein Recht – gemäß der Verfassung, der sie beide, der Gott vom Sinai und er, unterstanden. Das allerdings wollte er, unter allen Umständen.

Und er sprach mit einem herrlichen Mut, in der Richtung gegen den Himmel: »Sieh, ich bin zum Rechts-Streit gerüstet; ich weiß, daß ich Recht behalten werde.« Doch was nützte ihm alle Zuversicht, daß er Recht behalten werde. Er bekam nicht das Gericht, um das er bat. Resigniert machte er Bilanz: »Es ist zwischen uns kein Schiedsmann, der seine Hand auf uns beide legte.« Man kann das auch so übersetzen: Du bist, mein lieber Gott, ein großer Diktator.

Da nun sinnt Hiob auf Rache – der Ausweg aller Ohnmächtigen. Wenn man ihn so seiner konstitutionellen Rechte beraubt, dann soll man wenigstens in alle Ewigkeit wissen, wie Hiob über eine solche Wirtschaft gedacht hat. Und er hatte einen sehr rachsüchtigen Wunschtraum. »Ach, daß meine Reden geschrieben würden! Ach, daß sie in ein Buch gestellt würden! Mit einem eisernen Griffel aus Blei zu ewigem Gedächtnis in einen Fels gehauen würden!« Dieser Wunsch ist ihm in Erfüllung gegangen. Jüdische Schriftsteller haben seine Anklagen verewigt.

Und der alte Prozeß Hiob gegen Gott hat für diesen Gott enorme Konsequenzen gehabt. Eine hat schon Hiob selbst gezogen. Und von diesem Prestige-Verlust hat sich Hiobs Gegner nie wieder erholt. Als nämlich Hiob sein Urteil nicht bekommen konnte, entschied er, der Ankläger, selbst den Streit – und verurteilte den Welt-Regenten in absentia wegen Vertrags-Bruchs. Das heißt: er nahm dem Herrn des Himmels und der Erden das Adjektiv ›gerecht‹ – und entlarvte ihn vor aller Welt als einen ungezügelten Despoten. Denn ein Wesen, das, dank seiner Macht, die von ihm eingegangenen Kontrakte außer Kraft setzt, ist ein Despot.

»Er macht, wie er's will«, hat Hiob in diesen Urteils-Spruch hineingeschrieben; »er breitet ein Volk aus, und treibt's wieder weg.« Hiob hat noch viele andere vernichtende Sätze gegen diese Willkür-Herrschaft hinzugefügt. »Wer will den Donner seiner Macht verstehen?« So fragten wohl viele Šklaven orientalischer Despoten. Um ihn ist ein ›schrecklicher Glanz‹, so daß man vor Glanz nicht sehen kann. Übrigens ist das wohl die Funktion alles Glanzes gewesen, mit dem hohe Herrschaften sich zu umgeben pflegten: die Niederen werden geblendet, um nicht so genau hinschauen zu können. Und wie man ihn nicht sehen kann und nicht hören kann – diesen unzugänglichen Gestrengen, so kann man ihn auch nicht erreichen mit der menschlichen Stimme. »Oh, hätte ich einen, der mich anhört«, jammerte Hiob. Aber der Tyrann zeichnet sich immer dadurch aus, daß er keine Ohren hat; und Hiobs Freunde taten es –

wie alle Gleichgeschalteten – dem hohen Herrn nach. Auch sie hatten keine Ohren.

Schließlich trat der Herr der Heerscharen noch persönlich auf und bewies, wie porträt-ähnlich Hiob ihn gezeichnet hatte. Er war ganz genau so, wie der getretene Knecht in seiner Verzweiflung und Rachsucht ihn sich vorgestellt hatte. Der Allmächtige dachte gar nicht daran, sich zu rechtfertigen. Er wies nur auf sein mächtiges irdisches Empire hin und meinte, recht hochmütig: »Wo warest du, da ich die Erde gründete?« Als ob das ein Einwand gegen das Halten von Verträgen ist. Dann fragte er noch: »Kannst du den Morgenstern hervorbringen zu seiner Zeit?« Natürlich konnte Hiob das nicht. Und er bestand auch nicht die weitere Examens-Frage: »Kannst du mit gleicher Stimme donnern?« Hiobs majestätischer Gegner stellte sich ganz schlicht auf den Macht-Standpunkt.

Aber Hiob hielt es eben nicht für das Thema des Streits: ob er genauso gut donnern kann? Die Frage war seiner Ansicht nach: wer hat sich an die Abmachung gehalten? Doch der Allmächtige, als habe er nie etwas vom Sinai gehört, erklärte kurz und bündig: »Es ist mein, was unter allen Himmeln ist.« Das sagt jeder Großmächtige, der die Macht dazu hat.

Happy End und Happy Beginning

Vielleicht war es ein Schriftsteller, welchem dieser Ausgang zu gefährlich schien – der dann ein Happy End hinzufügte. Vielleicht aber haben auch jene Gelehrten recht, die in dem versöhnlichen Schluß, den die Geschichte dann noch erhielt, einen Versuch der jüdischen Orthodoxie sehen, die Rebellion des Hiob aufzufangen. Jedenfalls hat wohl erst das fromme Finale dem Buch Hiob die Chance gegeben, in jene Kollektion von Schriften aufgenommen zu werden, die man die Bibel nennt.

Das Ende der Geschichte ist voll von ungetrübtem unproblematischem Glück; nur ist es nicht ein Ende, das zur vorangehenden Geschichte paßt. Plötzlich, ganz unerwartet, ohne die geringste Veranlassung unterwirft sich der aufrührerische Hiob. Er macht nicht einmal eine Philosophie dazu. Er sagt, als wäre gar nichts geschehen – ganz rücksichtslos gegen die Neugierde der Mitwelt und der Nachwelt: »Siehe, ich bin zu leichtfertig gewesen.« Und er verspricht, wie ein kleinlauter Schüler, der schon immer mit schlechtem Gewissen die Schule geschwänzt hat: »Zum andern Mal will ich's nicht mehr tun.« Hiob ist abermals nicht mehr Hiob.

Sein Gott allerdings hält die Rolle großzügiger Willkür weiter durch. Er ist so angetan von der Nachgiebigkeit des störrischen Knechts, daß er sofort Stellung nimmt – gegen die Freunde des Hiob, die doch für Ihn und gegen den Rebellen gestanden hatten. Und das ist erst der Anfang. Hiobs Haut heilt ab, ganz ohne vorhergehende Bestrahlungen. Die Brüder und Schwestern des wieder in Gnade Aufgenommenen kommen angelaufen, mit Geld-Geschenken und Schmuck. Und der Herr gibt Hiob das Doppelte von dem, was er verloren hat; so daß er an diesem unerfreulichen Zwischenfall immerhin hundert Prozent verdient. Er lebte noch 140 Jahre; und hatte nun statt der 7 verstorbenen 14 neue Söhne. Das alles bekam er als Gegengabe für blinden Gehorsam. Der Verzicht auf die Frage: ›Warum?‹ wird belohnt – das ist die Moral von der Geschicht'.

Die traurige Geschichte des Hiob hat nicht nur ein Happy End – sie hat auch (wahrscheinlich ebenfalls eine nachträgliche Zutat) ein Happy Beginning. Gott wird (zu Beginn) ein verständliches, sehr humanes Motiv für seine schreckliche Behandlung des frommen Knechts Hiob unterlegt. Weshalb ist Gott so häßlich gegen diese fromme Kreatur? Das wird sehr psychologisch begründet. Man kennt doch die reichen Jungen und Mädchen, die sich in Ärmere verlieben – und von ihnen wiedergeliebt werden. Und eines Tages flüstert dann ein teuflischer Nachbar oder eine ebenso höllische Stimme ihm oder ihr ins Ohr: bist Du auch ganz sicher, daß Du nur um Deiner selbst willen geliebt wirst? – und nicht, weil Dein Name in der Zeitung steht? und nicht, weil Du eine reiche Erbin bist?

So flüsterte zu Beginn ein sehr seltsamer Satan, ein extremer Idealist, dem Jehova ins Ohr: vielleicht ist Dein Liebling Hiob nur deshalb so gehorsam-fromm, weil Du ihm so viel Gutes beschert hast. Wollen wir doch einmal die Probe aufs Exempel machen: wie er sich, nach Verlust aller dieser schönen Gaben, gegen Dich benehmen wird. Da nun Jeder gern um seiner Selbst willen geliebt werden will, auch dieser Gott – ging er, wenn auch mit sehr schlechtem Gewissen, was ihn ehrt, auf das teuflisch-idealistische Experiment ein. Das heißt: er ruiniert Hiob, um seine Anhänglichkeit messen zu können. Jener Gott benahm sich also wie ein Vorläufer des strengen Kant, der später so rigoros die Unterscheidung zwischen einer moralischen Handlung um ihrer selbst willen und einer moralischen Handlung um der Belohnung willen unterschied. Bei dieser göttlich-teuflischen Prüfung versagte dann Hiob völlig. Er blieb unerschütterlich dabei: er habe ein Recht auf das gute Leben, das er bisher führte. Trotzdem, trotz seiner Hartköpfigkeit wird er am Schluß belohnt – nur weil er (weiß der Teufel: weshalb) nachgibt. Die Geschichte, wie sie in der Bibel erzählt ist, hat keinen Zusammenhang. Aber sie hat den sehr ergreifenden, sehr wesentlichen Kern: die Frage – verdienen wir unser Unglück? verdienen wir unser Glück?

Diese große Frage taucht immer erst im Unglück auf. Wer erfolgreich ist, pflegt zu glauben, daß es ihm zukommt. Solange Hiob im Glück war, zweifelte er wahrscheinlich nicht eine Sekunde daran. Ganz gewiß, er war ein gottesfürchtiger Mann gewesen: hatte die Gefallenen aufgerichtet, ›die bebenden Knie‹ gekräftigt. Aber er hatte sich offenbar nie gefragt: sind die Leute, denen es schlechter geht als mir – wirklich auch schlechter? Und wenn sie schlechter sind – sind sie es nicht vielleicht deshalb, weil es ihnen schlechter geht? Als es aber an ihn kam, erkannte er diese Art von Trost, den er in guten Tagen wahrscheinlich selbst reichlich gespendet hatte, nicht an. Er rebellierte. Er schrie, im Tiefsten seiner Seele tief verwundet: fromm und gut sein hat überhaupt nichts zu tun mit glücklich sein. Der Mut zu dieser Entdeckung, das Leiden an dieser Entdeckung gab ihm seinen Platz in der Reihe menschlicher Helden und Dulder. Aber – in welche Richtung ging seine Rebellion? Zurück in eine überlebte Vorstellungs-Welt!

Er sagt sich nämlich nicht: vielleicht standen mir diese 7000 Schafe und 3000 Kamele damals gar nicht zu; vielleicht standen sie anderen, die sie nicht hatten, ebenso zu wie mir. Er sagte sich nämlich nicht: offensichtlich besteht gar kein Bund zwischen dem Herrn der Heerscharen und meinem Volk, zwischen dem Herrn der Heerscharen und mir; und ich habe mir das nur eingebildet, um in Ordnung zu finden, daß es mir so außerordentlich gut ging. Das alles sagte er sich nicht. Er suchte den Fehler nicht in seinem Glauben an einen ›gerechten‹ Gott. Sondern er tat, was in den Jahrtausenden viele Menschen taten, wenn sie ins Unglück gerieten: er prügelte die Personifikation seines Vor-Urteils. Hiob prügelte den ›gerechten‹ Gott, den er 70 Jahre lang für gerecht gehalten hatte, weil er ihm alles beschert hatte, was gut und teuer ist.

Hiob – oder der Philosoph, der ihn erfunden hat – ist weder ein frommer Mann gewesen (im Sinne des idealistischen Satan) noch ein revolutionärer Illusions-Zerstörer. Er war ein Mensch, dem das Schicksal mit harten Streichen bewiesen hatte, daß die Gleichung von frommem Gehorsam und Glück nicht stimmt – und der den Gott seines Vor-Urteils dafür verantwortlich machte. So verirrte er sich, da er die Existenz eines Welt-Regenten nicht bezweifelte, in eine Sackgasse: da thronte ein böser Dämon, der's mit den Menschen treibt, wie's ihm beliebt. Das Glück des Men-

schen – zu diesem zweifelhaften Resultat kam Hiob –
hängt ab von der Laune eines schrecklichen Dämons. Hiob
fiel – mitten aus einem großartigen Kampf – in den Ver-
folgungswahn früherer Zeiten zurück.

Hiobs geheime Frage aber: wie kann man glücklich werden, wenn der Gehorsam gegen Gott einem nicht angerech-
net wird? – lebte weiter. Auf diese Frage antwortet dann:
der Erste Philosoph des Glücks.

III

Der Erste Philosoph des Glücks

Hans im Glück

Wann lebte der Erste Philosoph des Glücks? Und wo lebte er? Das ist sehr schwer zu beantworten. Dafür aber kennt man einen seiner Vor-Namen: Hans – oder, etwas genauer, ›Hans im Glück‹.

Dieser ›Hans im Glück‹ tauchte auf in einer Reihe deutscher ›Kinder- und Hausmärchen‹, mündlich überlieferter und bereits aufgezeichneter, welche die Brüder Jakob und Wilhelm Grimm, zwei deutsche Altertumsforscher, am Anfang des Neunzehnten Jahrhunderts eingesammelt haben. Der englische Poet Auden schrieb in unseren Tagen: diese Märchen rangieren gleich hinter der Bibel.

Hans ist eigentlich nicht das, was man einen Philosophen nennt. Er ist, soweit man von seinem Leben weiß, ein schlichter Handwerks-Bursche gewesen – und philosophierte nicht einmal nebenbei. Aber er hatte, am Ende seiner Lehrzeit, auf dem Wege heim zur Mutter, ein Abenteuer – das dann für alle Philosophen das Fundament ihrer Lehre vom Glück wurde. Hans lebte den Menschen eine große philosophische Entdeckung vor. Was für eine Entdeckung ist das gewesen?

Hiob war, wie wir sahen, sehr enttäuscht, als ihm plötzlich und grundlos Alles genommen wurde, was vorher sein Glück ausgemacht hatte. Er machte die trübe Erfahrung, daß man sich sein Glück nicht verdienen kann. Denn wenn man trotz der strengsten Erfüllung aller Gebote, die der Herr über Glück und Unglück erlassen hat, unglücklich werden kann – dann hat man es eben nicht in der Hand, glücklich zu sein.

Da kam nun die philosophische Heimreise des Hans, der

dann den Spitznamen ›Hans im Glück‹ erhielt. Und obwohl Hans ganz gewiß nicht das Geringste von Hiob und seinem Unglück wußte, gab seine Erfahrung eine Epochemachende Antwort auf die Fragen dieses unglücklichen Mannes. Diese Antwort steckt nicht in einem Buch, das Hans schrieb, oder in einem Satz, den Hans verkündete, sondern in seinem Reise-Erlebnis.

Hans hatte sieben Jahre gedient und wollte nun wieder nach Haus, zur Mutter. Und da er sehr brav gewesen war, belohnte sein Meister ihn fürstlich. Er gab ihm einen Klumpen Gold; der war so dick wie Hansens Schädel. Hans knüpfte den Schatz in ein Tuch, warf die kostbare Last über die Schulter – und war sehr glücklich.

Mit der Zeit aber spürte er, daß das goldene Gepäck ihn ganz schrecklich drückte. Da war er nicht mehr zufrieden. Und es kam ein Reitersmann daher. Wie herrlich ist so ein Pferd! Man braucht nicht zu Fuß zu gehen. Man kann einfach sich tragen lassen. Man stößt sich nicht an spitzen Steinen. Man nutzt seine Schuhe nicht ab. Hans tauschte das Gold gegen das Pferd – und war sehr glücklich.

Plötzlich ritt ihn der Teufel. Er spornte das Tier. Es warf ihn ab. Da war er nicht mehr zufrieden mit dem Pferd. Und es kam ein Bauer daher mit einer Kuh. Wie herrlich ist so eine Kuh! Man kann gemächlich hinter ihr herspazieren; und wenn es einen gerade gelüstet, hat man Milch und Butter und Käse. Hans tauschte das Pferd gegen die Kuh – und war sehr glücklich.

Mittlerweile war es recht heiß geworden. Man brauchte eine ganze Stunde, um über das Moor zu kommen. Die Zunge klebte einem am Gaumen. Aber gerade dafür hatte er ja die Kuh. Er band sie also an einen Baum und hielt ihr seine lederne Kappe unter; doch nicht ein einziger Tropfen Milch war aus ihr herauszubekommen. Schließlich wurde das Tier noch ganz ungemütlich und versetzte ihm mit dem Hinterbein einen solchen Tritt gegen den Kopf, daß Hans nicht wußte, wo er war. Da war er nicht mehr zufrieden mit der Kuh. Und es kam ein Schlächter daher mit einem jungen Schwein. Wie herrlich ist so ein Schwein! Schweinefleisch schmeckt viel besser als Rinderbraten. Und dann diese Schweinewürste! Hans tauschte das Ferkel gegen die Kuh – und war sehr glücklich.

Jetzt kam einer des Weges mit einer Gans, die seit acht Wochen Fettlebe gemacht hatte. Wie herrlich ist so eine Gans! Und das ist eine ganz unverdächtige Gans – während sein Schweinchen, wie er nun hören muß, dem Bürgermeister der Nachbarschaft gestohlen worden war. Da war er nicht mehr zufrieden mit dem Schwein. Er genoß schon im voraus den Gänsebraten und das Gänseschmalz und die weißen Federn der Gans, aus denen man das weichste Kissen verfertigen kann. Er tauschte das gefährliche Schwein gegen die vielversprechende Gans – und war sehr glücklich.

So kam er an das letzte Dorf vor der Heimat. Da stand ein fröhlicher Scheren-Schleifer. Der war glänzend aufgelegt, weil, wie er Hans erzählte, Handwerk so einen goldenen Boden habe. Da war Hans nicht mehr zufrieden mit der Gans. Er tauschte sie gegen zwei Schleifsteine – und war sehr glücklich.

Die Steine wurden schwerer bei jedem Schritt. Er wurde müde und hatte großen Durst. Da war er nicht mehr zufrieden mit den Steinen. Schließlich fand er einen Brunnen, legte seine Habe auf den Rand und beugte sich nieder zum Trunk. Mit einer ungeschickten Bewegung stieß er die Steine in die Tiefe – und war sehr glücklich. Und kniete nieder und dankte seinem Schöpfer, Tränen des Glücks in den Augen. Und sagte zu sich: ich bin ein Sonntags-Kind; immer, wenn etwas schief zu gehen drohte, kam der Richtige des Wegs.

Leichten Herzens, frei von jeder Bürde, kam er glücklich zu Hause an. Und hier endet die Geschichte von ›Hans im Glück‹.

Hans machte also die Erfahrung, die jeder Mensch eines Tages von neuem macht: man besitzt das Glück weder im Gold noch im Schwein noch im Stein. Vieles kann einen glücklich machen; aber kein Gut macht einen glücklich in jeder Beziehung. Man kann auf nichts in der Welt hinweisen – und jubeln: siehe da, ein Kleid! das ist das Glück! siehe da, ein Königreich! das ist das Glück! Vielleicht macht es mich sogar unglücklich. Vielleicht macht es mich zum Teil glücklich und zum Teil gar nicht. Das ist also die große Erfahrung des Hans gewesen: auf die Frage ›Was ist Glück?‹ ist der Hinweis auf ein bestimmtes Gut nie eine Antwort.

Diese Wahrheit, die anläßlich von Hansens Reise ans Licht kam, muß immer wieder neu gelernt werden. Weil jeder erzogen wird in einer ganz konkreten Vorstellung von Glück; sie ist charakteristisch für seine Zeit und seine Schicht. Manchmal war das Glück verkörpert in einem Zauberer und manchmal in einem Cäsar. Im Neunzehnten Jahrhundert lebte für viele das Glück im gefeierten Virtuosen und im herrschenden Rothschild. In unseren Tagen wurde das Glück vor allem repräsentiert vom demagogischen Räuberhauptmann und vom strahlenden Film-Schauspieler. Und dieser Glaube an die Inkarnation des Glücks lebt unangefochten neben dem allgemeinen Wissen von dem trügerischen Glanz; ebenso wie der Eindruck, daß die Sonne wandert, nicht zerstört wird von der Lehre, die jeder von der Schule mitbringt.

Aber trotz dieser überwältigenden Sichtbarkeit des Glücks ist die Erfahrung des Hans, die ihn unterscheiden lehrte zwischen Glanz und Glück, nicht ohne Folgen geblieben. Jeder weiß – neben seiner Sehnsucht nach dem Glanz: diese Glänzenden sind oft nur gutbezahlte Mannequins des Glücks; der Mannequin führt vor – aber besitzt nicht, was er trägt. Talleyrand sagte von Napoleon, der für

Ungezählte eine Verkörperung des Glücks war: »Man kann den Kaiser nicht vergnügt machen.«

Und Hans ist nicht der Einzige, der das Illusionäre des Glanzes erfuhr. Der Prinz, der später Buddha hieß, gab einen fabelhaften Glanz auf, weil er ihn nicht glücklich machte. Tolstoi gab den Glanz eines mächtigen Großgrundbesitzers und gefeierten Künstlers auf, weil er ihn nicht glücklich machte. Ja, Dichter haben das Glück beschrieben – indem sie den Glanz beschrieben, den einer aufgab für sein Glück. Es gibt ein hervorragendes Beispiel für diese indirekte Schilderung von Glück: Maupassants Novelle ›Le Bonheur‹.

Suzanne de Surmont war ein schönes, junges, reiches Mädchen aus dem französischen Ort Nancy. Sie gehörte zum Lothringischen Adel. Ihr Vater war Kommandeur des Husaren-Regiments der Stadt. In diesem Regiment diente ein hübscher Unteroffizier, in den Suzanne sich sterblich verliebte. Die feinsten jungen Herren des Landes lagen ihr zu Füßen. Sie aber floh mit dem netten Bauern-Jungen. Ihre Familie hörte nie wieder etwas von ihr.

Der Erzähler, den Maupassant die Geschichte der Suzanne de Surmont vortragen läßt, trifft Suzanne fünfzig Jahre nach ihrer Flucht. Sie lebt im unzivilisierten Corsica, dort wo es am unkultiviertesten ist – am Ende der Welt. Verlassen steht ihre kleine Hütte auf der Sohle eines dunklen, von Felsen eingeengten Tals. Hier gibt es keine Straßen mehr. Weit und breit ist kein Gasthaus zu finden. Man spürt sehr deutlich das graue Nichts. Man hört in dieser Einöde den Tod.

Suzannes Bett ist eine dürftige Spreu. Ihr Mahl besteht aus einer Kartoffel-Suppe. Der Mann, dem sie vor fünfzig Jahren von Nancy hierher folgte, ist jetzt taub und zweiundachtzig. Und es ist vor diesem Hintergrund der Glanzlosigkeit, daß sie, nach fünfzig Jahren, bekennt – der alte, taube Mann sitzt dabei und kann es nicht hören: »Er hat mich sehr glücklich gemacht.« Und Maupassant wiederholt das Bekenntnis mit dem Satz: »Er hat ihr Leben mit Glück gefüllt, von einem Ende zum andern.«

Man ermißt die unermeßliche Herrlichkeit dieses Glücks, wenn man an all die Herrlichkeiten denkt, die sie aufgab, und an die Öde um sie herum, unter der sie nicht litt.

Das Glück liegt in Dir

Die Geschichte des Hans führt noch ein Stückchen weiter als die Geschichte der Suzanne.

Er erfuhr nicht nur, daß ein kleiner Unteroffizier mehr Glück hergeben kann als aller Glanz der glänzendsten Kultur eines glänzenden Jahrhunderts – daß ein Pferd glücklicher machen kann als ein ganzer Klumpen Gold. Die Geschichte des Hans ist ganz radikal; denn er ist zum Schluß noch glücklich – ohne jede sichtbare Ursache. Bei Suzanne gibt es immer noch einen, wenn auch sehr alt gewordenen Liebhaber als Verkörperung des Glücks. Als aber Hans auch noch die Schleifsteine verlor, war weit und breit nichts mehr zu sehen, was ihm hätte Glück schenken können.

Und deshalb ist es auch gar nicht ausgeschlossen, daß dieser Hans, falls er sich sein Reise-Abenteuer später deutete, heillos in die Irre ging. Wenn er (zum Beispiel) inzwischen zu viel traurige Verse und zu viel düstere Philosophien gelesen haben sollte, bestand die große Gefahr, daß er eines Tages aus seinem Reise-Abenteuer die Lehre zog: also, nichts zu haben – das ist das wahre Glück; am glücklichsten war ich damals am Brunnen, als der Schleifstein, die letzte Verwandlung meines Goldes, ins Wasser plumpste.

Aber Hans, das ist nicht wahr! Du bist nicht glücklicher gewesen, da du die Steine los wurdest, als du vorher gewesen bist, da du das Gold und das Pferd und die Kuh und das Schwein und die Gans und die Steine – erwarbst. Rede nicht nach, was du über den Glanz der Armut gehört hast. Bleibe strikt bei deiner Erfahrung, was immer am weitesten führt. Du hast damals, auf deiner Reise, einen praktischen Kurs in dialektischer Philosophie erhalten – und die Wahrheit gelernt: daß ein Stück Gold oder zwei Stücke Stein einen manchmal glücklich machen und manchmal auch nicht und manchmal sogar unglücklich. Und dann hast du noch gelernt: man kann sogar glücklich sein – ganz ohne äußeren Grund. Das Glück sitzt also nicht eingeschlossen in Diesem oder Jenem – das hast du gelernt, lieber Hans. Das Glück liegt in Dir – das ist die Lektion, die deine Reise dir erteilt hat.

Und mit dieser Lektion haben denn auch alle Philosophen nach Hans begonnen. Manche haben sie sogar überschätzt und geglaubt: »Was aus deinem Innern entsprungen ist, das ist treu und stark und wächst und geleitet bis ans Ende« (Seneca). Wenn also das Glück von innen kommt, meinten sie, ist es zuverlässig. Aber ist nicht manchmal das, was aus dem Innern entsprungen ist, gar nicht treu und auch gar nicht stark und wächst durchaus nicht bis ans Ende? Heute taucht dieses Gefühl auf, ganz stark – und morgen ist es toter als eine ägyptische Mumie. Heute taucht dieser Gedanke auf – und ist so wenig treu, daß er schon morgen nicht mehr zu finden ist, obwohl man das Unterste nach oben kehrt. Ebensowenig treu ist das Glück, das von innen kommt. Das Glück liegt in Dir: das ist ein wichtiger erster Schritt; aber nicht mehr. Hans verdient, an der Spitze jener Entdecker zu stehen, die wichtige Erfahrungen mit dem Glück und dem Unglück gemacht haben. Aber ein Anfang ist nur ein Anfang.

Solange ich glücklich bin, komme ich vielleicht sogar aus mit Hansens Weisheit: daß das Glück in mir liegt. Wenn ich es aber suche, dann werde ich zur nächsten Frage gedrängt: wo in mir? Nach der großen Entdeckung des Hans wird also plötzlich ein ganzes, weites, unentdecktes Gebiet ahnbar: das Ich. Dieses Ich, in dem das Glück liegen soll, ist ein höchst mysteriöses Gelände. Viele haben es durchforscht: von Lao Tse, den mehr die Unerforschbarkeit dieses Gebiets faszinierte, bis zu Freud, der mehr daran interessiert war, was innerhalb des Unerforschlichen zu erforschen ist. Aber die Karten, welche die großen Psychologen in zwei Jahrtausenden von diesem Ich gezeichnet haben, sind wie jene Karten, die vor dem 18. Jahrhundert von unserer Erde gezeichnet worden sind: bisweilen ähneln sie einander nicht einmal.

Viele dieser Seelen-Karten haben die Stelle markiert, wo man, wie der Karten-Zeichner meinte, nur zu bohren brauche – und das Glück sprudelt nur so heraus. Aber so wenig die Atlanten des Ich sich deckten – so wenig deckten sich die Orte, an die man die Quelle des Glücks verlegte.

Die Erde ist seit zwei Menschenaltern entdeckt. Man ist sich sogar darüber einig, wo unter der Erde die Kohle liegt und wo das Gold und wo das Öl. Man ist sich aber gar nicht darüber einig, wo in diesem Riesen-Welt-Ich das Glück produziert wird. Darauf gibt die Geschichte des Hans keine Antwort. Darauf versuchte dann der große griechische Glücks-Enthusiast Epikur seine Antwort.

Aber noch mehr als durch seine spezifische Antwort lebt Epikur im Gedächtnis der Menschheit als der Mann, der das Glück verkündete als höchste Bestimmung des Menschen. –

IV.

Epikur, der erste Epikuräer

Benjamin Franklin,
ein Epikuräer des vernünftigen Achtzehnten
Jahrhunderts

Am 23. Juni 1730 erschien in der Pennsylvania Gazette Benjamin Franklins ›Dialog zwischen Philocles und Horatio‹.

Zwei Freunde treffen sich zufällig irgendwo in den Feldern um Philadelphia. Sie wandern gemeinsam zur Stadt zurück und unterhalten sich über das Glück. Das Glück war ein sehr beliebter Gesprächs-Stoff im Achtzehnten Jahrhundert.

Philocles ist sehr erstaunt, daß Freund Horatio, dieser gesellige, lustige Horatio, mit trüber Philosophen-Miene einsam durch die Felder streift, fern von den Stätten fröhlichen Treibens. Was ist nur aus diesem gutgelaunten Horatio geworden?

Horatio hat einen abscheulichen Kater. Man erfährt nicht, was er den Abend zuvor getrieben hat. Gewiß ist nur, daß er vor schlechter Laune geradezu philosophisch gestimmt ist. Und da er weiß, daß sein Freund Philocles Auskunft geben kann über jene unheimlichen Dinge, die einem einfallen, wenn man nicht vergnügt ist – und über die Mittel dagegen, so beschwört er ihn: Lieber Philocles! wie komme ich zu diesem dauernden, nie wechselnden Glück, über das du so wundervoll sprechen sollst? Offenbar hast Du das Rezept . . .

Horatio bittet also einen berühmten Glücks-Arzt um eine wirksame Medizin gegen glücklose Stunden. Doch, wie das so mit Patienten zu gehen pflegt: sie wollen zwar geheilt werden, haben aber nicht die geringste Absicht, eine bittere

Pille zu schlucken. Doktor Philocles wendet nun gegen solch einen Patienten eine alte Philosophen-Technik an: die sogenannte sokratische Operation. Sie besteht in folgendem: man gibt sich sehr harmlos. Während aber nun der Patient nichts Böses ahnt und arglos auf alles eingeht, wird er plötzlich an seiner kranken Stelle gepackt. So geht der geübte Seelen-Chirurg Philocles jetzt vor.

Er spricht zunächst von Irgendjemand, einer erfundenen Figur, die den Horatio gar nicht interessiert. Nimm an, lieber Horatio, sagt er, einer Deiner Freunde trete mit Zweiundzwanzig ins Leben hinaus. Er ist ein kerngesunder Mensch. Er hat ein Grundstück, das ihm jährlich viel Geld bringt. Er versagt sich nicht das geringste. Er schlingt herunter, was er nur schlingen kann. Bevor er aber noch Dreißig ist, kracht sein Organismus zusammen und das Grundstück, das ihn so schön ernährt hat, ist aufgefressen. So bleibt ihm nichts weiter übrig, als sich eine Kugel durch den Kopf zu jagen. Und das ist ganz gewiß nicht der Gipfel des Glücks ...

Und nun packt er zu: dieser Freund lebt genau so, wie Du gestern gelebt hast und morgen leben möchtest. Wo ist der Ausweg? Ein Umweg ist der Ausweg, lieber Horatio. Und die Vernunft ist die Erfinderin der Umwege. – Alle Epikuräer priesen die Vernunft als Pfadfinderin.

Horatio ist empört. Er denkt gar nicht daran, diesen Umweg zum Glück, dieses Sich-Entfernen von der direkten Richtung aufs Glück – mit dem heiteren Namen ›Vernunft‹ zu zieren. Er wird ganz böse; und nennt diesen schrecklichen Umweg – einen Verzicht. Ach, diese traurige Gestalt ›Verzicht‹ mit ihren gesenkten Augenlidern, die nichts als verbieten! ... und weil Horatio gegen die strenge Logik seines Freundes nicht aufkommen kann, beginnt er – nach uraltem Brauch – zu schimpfen. Das ist doch geradezu ein Angriff auf die Ehre der Natur, die unser aller Mutter ist! Sie soll so eine Stümperin sein, daß sie uns einerseits unter das Gesetz der Leidenschaft stellt – und andererseits uns zwingt, dem entgegengesetzten Gesetz zu folgen, der Vernunft? Sie soll so eine Rabenmutter sein, daß sie uns nicht glücklich werden läßt, wenn wir unseren Neigungen folgen – und ebenso wenig, wenn wir sie uns versagen?

Philocles weiß nicht viel zu sagen gegen diesen Einwand, den alle Unzufriedenen, in hundert Variationen, gegen den Schöpfer des Menschen vorgebracht haben. Aber da nun jeder Schriftsteller seine Figuren zwingen kann, gibt sich der arme Horatio in Franklins ›Dialog‹ schließlich geschlagen. – Inzwischen waren die Freunde in der Stadt angelangt. Eine einzige Frage hatten sie während des ganzen Gesprächs nicht berührt: ob es denn so wichtig sei, glücklich zu werden. Das war ihnen selbstverständlich. Deshalb war sowohl Philocles als auch Horatio als auch ihr Autor, Benjamin Franklin, ein Epikuräer.

Wer war Epikur?

Was zweitausend Jahre vor diesem Jahr 1730 in Philadelphia philosophiert worden ist, weiß man nicht. Dagegen kennt man ziemlich genau eine Reihe von Gesprächen, die um 300 vor Christi Geburt in Athen und Umgegend stattfanden.

Da gab es, nördlich der Stadt, einen kleinen Garten, in dem sehr viel über das Problem des nach dauerndem Glück sehnsüchtigen Horatio zu hören war. Der Glücks-Sucher, der diesen Garten bewohnte, hieß Epikur.

Der Name Epikur ist weltberühmt geworden – im Begriff ›Epikuräer‹. Es ist der einzige Fall in der Geschichte der Philosophie, daß ein Eigen-Name in den allgemeinen Sprachgebrauch überging – zur Bezeichnung einer Lebenshaltung.

Was ist ein Epikuräer? Ein älterer, lustiger Herr mit gepolsterten, weingeröteten Wangen? Das vielleicht auch. Ein Wesen (wie die Feinde sich ausdrückten), welches einem

Schwein nur darin nachsteht, daß es nicht dieselbe animalische Unbekümmertheit erreichen kann? Das vielleicht auch.

Man kann aber noch besser sagen, was ein Epikuräer ist. Jemand, der mit Epikur weiß: »Jedes lebende Wesen strebt, sobald es geboren ist, nach Lust und freut sich daran als dem höchsten Gut, während es den Schmerz als das höchste Übel vermeidet.«

An Platons Akademie soll eine Inschrift gewarnt haben: »Wer nichts von Mathematik versteht, soll draußen bleiben.« Am Eingang zum Garten des Epikur soll man eingeladen worden sein: »Freund, das ist ein guter Ort: hier wird nichts mehr verehrt als das Glück.« – Epikuräer sind Leute, die das Glück verehren.

Der Eigen-Name Epikur ist nicht so berühmt geworden wie der Gattungs-Name ›Epikuräer‹. Epikur hat zwar nicht weniger Schule gemacht als Buddha oder Sokrates oder Jesus. Aber er wurde nicht zur Legende – wie jeder von den Dreien. Auch er hatte seinen Apostel. Was Platon für Sokrates tat, was die Evangelisten für Jesus taten – das tat der römische Dichter Lukrez für Epikur.

Er verherrlichte das Leben und die Lehre des Meisters als den ›Ruhm der Griechenheit‹: in einem Gedicht von 7915 Zeilen. Trotzdem blieb die Person dieses Stifters – Literatur. Sie lebt nicht. Weshalb nicht?

Der Anfang seiner Karriere ist nicht so pompös gewesen wie jene sensationelle Absage des indischen Prinzen Siddharta, später Buddha genannt, der sich aller seiner angestammten indischen Herrlichkeiten begab. Und das Ende seiner Karriere ist nicht so sensationell gewesen wie das Ende des Sokrates und des Jesus. Sokrates wurde von seinen Mitbürgern vergiftet und hielt bei dieser Gelegenheit eine Reihe von Reden – die nicht so unvergeßlich wären, wenn ihnen nicht sein Tod gefolgt wäre. Jesus wurde ans Kreuz geschlagen und versprach den Mitmenschen bei dieser Gelegenheit Gott und die Welt; diese Versprechungen wären nicht so unvergeßlich, wenn ihnen nicht sein Tod gefolgt wäre.

Epikur aber starb mit Zweiundsiebzig am Blasenstein; und schrieb bei dieser Gelegenheit einen freundlichen und gar nicht Welt-erschütternden Brief des Abschieds. Er teilte seinem Freunde Idomeneus darin mit, daß der Krankheits-Prozeß in der Blase seinen üblichen Verlauf nähme; es wäre ganz scheußlich. Trotzdem sei er recht guter Dinge; unter anderem auch deshalb, weil er sich mit Vergnügen an einige Unterhaltungen mit dem Freunde erinnere ... Dann nahm er ein lauwarmes Bad, trank einige Schluck ungemischten Wein und verschied. Aus solchem Holz werden keine Legenden-Figuren geschnitzt. Idyllikern wird kein Weihrauch gespendet.

Er ist der älteste Sohn eines armen Schul-Lehrers gewesen. Der war von Attika nach der Insel Samos übersiedelt, weil es mit dem Reich Athen bergab ging; es konnte die Konkurrenz der Insel Rhodos und der aufblühenden Stadt Byzanz nicht aushalten. Auf Samos wurde Epikur geboren, im Jahre 342, sechs Jahre nach Platons Tod. Man sagt, er habe als Knabe dem Papa geholfen, die Schreib-Utensilien für die Schüler vorzubereiten. Der Mama, einer Art Weiser Frau, soll er bei ihrem religiösen Hokuspokus, den sie für Geld veranstaltete, assistiert haben. Vielleicht aber ist das alles nur die bösartige Erfindung von vornehmen Leuten gewesen, denen seine Philosophie auf die Nerven ging.

Epikur hatte sich keine sehr friedliche Epoche zum Leben ausgesucht. Es war die Zeit der Eroberung Griechenlands durch Alexander von Mazedonien, die Zeit der Alexander-Züge und der Wirren des zerfallenden Alexander-Reichs. In solchen Jahren wird mancher in manches Ferne verstrickt, das ihn gar nicht anzugehen scheint. In solchen Jahren müssen viele Menschen hin- und herziehen, mit Sack und Pack – was im Zeitalter der Seßhaftigkeit gar nicht so angenehm ist. Epikur gehörte zu diesen unfreiwilligen Nomaden. Schließlich konnte er es sich in Athen bequem machen, mit Siebenunddreißig. Dort blieb er dann, bis an sein seliges Ende.

Er verbrachte seine glücklichen Tage in einem kleinen Garten vor den Toren der Stadt; und philosophierte mit Hingebung über das Glückliche Leben. Bei ihm waren sein Bruder und dessen Frau, die keine gerade sehr bürgerliche Herkunft gehabt zu haben scheint; außerdem einige andere Ehepaare, einige Junggesellen und einige Mädchen, die viel Anlaß zu Redereien gaben. Epikur war nicht dafür, mit den Seinen in Gütergemeinschaft zu leben. Er meinte, solch ein Kommunismus bringe nichts als Mißtrauen. Doch lebten sie alle gemeinsam in der Welt seiner Gedanken. Aufregende Ereignisse sind aus den fünfunddreißig Jahren dieser Garten-Gemeinschaft nicht bekannt – wenn man nicht gerade dem Tratsch glauben will.

Es waren auch oft Gäste von außerhalb da; man kannte Epikur. Aber mit der Weltgeschichte hatte er wenig Kontakt. So war nicht viel Geruder um ihn – im Verhältnis zu dem, was man vorher und nachher mit andern Stiftern trieb. Gewiß, ein Bekehrter fiel gelegentlich einmal nach einer Ansprache dem Meister zu Füßen – und betete ihn an als Gott; auch malte man sein Bildnis an die Wände und auf die Teller. Und er hatte Anhänger nicht nur in Griechenland, auch in Ägypten und Asien. Der römische Advokat Cicero zerbrach sich noch zweihundert Jahre später den Kopf: weshalb eigentlich dieser Epikur solch eine Attraktion ausübte – und immer noch ausübt.

Aber Zeno, der Chef der Konkurrenten-Schule, ist viel mehr geehrt worden: die Athener vertrauten ihm die Schlüssel ihrer Stadt an, krönten ihn mit einer goldenen Krone und bestatteten ihn von Staats wegen. Epikur scheint nicht so übermäßig gefeiert worden zu sein. Er gehörte offenbar nicht zu den Großen der Welt, die man ständig interviewt und abbildet.

Und auch seine damaligen Feinde sehen nur dann so gefährlich aus, wenn man sie heute auf einer Seite des Lexikons zusammengestellt sieht. Die Schüler des Sokrates mußten nach dem Tode ihres Lehrers aus der Stadt fliehen. Anhänger Christi wurden wilden Tieren zum Fraß vorgeworfen. Die Epikuräer hingegen haben (mit wenigen Ausnahmen) keine Wundmale aufzuweisen, höchstens kleine Kratzer. Allerdings fing man früh an – und hörte dann nicht mehr auf, die Verkünder des Glücks zu kratzen. Das nahm seinen Ausgang schon in ihren eigenen Reihen. Der Judas der Schule war ein Bruder des Lieblings-Schülers Metrodorus. Dieser schändliche Bruder versicherte: der Meister übergebe sich zweimal täglich, soviel stopfe er in sich hinein. Dann trat die Konkurrenten-Schule auf den Plan, die Stoa, und fälschte Briefe, die für Epikur belastend waren: fünfzig Billets Doux an Damen, an Halbwelt-Damen. Und ein übereifriger Stoiker rief empört aus: Vergnügen als Ziel! Das ist eine Huren-Philosophie! Und keine Vorsehung wird anerkannt? Das ist noch schlimmer ... Auch wurden recht häßliche Witze gemacht auf Kosten der Epikuräer. Weshalb, fragte man, erlebt man es so oft, daß Schüler anderer Schulen zu Epikur überlaufen – aber niemals fällt ein Epikuräer von seinem Lehrer ab? Das ist sehr einfach, lautete die Antwort. Männer können Eunuchen werden – aber Eunuchen nicht Männer ... Man riecht noch heute aus Frage und Antwort den Neid auf einen großen Erfolg heraus. Und dieser Konkurrenz-Neid trieb gelegentlich Blüten, die uns Heutigen sehr vertraut sind. In den Tagen des römischen Dichters Lukian, im Zweiten Jahrhundert nach Christus, verbrannte ein Zelot aus Paphlagonien den epikuräischen Katechismus und streute die Asche ins Schwarze Meer. Aber, trotz aller dieser Unfreundlichkeiten, hat man kaum davon gehört, daß einer, weil er sich zu Epikur bekannte, ans Kreuz geschlagen wurde. Der Märtyrer-Kalender der Epikuräer sieht nicht sehr prächtig aus.

Dennoch unterschätze man nicht das Ärgernis, das sie gegeben haben bis zu diesem Tag. Es ist ein schleichendes Ärgernis, nicht ein laut knallendes, ein heimliches Ärgernis, nicht ein illuminiertes. Es ist nicht ein Ärgernis von der Art des »Hier stehe ich, ich kann nicht anders ...«. Epikuräer waren nie wilde Leute. Deshalb ist nur ein einziger Fall bekannt: daß man sie verbrannte. Aber man nahm immer Anstoß an ihnen – obwohl ihr Name doch so ein gutmütiges Doppelkinn bekommen hat. ›Epikuräer‹ wurde ein welthistorisches Schimpfwort; denn es war fast zu allen Zeiten anrüchig, fürs Glück zu sein. ›Epikuräisch‹ wurde der Name für alles, was man als ›moralisch zweifelhaft‹ zu stempeln wünschte.

Im Zweiten Jahrhundert unserer Zeitrechnung sollen zwei Epikuräer aus Rom sogar verbannt worden sein, weil sie, wie man sagte, einen zu schlechten Einfluß auf die Sitten ausübten. Um dieselbe Zeit sagte man auch einem Anhänger der ›weibischen und gottlosen Religion des Epikur‹ nach, daß er frech in irgendein Allerheiligstes eingedrungen sei; man warf damals Epikuräer aus irgendeiner Stadt auf der Insel Kreta hinaus – weil sie eine ›unvornehme und gar nicht ehrenwerte Weltanschauung‹ verbreitet hätten. Man drohte den epikuräischen Spitzbuben: daß Ihr nicht zurückkommt!, sonst könnte es geschehen, daß wir Euch nackt in den Holzblock setzen, mit Milch und Honig beschmieren, den Stechfliegen und Wespen zum Fraß überlassen – und sollte das alles noch nicht zum gewünschten Ziele führen, dann ziehen wir Euch auch noch Weiber-Röcke an und stoßen Euch den Felsen hinab ... Und der Römische Kaiser Julian dankte, am Ende des Vierten Jahrhunderts, den Göttern: daß sie die Lehre des Epikur so gründlich ausgerottet hätten; man könnte, erfreulicherweise, kaum noch die Bücher des Epikur bekommen.

Also redeten die Heiden. Die Juden und Christen blieben in ihrem Abscheu nicht hinter ihnen zurück. Die Rabbiner nannten Übertreter des Mosaischen Gesetzes: ›Epikuräer‹; und hielten die Schlange, die Eva im Paradies verführt hatte, für eine Epikuräerin vor Epikur. Der Dichter Dante versetzte den liebenswürdigen Garten-Bewohner aus Athen geradezu in die Hölle. Und ein Florentiner Historiker aus dem Dreizehnten Jahrhundert, Villani, führte die Schwierigkeiten seiner Vaterstadt Florenz auf den Einfluß des bösen Epikur zurück; dieser Einfluß soll so stark gewesen sein, daß ein Teil der Bürger diese furchtbare Lehre mit den Waffen in der Hand verteidigte. Die Epikuräer haben nie ein gutes Renommée gehabt.

Buddha wurde schließlich der hochangesehene Verkünder einer hochangesehenen Religion. Das Christentum ist seit dem Fünften Jahrhundert offiziell der Glaube der Ehrenwerten, der In-Amt-und-Würden. Aber gerade der Mann, der so tadellos gelebt hat und so tadellos gestorben ist – ganz ohne Todes-Urteil, dieser Epikur hat es nie zu einer amtlichen Anerkennung bringen können; wenn man von dem einen Kaiser Marc Aurel absieht, welcher der Schule des Epikur dieselbe staatliche Unterstützung zukommen ließ, die drei andere griechische Philosophen-Schulen in Rom erhielten. Epikurs Anhänger haben nie erreicht, was den Anhängern des Buddha, des Sokrates und des Jesus so ausgiebig zuteil wurde: daß sie öffentlich stolz sein dürfen auf ihren großen Lehrer. Oder kann man sich vorstellen, daß in unserem Jahrhundert bei einem Staats-Diner oder bei einer Universitäts-Feier statt über Sokrates' ›Erkenne Dich selbst‹ oder über einen Satz aus Lukas gepredigt würde über Epikurs Lehre: »Jede Erregung körperlichen Vergnügens läßt eine Lust und Freude der Seele aus sich hervorgehen?«

Dabei war dieser Epikur so ordentlich. Man ist erstaunt, wenn man das bescheidene Leben dieses als Lüstling verschrienen Mannes kennenlernt. Er war ein sehr genügsamer Mensch – der sich gern einmal ein kleines Vergnügen gönnte. Dieses Vergnügen hatte er zum Beispiel schon von einer gelegentlichen halben Flasche Wein. Auch nennt er in einem Brief ein Stück Käse aus Cythnos ein Fest. Seine Feinde führten diese Bescheidenheit allerdings auf seine schlechte Verdauung zurück; aber Feinde sind nie sehr vertrauenswürdig. Weshalb nur wirkte dieser bescheiden-vergnügte Mann stets so provokant, daß es noch heute weder einem

Staatsbeamten noch einem Geschäftsmann anzuraten ist, sich als einer aus der Schar des Epikur erkennen zu geben?

Manche Denker sind in ihrer Lehre viel schlimmer als in ihrem Leben. In ihren Büchern werfen sie mit Dynamit um sich, daß es nur so explodiert; und wenn man dann in ihre Stube kommt, so füttern sie müde Fliegen. War Epikur so ein Mann? Wenn man die paar Briefe und Brief-Fragmente liest, die wir von ihm haben, und jene Reihe kleiner Sätze, die Spätere zitiert und aufbewahrt haben – dann gewinnt man den Eindruck: dieser Epikur war ein liebenswürdiger Mann, der niemandem was Böses tat; und seine Lehre war wie sein Leben. Woher aber stammt denn die geheime Unruhe rund um Epikur und sein Glück, seit zweitausend Jahren?

Er hat mit Sokrates und Jesus eine kleine Eigentümlichkeit gemeinsam: er regte die Menschen ganz fürchterlich auf mit den simpelsten, unscheinbarsten, geradezu selbstverständlichsten Sätzchen. Sokrates sagte nicht viel mehr als: weißt Du auch, was Du sagst? ... Das kostete ihm den Kopf. Jesus brachte nur die Botschaft: selig sind, die reinen Herzens sind ... Das kostete ihm den Kopf. Und Epikur lehrte nur dies: »Das höchste Gut ist das Glück, das höchste Übel das Unglück.« Das kostete ihm nur deshalb nicht den Kopf, weil er sich abseits gesetzt hatte – nicht so dicht neben einem politischen Pulver-Faß wie Sokrates und Jesus.

Alle diese Sätzchen hätten die Welt, in der sie ans Licht kamen, in die Luft gesprengt – wenn man sie wortwörtlich in Wirklichkeit umgesetzt hätte. Diese Männer einte das Entscheidende: es kam ihnen nicht auf einen Gott oder auf einen Staat oder auf eine Kultur an. Sie kannten weder ein männliches Glück noch ein weibliches, weder ein griechisches Glück noch ein jüdisches, weder ein adliges noch ein proletarisches. Was der eine Heil nannte, nannte der andere Glück. In diesem Sinne konnte Erasmus von Rotterdam dann sagen: der wahre Christ ist der wahre Epikuräer. Und lange vor Erasmus hatte schon der Heilige Augustinus bekannt: er würde dem Epikur die Palme reichen, wenn nicht Christus dann gekommen wäre.

Man stelle sich diese milden, bescheidenen Stifter mit ihren schmalen Kinder-Sentenzen nur nicht als Vegetarier vor – mit Sokrates-Sandalen und weißlich-blonden Christus-Bärten. Auch haben sie selbst bereits genau gewußt, was sie da anrichteten. Sokrates war während seines Prozesses, der auf Tod und Leben ging, von einem schneidenden Hohn gegen die Herren Geschworenen – und gegen die Menschheit, die sie repräsentierten. Jesus verriet in einem seiner wichtigsten autobiographischen Bekenntnisse, wie er sich sah: ich bin nicht gekommen, den Frieden zu bringen, sondern das Schwert ... (Das hätten Marat und Lenin auch nicht schärfer sagen können.) Und Epikur verkündete, ebenso provokant: »Der Anfang und die Wurzel alles Guten ist die Lust, die der Bauch zu geben hat.« Das war wahrhaftig gegen jedes amtliche Edikt.

Dieselbe kämpferische Überspitzung finden wir bei vielen großen Epikuräern. Der Franzose Montaigne schrieb im Sechzehnten Jahrhundert: »Es behagt mir, den Leuten dieses Wort ›Lust‹, das ihnen so gar zuwider ist, bis zum Überdruß zu wiederholen.« Und der deutsche Dichter Georg Büchner, einer der herrlichsten Verkünder des Glücks, schrieb am Anfang des Neunzehnten Jahrhunderts, ebenso bewußt aufreizend: »Der Schmerz ist die einzige Sünde, und das Leiden ist das einzige Laster.« In allen großen Epikuräern lebte ein großer Aufruhr.

Das ist immer gesehen worden. Der römische Weise Seneca sagte von Epikur: er sei ein Held, verkleidet als Weib ... Karl Marx, der mit einer Doktor-Arbeit über Epikur begann, schrieb: »Epikur ist der größte griechische Aufklärer.« Und wer Marx nicht glaubt und Augustinus als Kronzeugen vorzieht, findet bei dem Heiligen lobend vermerkt: daß alle Philosophen-Schulen Griechenlands an böse Geister und Hexen geglaubt hätten – mit Ausnahme der Epikuräer.

Dieser frühe, vom Heiligen Augustinus und vom Unheiligen Marx gepriesene Aufklärer führte einen Kreuzzug fürs Glück. Eine der Waffen, die er denen, die glücklich werden wollten, besonders empfahl, war: die Vernunft. So predigte dann auch später Benjamin Franklins Philocles, im Sinne des Meisters: nur mit Hilfe der Vernunft, lieber Horatio, kommst Du zu dem Glück, das Du suchst.

Horatio erwiderte darauf, wie wir uns erinnern, mit Recht: ist die Vernunft nicht eine böse Gouvernante, die einem verbietet, was einem Freude macht? Ist die Vernunft nicht so wenig die Wegbereiterin des Glücks – daß sie vielmehr den Weg zu ihm geradezu sperrt? Empfiehlt die Vernunft nicht wieder und wieder Verzicht auf Glück – statt Glück? Diese Fragen sind mehr als berechtigt – auch wenn Philocles sich vor ihrer Beantwortung drückte. Da nun auch Epikuräer für vernünftige Zurückhaltung, Mäßigkeit und ähnliche nicht sehr glanzvolle ›Tugenden‹ sind, muß man sich klarmachen: daß es zwei völlig verschiedene Arten von Verzicht auf Lust, Freude, Glück gibt.

Man nehme an, man sei zu einer Gesellschaft geladen, die sowohl eine höchst anregende Unterhaltung als auch viel guten Wein verspricht. Man nehme weiter an, daß man sowohl guten Wein liebt als auch gute Unterhaltung. Schließlich noch, daß der Wein einen nicht anregt, sondern müde macht – und so die Freude am Gespräch verdirbt. Da entscheidet man sich denn, wenn man das Gespräch vorzieht, zu einem wenig schönen Verzicht: man trinkt nicht. Auf solch einer Askese ist das Glück der Epikuräer erbaut. Es ist nicht der Verzicht auf Glück – sondern der Verzicht auf ein Glück für ein anderes, das einen glücklicher macht.

Nehmen wir an: neben dem verzichtenden Epikuräer saß auf jener Gesellschaft ein Mann, der auch keinen Wein trank – und diesen Verzicht ebenso bitter empfand. Aber dieser zweite verzichtete nicht, um (zum Beispiel) ein gutes

Gespräch genießen zu können. Er verzichtete, weil er zu Hause und auf der Schule in der Religions-Stunde gelernt hatte, daß der Genuß von Alkohol sündhaft sei.

Beide Abstinenzler, der eine im Dienste eines Glücks, der andere im Dienste irgend eines Aberglaubens, ähneln einander – wenn man nichts als das ungefüllte Glas vor ihnen betrachtet. Aber gerade wegen dieser Ähnlichkeit muß man erkennen: daß der Verzicht der beiden Herren mit den leeren Weingläsern vieldeutig ist. Der eine Verzicht ist der Todfeind des andern Verzichts. Das hätte Franklins Philocles dem Horatio antworten können.

Epikur ist groß gewesen im Verzichten – und nie ein Verehrer des Verzichts. Er verzichtete nicht auf Glück – sondern um des Glücks willen. Franklins Horatio ist Fleisch vom Fleische des Epikur, wenn er sagt: »Ich verehre den Genuß in allen Formen und Gestalten.« Keine Lust, keine Freude, kein Glück ist schlecht an sich: das ist die Grund-Melodie aller Epikuräer gewesen. Und Epikur betonte wohl nur deshalb das Glück, das der Bauch gibt, so stark – weil es schon damals so sehr verleumdet wurde. Ein junger Mann vertraute ihm einmal an: sein Temperament triebe ihn zu sexuellen Ausschweifungen. Epikur hatte auch dagegen nichts. Und so begann er seine Warnung vor einem Zuviel mit dem wundervollen prinzipiellen Einverständnis: gehe deinen Vergnügungen nach ... Dann allerdings kam ein Aber – und dem Aber folgte eine lange Liste dessen, was beim Nachgehen alles zu bedenken ist. Doch wird die Tafel der Verbote hier geadelt durch dieses grundsätzliche Einverstandensein mit allem, was Lust bringt und Freude und Glück. An diesem Einverständnis erkennen die Epikuräer einander, bis zu diesem Tag. Aus diesem Einverständnis schrieb der große Epikuräer Georg Büchner: »Es läuft auf eins hinaus, an was man seine Freude hat: an Leibern, Christus-Bildern, Weingläsern, an Blumen und Kinderspielsachen.«

Es gibt hier keine ›absoluten‹ Tugenden – keine Tugenden, die sich nicht vor einem Glück als berechtigt ausweisen müßten. »Man ehre die Tugend«, heißt es, »wenn sie zum Glück beiträgt; wenn nicht, gebe man ihr den Abschied.« Einer der schönsten und originellsten (wenn auch mißverständlichsten) Sätze des Meisters lautete: wenn die Vergnügungen des Wüstlings ihn über Schmerz und Furcht hinausheben könnten, dann (aber nur dann) wären sie nicht zu tadeln. Tugenden, meinte er, sind nichts als Steuerleute, deren Aufgabe es ist, einen auf dem Wege zum Glück durch alle Klippen sicher hindurch zu steuern. Epikur steht sehr kühl zum Steuermann Vernunft, zum Steuermann Tugend. Wohin er steuert – darauf kommt alles an. Auf das Gute? »Ich weiß nicht, was ich noch das Gute nennen soll, wenn ich die Lust des Geschmacks, die Lust der Liebe, die Lust des Ohres sowie den Reiz beim Anblick einer schönen Gestalt beseitige.« Man vergesse nie den besonderen Glücks-Duft dieser epikuräischen ›Tugenden‹, wenn man zu jenen anderen Tugenden kommt, die mit demselben Wort benannt – aber von einem anderen Geiste beseelt sind.

Dieser gescheite, fröhliche Asket sah sich gezwungen, eine Bestandsaufnahme der Bedürfnisse zu machen. Er wollte wissen: worauf man verzichten kann – und worauf nicht, ohne sich wehe zu tun. Und stellte fest: »daß von den Begierden die einen natürlich sind, die anderen grundlos«. Zu den grundlosen Begierden rechneten antike Kommentatoren den Appetit auf eine Krone oder ein Denkmal. Weiter teilte er die natürlichen Bedürfnisse in notwendige und nur natürliche. Ein notwendiges Bedürfnis ist der Durst. Zu den Bedürfnissen, die zwar natürlich, aber nicht notwendig sind, rechneten Epikuräer – Delikatessen. Heute wird man diese Psychologie kindlich nennen. Aber hinter dem, was uns kindlich erscheint, lebte ein fruchtbares Prinzip: das Trieb-System daraufhin zu untersuchen, welche Unglück stiftenden Triebe leicht zu vernichten sind. Der Wille zu einem glücklichen Leben, nicht ein Krüppel erzeugte diese Trieb-Psychologie.

Das Worauf-man-verzichten-kann spielte immer eine große Rolle in den Lehren des Glücks. Und nicht immer ist die Grenze zwischen epikuräischem Verzicht und dem Glückfeindlichen Nein-Sager ganz deutlich. Da gab es im alten Griechenland dieses weltberühmte Jahrmarkts-Unikum Diogenes, der bekanntlich in einer Tonne lebte. Auch soll er seinen Holzbecher fortgeworfen haben, als er einmal einen Bauernjungen aus der hohlen Hand trinken sah. Man hat ihm wahrscheinlich sehr unrecht getan, diesem guten Diogenes. Er war bestimmt nicht so ein enthusiastischer Masochist wie nach ihm mancher Puritaner, der nicht in einer Tonne lebte. Denn weshalb wohnte dieser seltsame Grieche in einer so ungemütlichen Wohnung? Ich stelle mir jenen Diogenes, der als ordinärer Strolch und Kultur-Verächter verschrien ist, eher als einen zarten, empfindlichen Menschen vor, dem vor all den Komplikationen graute, die mit den Wonnen eines Palastes verbunden sind. Da wohnte er schon lieber in seiner Tonne – aus purer Genuß-Sucht.

Und seine Rechnung bürgerte sich ein. Mancher rebellierte gegen die Segnungen der Kultur – weil er sie für Glückfeindlich hielt. Kultur-Feindschaft hat ihre Wurzel durchaus nicht immer in ödem Zelotentum gehabt. Sie stammte viel öfter aus einem ungestillten Durst nach Glück – und die Kultur wurde verantwortlich gemacht für diese Not. Immer, wenn die Groß-Kophtas der Kultur: die Technik, die Wissenschaft, die Kunst, die Religion, das Imperium ... nicht mehr verbergen konnten, daß sie unfähig sind, den Menschen glücklich zu machen – entstand Kultur-Feindschaft. Epikur sagte: »Setze Deine Segel, mein Lieber! Und steure Deinen Weg, ohne Dich viel um Kultur zu kümmern.« Rousseaus Parole ›Zurück zur Natur‹ wiederholte Epikurs Wort – aggressiver. Und Freud nahm in unserem Jahrhundert das alte Thema auf, mit seinem ›Unbehagen in der Kultur‹. Man darf aber die Kultur-Feindschaft der Epikuräer ebensowenig wie ihre Tugend verwechseln mit dem Kriegs-Geschrei des Barbaren, das ähnlich klingt. Und man verwechsele nicht ihren berühmten Imperativ: lebe im Verborgenen!

Lebe tugendhaft! Lebe diät! Halte Distanz zur Kultur! Das dritte Gebot der Epikuräer lautet: lebe im Verborgenen! Entziehe Dich den Vergewaltigungen durch die Gesellschaft – ihrer Bewunderung wie ihrer Verurteilung. Laß ihre Irrtümer und Dummheiten und gemeine Lügen nicht einmal in der Form von Büchern zu Dir dringen. Klingt das nicht nach bitterstem Eremitentum? Wieder ist es leicht, die Epikuräer mit ihren Feinden zu verwechseln. Die Enthusiasten des Glücks und die trüben Verleumder des Glücks haben Sätze hervorgebracht, die einander zum Verwechseln ähnlich sind.

Es ist ebensowenig Bitterkeit und ebensowenig trotziges Eremitentum in Epikurs ›Lebe im Verborgenen‹ wie (etwa) in der chinesischen Vorstellung von den Acht Vorteilen, die das Leben in den Bergen vor dem Leben in der Stadt hat. Welches sind die Vorteile? Man ist an keine Konvention gebunden; man braucht keinen Besuch zu empfangen, der einen nichts angeht; man braucht sich über dieses verräterische menschliche Herz nicht aufzuregen; man braucht kein Geschwätz über öffentliche Personen anzuhören... Also sprach ein chinesischer Epikur.

Das ›Leben im Verborgenen‹ hat nichts zu tun mit der Klausur mittelalterlicher Mönche, die in fernen, toten Karsten den Tod auf Erden vorwegzunehmen suchten. Epikur lebte im Verborgenen – um das Leben voll genießen zu können. Er lebte durchaus nicht in selbstgewählter Einzelhaft. Die Garten-Einsiedelei der Epikuräer war keine Stätte der Menschen-Feindschaft. Der epikuräische Enthusiasmus für Freundschaft beweist deutlich genug, daß dieses ›Leben im Verborgenen‹ nicht glücklose Misanthropie war.

Es war eher eine sehr verständliche Reaktion auf eine besonders turbulente Zeit. In allen sogenannten Großen Zeiten hatte dieses ›Leben im Verborgenen‹ eine besondere Attraktion. Wenn Große Leute (wie Alexander) ihren Namen ins Buch der Geschichte eintragen, müssen Kleine Leute (wie Epikur), falls sie Pech haben, alle paar Monate ihre Koffer packen und weiterziehen. Weil das hochberühmte Alexander-Reich geschaffen wurde und dann wieder verfiel, mußte Epikur in seiner Jugend von Samos nach Athen und von Athen nach Colophon und von Colophon nach Mytilene auf der Insel Lesbos und von Mytilene nach Lampsacus in Klein-Asien. Dieses ewige Emigrieren war kein Witz. Jedenfalls hatte der Emigrant nach allem eine sehr begreifliche Sehnsucht: so weit wie möglich fort von den Stätten, an denen Weltgeschichte gemacht wird. Der Kollege Zeno war mit dem König von Mazedonien befreundet. Philosophen pflegten in dieser Zeit nicht selten Botschafter zu werden. Epikur aber hielt es mehr mit seinem Ur-Ur-Enkel, dem Epikuräer Nietzsche, der zweitausend Jahre nach ihm lehrte: Du sollst den Großen dieser Welt aus dem Wege gehn ...

»Der Weise«, sagte Epikur, »wird sich nicht an der Politik beteiligen und nicht Herrscher sein wollen.« Der weise Epikur lebte glücklich – im Verborgenen.

Wir Furchtlosen sind glücklich

Für die himmlischen Politiker, für die griechischen Götter, fühlte Epikur nicht eine Spur wärmer. Er war gegen die Götter – erstens, weil sie die Menschen unglücklich machen; und erst zweitens, weil sie gar nicht existieren – außer als überglückliche ferne Wesen.

Er hatte mit eigenen Augen gesehn, wie so ein Gott entsteht: damals, als die Athener einen der vielen Nachfolger des Großen Alexander zum Gott erklärten. Ein Priester zelebrierte den Gottes-Dienst. Und in dem Hymnus, den man zu Ehren dieses lebenden Gottes sang, hieß es: »Du bist kein Gott aus Holz oder aus Stein, Du bist ein wirklicher, ein wahrer Gott.« So also entsteht ein wahrer Gott!

Und Epikur sagte: »Gottlos ist nicht, wer die Götter der Menge beseitigt, sondern wer die Anschauungen der Menge auf die Götter überträgt.«

Epikur fühlte sich nicht getrieben, in überirdische Geheimnisse einzudringen – wo ihn nicht einmal die irdischen allzusehr interessierten. Vor Sonne, Mond und Sternen hielt er sich höflich mit einem Vielleicht zurück. »Die Größe der Sonne und des Mondes und der übrigen Gestirne ist für uns so groß, wie sie erscheint, an sich aber entweder größer, als man sie sieht, oder ein wenig kleiner oder ebenso groß.« Er hielt das nicht für allzu wichtig.

Diese Skepsis gegen das Erkennen war nicht das Eigentum der Epikuräer. Andere brachten es darin viel weiter. Da war zum Beispiel der berühmte Zeitgenosse Pyrrho. Er war mit Alexander bis nach Indien gezogen, hatte Welt-Reiche, Religionen, Gedanken-Systeme entstehen und vergehen sehn – und aus allem die eine Lehre gezogen: enthalte Dich jeden Urteils; sage nicht: es ist so – sage: es scheint so zu sein ... Die Epikuräer haben nicht die Skepsis und nicht den Atheismus erfunden.

Aber sie zogen aus Skepsis und Atheismus pures Glück – das ist ihr Besonderes gewesen; und das Glück war ihr einziges Interesse. Die Einsicht in die Unfähigkeit, Gott zu erkennen, hat zu allen Zeiten Menschen in die tiefste Verzweiflung gestürzt. Im Achtzehnten Jahrhundert führte Kant den Nachweis: daß menschliche Vernunft nichts ausmachen könne über die Existenz Gottes; das brachte ihm den Namen ›Alleszermalmer‹ ein, weil viele sich hierdurch zermalmt fühlten. Und man kann noch heute in den Briefen des deutschen Dramatikers Heinrich von Kleist nachlesen, wie furchtbar er sich Kants Skepsis zu Herzen nahm. Epikur und die Seinen stellten hingegen die freundliche Seite der Unerforschlichkeit des Alls ins Licht.

Es gibt wirklich eine sehr freundliche Seite. Epikur lehrte: »Von den vielen Furcht erregenden Erscheinungen umgeben, bildet sich der Mensch die Meinung, es gebe viele ewige und mächtige Götter.« Furcht schuf – Götter. Und dann schufen Götter – Furcht. Deshalb sind die Götter ein Feind menschlichen Glücks. Gegen diesen Feind lehrte Epikur: »Man soll sich vor keinem Gott fürchten, sondern sich freimachen vom Wahnglauben.« Der Kampf gegen die Furcht ist das Herz seines Atheismus gewesen.

Die Furcht ist ein gewaltiges Hindernis auf dem Wege zum Glück; das sah Epikur zwei Jahrtausende vor der Psycho-Analyse. Und bekämpfte diese Furcht in allen ihren Erscheinungen. Die Furcht vor den Göttern war damals sehr verbreitet. So brachte er tausend Verängstigten die frohe Botschaft: daß die Götter, falls sie überhaupt existieren, in seliger Abgeschiedenheit leben, irgendwo im unendlichen Weltenraum. Sie belästigen die Menschen nicht – und wünschen nicht, von ihnen belästigt zu werden. Und Götter sind sie, falls sie überhaupt sind, nur darin, daß sie glücklicher leben als wir irdischen Kreaturen. »Sie sind voll Lust und ruhen in der höchsten Seligkeit, ohne sich selbst oder andern etwas zu schaffen zu machen«: das war die fröhliche Theologie des Epikur. Alle Epikuräer fanden die Erde erst unter einem entgöttlichten Himmel – göttlich. Friedrich Nietzsche jubelte, am Ende des letzten Jahrhunderts: »Das größte Ereignis: Gott ist tot.«

Und der Tod ist tot! verkündete Epikur.

Er focht, um des Menschen-Glücks willen, gegen autokratische Götter. Und er focht, allerdings mit geringerem Erfolg, um des Menschen-Glücks willen: gegen den Tod. Weshalb ist der Tod so schrecklich? fragte er. Viele Griechen (und viele Christen nach ihnen) stellten sich das Leben nach dem Tode ganz entsetzlich vor. Es ist mit dem Tode wie mit den Göttern, beruhigte Epikur die Entsetzten. Das Jenseits, das Ihr Euch da zurechtgemacht habt, ist nichts als ein fauler Zauber. Habt also keine Angst vor dem schlechten Leben nach dem Tod!

Manche aber fürchteten sich gar nicht vor dem Jenseits. Sie fürchteten sich vor dem Ende des Lebens. Epikurs großer

Schüler, der römische Dichter Lukrez, beschrieb einmal: wie sehr die Vorstellung von diesem Ende das menschliche Leben beeinflußt; man wäre nicht so gierig, meinte Lukrez, wenn man nicht immer daran denken müßte, daß eines Tages gründlich abgedeckt wird. So schlingt jeder noch einmal schnell hinunter, so viel er kann.

Wie bekämpft man den Schrecken des Todes? Mit Philosophie! Nichts ist im Leben furchtbar für den, der erfassen kann, daß im Nichtsein nichts Furchtbares liegt. Epikur kämpfte nicht (wie zum Beispiel: Bernard Shaw) gegen den Tod, sondern – gegen die Furcht vor dem Tod. Er bekämpfte sie mit einem Beweis – einem der berühmtesten Beweise in der Geschichte der Philosophie. Er lautet: »Das schauerlichste Übel, der Tod, geht uns nichts an, weil, solange wir sind, der Tod nicht da ist; ist er aber da, so sind wir nicht mehr.« Und die Philosophen hörten dann nicht mehr auf, auf diese oder ähnliche Weise dem Menschen die Furcht vor dem Tod auszureden. Im Neunzehnten Jahrhundert ging man sogar so weit, eine Furcht vor der Unsterblichkeit festzustellen – verkörpert in der Figur des Ahasver.

Wer immer zur Schar des Epikur gehörte, sah eine der Haupt-Pflichten der Philosophie darin, mit dem Tode fertig zu werden. Montaigne nannte einen seiner berühmten Essays ›Philosophieren heißt sterben lernen‹. Nur wer das Sterben gelernt hat, kann glücklich werden; und die Philosophie ist dazu da, das Leben glücklich zu machen. Epikur war vom Glück nicht abzubringen, schrieb im Neunzehnten Jahrhundert der französische Psychologe Guyau.

Epikurs Philosophieren war eine Anleitung zum Glücklichsein. Aristoteles hatte gelehrt: »Die Wissenschaft ist um so vornehmer, je weniger sie irgendeinem Ziel dient.« Für diese vornehme Wissenschaft hatte Epikur nichts übrig. Er war ein leidenschaftlicher Denker – um des Glückes willen, nicht um dieser vornehmen, völlig uninteressierten Wissenschaft willen. Dieses Denken im Dienste des Glücks hielt er für die wichtigste Angelegenheit des Daseins. Er tadelte jeden, der sagte:›Er wolle noch nicht mit der Philosophie beginnen – oder: die Zeit dazu sei vorüber.‹ »Wer so etwas sagt«, erklärte er, »gleicht einem Menschen, der sagt, die Zeit zum Glück sei noch nicht oder nicht mehr da.«

Er war ein Schüler des Demokrit, wandte sich aber ebenso gegen die Diktatur der Natur-Notwendigkeit – wie er sich gegen die Diktatur der Götter gewandt hatte. Aus demselben Grund. »Denn besser wäre es«, schrieb er, »den Fabeln über die Götter zu folgen als Sklave des Naturgesetzes zu sein; jene gewähren wenigstens Hoffnung auf Gebets-Erhörung, die Naturnotwendigkeit aber ist unerbittlich.« So schrieb er den Atomen eine Art von Freiheit zu und lehnte die eherne Notwendigkeit als Wahn ab – zweitausend Jahre vor der Nach-Newtonschen Physik.

Es gibt soviele Philosophien – wie es Motive gibt, aus denen sie wuchsen. Nun hat Kant den griechischen Philosophen nachgerühmt: sie hätten ihre Ideen mit einer Konsequenz entwickelt, die unerhört sei in der Moderne. Epikur war so ein Konsequenter. Mit einer durch die Jahrtausende nachwirkenden Energie hat er das Glück zu seiner Sache gemacht. Seine Lehre war in jedem Stück ein Instrument dieses Glücks. Und dies Instrument war besonders für zwei Aufgaben angefertigt.

Die Philosophie sollte den Menschen befreien von der Furcht: von der Furcht vor den Göttern, vor dem Tod, vor den unmenschlichen Naturgesetzen, vor den Despoten der Gesellschaft. Epikur behandelte die verängstigte Menschen-Seele. Sein Schüler, der Römer Lukrez, der im letzten Jahrhundert vor Christi Geburt lebte, rückte vor allem diese Befreiung in den Mittelpunkt seiner Beschreibung der Lehre des Meisters. Und zweitausend Jahre später, am Ende eines langen Freiheitskampfs, jubelte der Epikuräer Friedrich Nietzsche: »Wir Furchtlosen.«

Die zweite Aufgabe der Philosophie Epikurs war: nachzudenken über dieses sehr problematische Glück. Er dachte nach mit der Schwerfälligkeit des Anfängers. Er fragte:

welches ist die Rangordnung der Quellen des Glücks, deren es doch viele gibt – den Magen, das Geschlecht, die Augen, die Ohren, die Seele? Seine Antwort war nicht eindeutig: manchmal neigte er dazu, alles Glück auf die Freuden des Bauchs zurückzuführen – und dann heißt es wieder: »So ist es denn klar, daß ein hoher Grad von Lust oder Unlust der Seele für ein glückliches oder unglückliches Leben von größerer Bedeutung ist, als eine körperliche Empfindung, wenn sie gleich lange dauert.« Und er meinte: die geistige Lust erstrecke sich auch auf Vergangenheit und Zukunft, die sinnliche nur auf die Gegenwart. – Mit diesen und ähnlichen Sätzen begann eine Jahrtausend-Diskussion.

Er fragte dann weiter: ist das Glück der Sekunde unabdingbar – oder ist es bisweilen zu opfern für ein zeitlich umfänglicheres Glück? Er opferte die Sekunde – wandte sich aber schon scharf dagegen: daß dem Morgen der absolute Vorrang eingeräumt wird vor dem Heute. Dem hielt er die Warnung entgegen: »Wir sind einmal geboren; es gibt keine zweite Geburt. Wir werden nach unserem Tod nicht mehr existieren – in alle Ewigkeit nicht. Und doch achtet Ihr nicht auf das Einzige, was Ihr habt: diese Stunde, die ist. Als ob Ihr Macht hättet über den morgigen Tag! Unser Leben wird ruiniert, weil wir es immer aufschieben – zu leben. So sinken wir ins Grab, ohne unser Dasein recht gespürt zu haben.« Der römische Dichter Horaz preßte dies in die zwei berühmten Worte: Carpe diem, ›nutze den Tag‹!

Schließlich fragte er noch: ist Glück nur die Abwesenheit von Unglück? Und antwortete: »Seelenfrieden und Freisein von Beschwerden sind Lust in der Ruhe; Vergnügungen und Freude aber sind Erregungen, welche die Seele in Tätigkeit versetzen.« Es gibt also neben dem Freisein von Beschwerden, neben dem Seelen-Frieden, noch ein positives Glück. Glück ist nicht nur die Negation des Unglücks. Das unterscheidet die Epikuräer von allen, die Glück und Schmerzlosigkeit, Glück und Seelenfrieden gleichgesetzt haben.

Wieweit Epikur dieses von ihm so leidenschaftlich durchdachte Glücklichsein in seiner Problematik entfalten konnte, war abhängig von seiner geschichtlichen Erfahrung und den Denkmitteln, welche ihm seine Vorgänger im Denken (bis zu Aristoteles hin) überliefert hatten. Wie sein eigenes Glücklichsein aussah, war bestimmt von seinem Platz als bescheidener Athenischer Lehrer im winzigen Griechenland – zur Zeit, da es die kleine, wenn auch feine Provinz eines nicht sehr stabilen Imperiums wurde. Aber dieser Anfänger im Philosophieren und Glücklichsein ist noch nicht der erlauchte Ahn aller Epikuräer – bis zu diesem Tag.

Der ist weit mehr gewesen als ein glücklicher Pädagoge in einem Garten bei Athen; weit mehr als ein früher Psychologe, der die ersten Schritte machte in der Zergliederung des rätselhaften Phänomens ›Glück‹. Und er ist auch noch mehr gewesen – als der römische Poet Horaz mit seinem ›bene vivere‹ beschrieb.

Er ist die Verkündigung gewesen: es kommt alles darauf an, daß Du, Mensch, der Du heute und hier lebst, glücklich lebst. Du bist nicht da für einen Gott und seine Kirche und nicht für einen Staat und nicht für eine Aufgabe der großmächtigen Kultur. Du bist da, um Dein einziges, einmaliges Leben mit Glück zu füllen. Diese Entdeckung trägt den Namen Epikur.

Kann ein Epikuräer – selbstlos sein?

Der Enthusiasmus fürs Glück ist seit dem Jahre Dreihundert vor Christus reichlich kritisiert worden. Jede Kritik kann nun von zwei Seiten kommen: von außen und von innen. Von außen sagt sie immer: Nein! Von innen sagt sie immer: Ja, aber ... Die Kritik von außen sagte: wir erkennen nicht an, daß man vom Glück soviel Wesens macht. Wichtiger ist: Dein Gehorsam gegen die Kirche. Wichtiger ist: die Größe Deines Staats. Wichtiger ist: das mathematische Problem, an dem Du arbeitest; die Büste, die Du meißelst; das Geschäft, das Du aufbaust. Wichtiger ist zum Beispiel: die Zukunft des Menschen-Geschlechts. Der Schwarm der Gegner des Epikur und der Seinen ist bunt: man sieht da Gottesmänner, Gelehrte, Politiker, Artisten, Geschäfts-Inhaber und eifrige Angestellte. Man findet da sogar Utopisten, die vergessen haben, wofür sie eigentlich Revolution machen wollen. (Viele Marxisten haben das ›Glück‹ für eine konterrevolutionäre Vokabel erklärt.)

Auch ist Kritik von außen jede Kritik, die nachweist, welche elenden Folgen solch eine Glücks-Philosophie gehabt hat – und haben kann. Im Jahre 310 zeigte der Kirchenvater Lactanz, wie furchtbar diese Anhänger des Glücks ausschauen. Epikur lehre die Analphabeten: Literatur sei überflüssig. Die Geizigen dispensiere er von jeder Beteiligung an Wohltätigkeits-Veranstaltungen. Den Faulpelzen verbiete er, zu arbeiten. Er sage dem Feigling, er solle nicht kämpfen. Dem Gottlosen werde auch noch versichert, daß die Götter sich um nichts scheren. Der Selbstische werde auch noch aufgefordert, niemand etwas abzugeben; denn der Weise denkt nur an sich selbst. Wer sein Weib haßt, findet bei Epikur eine Liste aller guten Dinge, die das Junggesellentum mit sich bringt. Und wer ein Schwächling ist, vom Luxus verweichlicht, wird noch ausdrücklich belehrt, daß es nichts Schlimmeres gibt als den Schmerz. Wer aber wacker seine Sache macht, muß hier hören: daß der epikuräische Weise, selbst wenn er gemartert wird, glücklich ist. Also sprach Lactanz.

Die Standhaftigkeit im Martyrium den Epikuräern anzukreiden, klingt schon recht seltsam im Munde eines Kirchenvaters. Im übrigen aber hat Lactanz völlig recht gehabt: die Philosophie des Glücks ist auch eine gute Ausrede gewesen für Ungebildete, Knickrige, Arbeits-Scheue, Mutlose, Gottverlassene, Hartherzige, Menschen-Feinde, Leute ohne Gatten- und Menschen-Liebe, Wehleidige und Masochisten. Das ist nicht zu bestreiten. Aber dachte der Kirchenvater nicht daran, daß die Lehre Christi eben solchen Menschen gedient hat? Jede Religion, auch die reinste, jede Philosophie, auch die reinste, zieht einen Schwarm schmutziger Anhänger hinter sich her. – Wer immer einen Grund hatte, gegen das Glück der Mitmenschen zu sein oder gar gegen sein eigenes Glück – auch jeder, der zwar keinen Grund hatte, aber in einer Feindschaft gegen das Glück erzogen worden war, fand in Epikur den Teufel. –

Auch Epikuräer hatten und haben ihre Einwände. Und diese Kritik von innen ist beachtenswert. Ist es wirklich wahr, fragen sie, daß Götter den Menschen nur Unglück gebracht haben – nicht auch Seelen-Frieden? Ist die Furcht vor dem Tod schwächer geworden durch das Argument: daß wir ihn nicht mehr fühlen, wenn er da ist? Ist der Tod nicht gerade für den Epikuräer ein besonderer Schrecken, da er doch weiß, wieviel Glück er eines Tages aufgeben muß? Kann man den Willen zur Wahrheit so skeptisch-vergnügt beiseite schieben, wie Epikur es getan zu haben scheint – als ein Instrument zur Abwehr feindlicher Mächte und sonst nichts?

Vor allem wuchs da jene große Frage, mächtiger von Jahrhundert zu Jahrhundert, die schon die antiken Epikuräer leidenschaftlich beschäftigte – und dann wieder viele moderne: ist Epikuräismus nicht – Egoismus? Und wie ist dann der Enthusiasmus aller Epikuräer für die Freundschaft zu erklären? »Ohne Freundschaft gibt es kein vollkommenes Glück«, versicherte Epikur; »ohne die Gesellschaft eines Freundes zu essen, ist bestialisch.« Und es war diese Leidenschaft für Freunde, die ihn (Jahrhunderte vor Christus) zu dem Satz führte: »Geben ist seliger denn nehmen.«

Wie geht das zusammen: diese Hingabe an mein Glück – und dieser Opfer-Wille für den Freund? Die Freundschaft habe, meinte er, ihren Ursprung im Bedürfnis nach Hilfe – und weise so hin auf die Unzulänglichkeit des Menschen. Ähnlich erklärte er den Hang zu Gerechtigkeit, der ihm sehr vertraut war. »Die natürliche Gerechtigkeit besteht in einem Vertrag, der auf den gegenseitigen Nutzen aus ist: man wird einander nicht schaden und sich nicht schaden lassen.« Zweitausendzweihundert Jahre später sagte der Engländer Bentham dasselbe: wenn wir glücklich sein wollen, müssen wir die Zuneigung der Menschen gewinnen, von denen unser Glück abhängt. Das ist aber nur zu erreichen, wenn wir ihnen unsere Zuneigung als Gegengabe geben ...

Diese älteste und jüngste Theorie: daß die sogenannten altruistischen Gefühle nützliche Tausch-Geschäfte seien, hat auch ihre Wahrheit. Sie zerstörte, von Larochefoucauld bis zu Nietzsche, heuchlerische Moralen und Psychologien.

Aber diese Lehre hat auch ihre Unwahrheit. Sie wies immer, auf Biegen und Brechen, nach: der Mensch lebt ›von Natur‹ in Einzelhaft – und kommt nur zum Zweck des nützlichen Handels von Zeit zu Zeit aus seiner lebenslänglichen Festung heraus. Da schrieb Epikur, der das Leben des Menschen so isoliert sah, voll Verwunderung: »Obwohl wir die Freundschaft um der Lust willen eingehen, nehmen wir doch für die Freunde die größten Schmerzen auf uns.« Das ist ein Rätsel, das Epikur nicht erklären konnte.

Und das Opfer ist wirklich nicht zu erklären, wenn die Freundschaft als ein Tausch-Geschäft beschrieben wird, bei dem man freundlich handelt, um freundlich behandelt zu werden. Wenn man eigenes Glück und fremdes Glück für einen natürlichen Gegenstand hält – ja, wenn man sich überhaupt nur ein Glück vorstellen kann, das den Mitmenschen nur als Förderer oder Gegner meiner Interessen kennt – dann allerdings ist es nicht zu verstehen, weshalb Epikuräer in Freundschaft und Liebe, in Gerechtigkeit und Menschlichkeit soviel Glück gefunden haben.

Hier ist die theoretische Grenze des antiken Epikuräismus – wie er, bis an die Schwelle des Neunzehnten Jahrhunderts, gewirkt hat. Man kann aber richtig empfinden – und falsch deuten. Schon Epikur empfand richtig:

wieviel Glück in der Freundschaft ist, im Opfer für den Freund – obwohl er es sich nicht erklären konnte. Und schon ein antiker Epikuräer fand in der Wärme zwischen Mensch und Mensch das höchste Glück.

Dieser antike Epikuräer, der heutigste, heißt: Kohelet oder Ecclesiastes oder der Prediger Salomon.

V.

Die düstere Fröhlichkeit
des Predigers Salomon

Der Unbekannte mit den drei Namen

Um die Zeit, da der Grieche Epikur in seinem Garten bei
Athen lehrte – vielleicht ein bißchen, vielleicht eine ganze
Weile später, schrieb in Jerusalem oder in Alexandria ein
Jude philosophische Aphorismen über Das Glück und Das
Unglück. Vielleicht schrieb er sie so nebenbei in ein Notiz-
Buch. Der Verfasser nannte sich mit einem Schriftsteller-
Namen: Kohelet. Sein Gott war das Glück. Ernest Renan
nannte dieses Glücks-Buch: das einzige charmante Buch, das
je ein Jude geschrieben hat.

Es war innerhalb dieser Kultur recht neu, daß hinter
einem literarischen Werk ein Autor auftauchte. Die babylo-
nische Literatur ist anonym. Die Bibel, soweit sie aus der
Zeit vor dem Dritten Jahrhundert stammt, ist ein Alma-
nach von literarischen Arbeiten, die ohne Titel und Verfas-
ser-Namen erschienen. Erst die Griechen erfanden den
Schriftsteller.

Die Züge Alexanders des Großen hatten die Vermischung
griechischer und vorder-asiatischer Kulturen eingeleitet. In
Ägypten und Palästina waren griechische Städte entstanden.
Und wahrscheinlich ist es griechischer Einfluß gewesen, daß
nun in diesem gewaltigsten Preis-Lied, das je dem Glück gesungen wurde, der Name dessen erschien, der es verfaßt hatte. Der jüdische Schriftsteller stellte sich seinen Lesern vor.
»Dies sind die Reden Kohelets«, heißt es in der Einleitung.

Und dieser Kohelet gab sich nun gleich zwei Namen.
Er nannte sich nicht nur Kohelet, sondern auch noch ›Sohn
Davids, des Königs zu Jerusalem‹. Noch deutlicher er-
klärte er dann: »Ich, Kohelet, war König über Israel in

Jerusalem.« Er gab also seine Aperçus als ein nachgelassenes, bisher unbekanntes Werk des Königs Salomon aus, den die jüdische Tradition in den Jahrhunderten seit seinem Tod zum weisesten aller Menschen erklärt hatte. Damit setzte der unbekannte Aphorismen-Schreiber eine der langlebigsten literarischen Mystifikationen in die Welt.

Weshalb hat er das getan? Vielleicht war er ein erfolgloser Intellektueller und wollte seinen Einsichten dadurch Beachtung schaffen, daß er sie dem hochberühmten Königlichen Weisen zuschrieb. Ein Kommentator des ›Kohelet‹ bemerkte: diese Fälschung müsse im Dritten Jahrhundert vor Christus ein Aufsehen erregt haben, als wenn heute eine Schlagzeile in den Boulevard-Blättern lautete: ein verloren geglaubtes Werk des Königs Salomon entdeckt! Der alte Weise lehrte: »Alles ist eitel« . . .

Vielleicht aber war es gar nicht so sehr der Wunsch, diesen Aufzeichnungen Beachtung zu schenken, was Kohelet zu dieser Maskierung trieb. Vielleicht trieb ihn viel mehr die Vorsicht. Schließlich war es nicht sehr im Sinne der mosaischen Tradition, was er da über den Menschen und sein Leben zum Besten gab. Es war ganz gewiß nicht gut jüdisch, was er predigte. Es war schon sehr subversiv, sehr destruktiv, geradezu Asphalt-Literatur, ja Kultur-Bolschewismus. Und da dachte er, möglicherweise: der tote, seit Jahrhunderten tote Herrscher Salomon hat sich solch ein Prestige erworben, daß man ihm selbst diese gefährlichen Beobachtungen und Ansichten verzeihen wird. König Salomon kann sich das schon leisten – zumal er seit vielen Jahrhunderten im Grabe liegt. Wenn es von ihm kommt, wird man sogar vielleicht darüber nachdenken, ob nicht doch etwas dran ist . . . Und so erschienen diese ewig unzeitgemäßen, trübsinnigen und ausgelassenen Meditationen in der Maske einer gesellschaftlichen und geistigen Autorität, des Königs Salomon von Juda. Vielleicht war es so. Jedenfalls hielten fast zwei Jahrtausende den Kohelet für ein Pseudonym des Königs Salomon.

Übrigens hat dieser Salomon-Kohelet noch einen dritten Namen, unter dem die Meisten ihn kennen. Sein griechischer Übersetzer taufte ihn: ›Ecclesiastes‹. Luther übersetzte: ›Der Prediger Salomo‹. Jenen Namen aber, mit dem seine Mutter und sein Vater und seine Freunde ihn riefen – kennen wir nicht.

Ein klassischer Griesgram?

Dieser Unbekannte mit dem Überfluß an Namen hat nun das Renommée, den Menschen und sein Los in den düstersten Farben gemalt zu haben. Deshalb ist er zu allen Zeiten teils als Weiser, teils als Defaitist angesehen worden – was übrigens für viele dasselbe ist.

Er war gar nicht aufbauend, klagt man bis zu diesem Tag; er freute sich gar nicht darauf, daß die Menschen eines Tages die Atom-Bombe erfinden werden. Er zog nicht einmal in Betracht, was man schon zu seiner Zeit alles angestellt hatte, um die Steine und die Pflanzen und die Tiere und die Menschen zu organisieren. Er hielt offenbar gar nicht viel vom Sieger ›Mensch‹. Er fand diesen Menschen gar nicht so großartig – wie, zum Beispiel, eine Weile vor ihm, der Grieche Sophokles. Kohelet war mehr der Ansicht, daß der Mensch vom Schlage des Tieres ist: »Wie dies, so stirbt er auch, und haben alle einerlei Odem.« Und so schrieb er den Toten und den Lebenden und den noch Ungeborenen den wenig tröstlichen Nachruf: »Sein Leben lang hat er im Finstern gesessen und in großem Grämen und Krankheit und Verdruß.« Für Kohelet waren offenbar weder die ägyptischen Pyramiden noch die babylonischen Wasserleitungen noch die hebräischen Produktionen des Geistes der Rede wert. So machte er in allen Jahrhunderten einen recht traurigen Eindruck. Und es sieht so aus, als könnte man von ihm alles eher erwarten als guten Rat für ein glückliches Leben.

Aber da tauchen nun Sentenzen auf, die der selige Epikur persönlich geprägt haben könnte; ja, vor denen er nüchtern erscheint in seinem Preis des Glücks. Zwischen allen Dunkelheiten öffnet sich plötzlich der Ausblick auf etwas sehr Lichtes. Manche Leser überlesen vielleicht diese glücklichen Worte; denn man hat auf der Schule gelernt, der alte klassische Miesmacher habe verkündet: »Alles ist eitel« ... Und man findet in den Büchern selten etwas anderes, als man zu finden gelernt hat. Nur Wenige lesen mit eigenen Augen.

Die Gelehrten aber überlesen auf eine besonders raffinierte Weise. Sie kratzen wissenschaftlich weg, was – nach dem, was sie gelernt haben – nicht da sein darf. So kratzen sie hier diese merkwürdigen Anfälle von Seligkeit als fremde Zutat weg. Und das geht ganz ausgezeichnet. Die Bibel ist der Methode des Wegkratzens sehr zugänglich. Der Autor ist unbekannt. Es ist sogar unbekannt, aus wieviel Personen dieser Autor besteht; jemand hat dieses schmale Büchelchen neun Verfassern zugeschrieben. Ja, es ist auch noch unbekannt, in welchem Jahrhundert die einzelnen Mitglieder dieses etwaigen Schriftsteller-Kollektivs gelebt haben. Man kann also Sätze, die dem Erklärer nicht zusammenzupassen scheinen, sehr leicht auf verschiedene Autoren, ja auf verschiedene Jahrhunderte verteilen. So riß man den todtraurigen und den glückseligen Kohelet ›wissenschaftlich‹ auseinander; und schob den glückseligen gründlich beiseite. Kirchenväter fanden sogar Anspielungen auf die Dreieinigkeit.

Aber man überlege einmal, was (zum Beispiel) nach dieser Methode den Aphorismen Nietzsches geschehen würde, wenn wir nicht so genau wüßten, daß sie alle von ein und demselben Manne stammen, dessen Photographie und Militär-Paß wir haben. Es wäre gar nicht schwer, einen seiner Sätze dem Siebzehnten Jahrhundert zuzuweisen und den nächsten Satz der Zeit nach Freud. Jedes Individuum ist ein Kollektiv; und die verschiedenen Personen dieses Ich-Kollektivs stammen aus vielen Jahrhunderten. Ja, es kann geschehen, daß ein Individuum viel reicher, viel heterogener, viel widerspruchsvoller ist als ein ganzes Kollektiv. Man sollte es deshalb aufgeben, diesen Kohelet durchaus uni zu kleiden – ganz in Grau. Jener Mann, der das Glück noch leidenschaftlicher pries als Epikur vor ihm, ist sehr wahrscheinlich nicht die Übermalung, die man an einem jüdischen Kopfhänger vornahm – sondern das innerste Licht eines sehr dunklen Gehäuses. Was immer die Herkunft dieser herrlichen kleinen Schrift gewesen sein mag: sie ist ein einheitliches Gefüge. Und Kohelet ist einer der größten, einflußreichsten Ratgeber geworden – in der Frage: wie werde ich glücklich?

Von ihm weiß man also nicht, welche Richtung seine Nase hatte; und auch nicht, wovon er lebte. Dagegen weiß man einige weniger greifbare Dinge sehr genau: zum Beispiel, was er für Glück hielt und was für Unglück.

Wie einige sehr helle französische Aristokraten des Siebzehnten und Achtzehnten Jahrhunderts scheint auch Kohelet aus dem Überfluß heraus desillusioniert gewesen zu sein, nicht aus dem Mangel heraus. War er ein König? Ein hoher Priester? Ein Leibarzt? Ein hebräischer Sophist, der Vorträge hielt? Offenbar lebte er dort oben, wo es nicht allzu sehr stürmt – und genoß das windgeschützte Dasein. Er wußte: »Wie Weisheit beschirmt, so beschirmt Geld auch.« Und das ist viel gescheiter als die mindere Einsicht: daß Weisheit, wenn es durchaus nötig ist, Geld ersetzen kann. Er sagte auch noch: »Weisheit ist gut mit einem Erbgut; und hilft, daß sich einer der Sonne erfreuen kann.« Das ist die Sprache eines Mannes, der satt ist – und trotzdem klug, klug bis zur Rebellion. Derartiges findet man in der Regel nur oben, wenn auch hier sehr selten. Die Unteren haben zu viel Ressentiment, um Reichtum und Weisheit so intim nebeneinander zu stellen.

Kohelet erzählt von den Häusern, die er baute; von den Weinbergen, die er pflanzte; von seinen Lustgärten und Teichen; von dem Überfluß an Rindern und Knechten und

Gold und Sängerinnen. Das könnte auch ein literarischer Trick sein; schließlich spricht er ja als König Salomon. Aber da gibt es noch manche andere Weisheit, die auf einen großen Herrn hindeutet – zum Beispiel die: »Gib auch nicht acht auf alles, was man sagt, daß du nicht hören müßtest, deinen Knecht dir fluchen.« Diese Generosität im Überhören paßt sehr gut zu den Lustgärten und Sängerinnen.

Er ist leise, wie fast alle, die sich nicht erst zur Geltung zu bringen brauchen. Und er ist milde, wie fast alle, die keinen persönlichen Grund haben, gereizt zu sein. Welche Distanz zwischen dem Schreien des robusten Agrariers Hiob und dem melancholisch zarten Vortrag dieses Weltmanns! Kohelet ist bestimmt nicht eines Tages voll von Geschwüren gewesen und hat am selben Tag alle seine Kinder verloren – und machte deshalb in seiner Wut aus dem Gott des Moses einen bösartigen Tyrannen. Man könnte sich eher vorstellen, daß dieser jüdische Edelmann des Zweiten oder Dritten Jahrhunderts vor Christus sehr gut mit Flaubert hätte korrespondieren können; und zwar über jenen ›ennui‹, jene ›Langeweile‹, die schon Kohelet auffraß.

Ihm war sehr langweilig. Die Sonne beschreibt jeden Tag denselben Weg. Der Wind bläst immer wieder von demselben Punkt aus in dieselbe Richtung. »Was ist's, das geschehen ist? Eben das hernach geschehen wird.« Im Zweiten Jahrhundert vor Christus sah einer die Welt schon genau so, wie sie der Dichter Amiel am 4. August 1880 in seinem ›Journal Intime‹ beschrieb: »Die Natur wird regiert von Kontinuität, der Kontinuität der Repetition ... Die einfachste Formel des Welt-Theaters lautet: äußerste Monotonie in der Bewegung.«

Das Geschrei des Hiob war eine einzige Rache an einem überirdischen Wesen, an das er auf andere Weise nicht herankam; so rächte er sich mit pessimistischer Weltanschauung – indem er dem Jehova ins Gesicht schleuderte: Du bist ein furchtbarer Diktator, mein Lieber ... Über Kohelets Seele hingegen liegt eine Decke von milder Trauer. Er nimmt dem jüdischen Gott nichts übel, weil er für ihn wohl gar nicht mehr existiert; er leugnet ihn nicht einmal. Kohelet empört sich nicht. Ihm ist nur öde zumute. Er spürt Freuds ›Unbehagen in der Kultur‹.

Man kann einige besondere Ursachen dieses Unbehagens ahnen. Vielleicht ist da auch Erotisches mit im Spiel gewesen. Weltschmerz und Frauen-Feindschaft gehen oft Hand in Hand. War er ein Junggeselle? Kohelet meinte: unter Tausend findet man wenigstens *einen* richtigen Mann – aber nicht eine einzige wirkliche Frau. Und er beklagte sich bitter über jenen Frauen-Typ, ›des Herz Netz und Strick ist, und deren Hände Bande sind‹. Man hat solch eine Frau, lange nach Kohelet, einen ›Vamp‹ genannt.

Außerdem war weder die politische Situation der Juden noch die Lage der Kaste, der er wahrscheinlich angehörte, dazu angetan, ihn sehr vergnügt zu machen. Im Jahrhundert nach Alexander ging es den Juden gar nicht gut. Die Nachfahren des Eroberers haderten um sein Erbe, zu dem auch Palästina gehörte. Es war gerade im Besitz der Ptolemäer. Aber die Seleuciden verzichteten deshalb nicht. So mußten die Juden nach beiden Seiten hin Steuern zahlen – was kein sehr gemütlicher Zustand gewesen sein mag. Und auch im Innern des kleinen Staats muß es sehr bewegt zugegangen sein – was immer schlecht ist für jene Schicht, der an Bewegung nichts liegen kann. Jedenfalls äußerte Kohelet: »Es kommt einer aus dem Gefängnis zum Königreiche; und einer, der in seinem Königreiche geboren ist, verarmt.« Arme Leute freuen sich sehr über das lebhafte Roulieren der Kugel Fortunas und nennen das ›freie Bahn dem Tüchtigen‹. Aristokraten hingegen, die so ein Auf und Ab mitansehen müssen, pflegen in allen Jahrhunderten auf einen so dynamischen Zustand der Dinge nicht gerade sehr vergnügt zu reagieren.

Es kommt aber gar nicht so sehr darauf an, ob Kohelet wirklich dieser imposante, angesehene und wohlhabende

Greis gewesen ist, der die erlesensten Genüsse gekostet hatte. Man hat viel Grund, ihn sich so vorzustellen; aber man kann sich irren. Kristallklar hingegen und in meisterhaften Prägungen ist das Resultat seiner Lebens-Erfahrungen da. Er ist kein systematischer Denker gewesen, eher ein Kollege der Griechen Gorgias und Protagoras, wenn auch viel weniger zünftig. Er klagte über die vielen Bücher, die herauskommen und – sagte, mit Hinblick auf den blassen, entnervten Intellektuellen seiner Zeit: »Viel studieren macht den Leib müde.« Es sieht sehr so aus, als wäre er ein Outsider gewesen, der nicht vom Denken lebte, und nicht in Bibliotheken ertrank. Aber man verkennt diese aphoristischen Weisheiten sehr, wenn man sie für nichts hält als ein diffuses Häufchen von Gescheitheiten. Man hat immer die Aphorismen-Schreiber ein wenig unterschätzt – und immer die Systematiker für die Wahren gehalten. –

Da gibt es zwei zentrale Einsichten, um die alle diese so haltbar pointierten Sätzchen gelagert sind. Die eine Einsicht lautet: was ihr Menschen Euch da zurecht geschustert habt, um das Leben erträglich zu finden, ist nicht einen Pfifferling wert. Und Kohelet brachte in seiner unprofessoralen, beiläufigen Art ein Kompendium aller Tröstungen, aller freundlichen Illusionen zusammen – um sie mit gut gezielten Wendungen ins Nichts zu stoßen.

Freundliche Illusion Nummer Eins: was für ein Gigant ist der Mensch! was macht er nicht alles aus dieser Erde! Kohelets Antwort: »Was hat der Mensch für Gewinn von all seiner Mühe?« Freundliche Illusion Nummer Zwei: schließlich arbeitet man nicht für sich, sondern für den Fortschritt der Menschheit – auf daß Söhne und Enkel unser Werk fortsetzen. Kohelets Antwort: »Mich verdroß alle meine Arbeit, die ich unter der Sonne hatte, daß ich dieselbe einem Menschen lassen müßte, der nach mir sein sollte. Denn wer weiß, ob er weise oder toll sein wird?« Kohelet sah auf die Folge der Generationen und stellte traurig fest: »Es muß ein Mensch, der seine Arbeit mit Weisheit, Vernunft und Geschick getan hat, dieselbe einem anderen zum Erbteil überlassen, der nicht daran gearbeitet hat.« Das war noch sehr milde ausgedrückt für das, was er meinte: die Vergeblichkeit alles Schaffens.

Aber die Tröster haben noch nicht ihren stärksten Trost ausgespielt. Und gewiß versuchten sie, diesen Kohelet zu belehren – freundliche Illusion Nummer Drei: daß der Mensch nicht nur ein Glied in der Kette der Generationen ist, sondern vor allem Teilhaber am ewigen Geist – und durch diese Teilhabe herausgehoben ist aus der Welt der Mühe ohne Gewinn und des höchst illusionären Fortschritts. Das hatte schon, wenigstens zweihundert Jahre zuvor, der Grieche Platon den beunruhigten Menschen zum Trost gesagt. War das ein Trost für Kohelet? Er wußte sehr wohl: »daß dem Weisen seine Augen im Haupt stehen, aber die Narren in der Finsternis gehen« – und merkte doch, »daß es einem geht wie dem andern«. Und er hatte den Mut, die Konsequenz zu ziehen. Er fragte: »Weil es denn mir geht wie dem Narren, warum habe ich denn nach Weisheit gestanden?«

Ja, er geht noch einen rüstigen Schritt weiter, tief in die Religion des Kultur-Pessimismus hinein. Weisheit ist nicht nur eine unnütze Mühe – sie ist ›eine unselige Mühe‹. Denn: »Wo viel Weisheit ist, da ist viel Grämens, und wer viel lernt, der muß viel leiden.« Er machte die Erfahrung, die reife Menschen und reife Kulturen oft gemacht haben: das Leben des Einzelnen und der Gruppe beginnt mit Lösungen und Gewißheiten und Geborgenheiten – und endet mit Zweifeln, mit dem Ungewissen, mit der Verlorenheit.

Der französische Dichter Anatole France erzählt in seinen Memoiren, daß seine erste schriftstellerische Arbeit den Titel hatte: ›Was ist Gott‹. Die Mutter redete ihm gut zu, ein Fragezeichen ans Ende dieser drei Worte zu setzen. Der Junge weigerte sich, weil er sie für keine Frage hielt. Und nun, so erzählt der Mann Anatole France, nun macht er ein Fragezeichen hinter alles, was er tut, denkt und schreibt. Auch Kohelet ist zum Fragezeichen als letzter Weisheit gekommen: »Kein Mensch kennet weder die Liebe noch den Haß irgend eines, den er vor sich hat.« Das Wort Skepsis ist ein schwaches Wort für dies tiefe Erlebnis der Rätselhaftigkeit. Kohelet sagt: »Alles, was da ist, das ist ferne, und ist sehr tief; wer will's finden?« Da aber nun Zweifel, Ungewißheit, Unsicherheit leidvoll sind – so ist das Leid das Ende aller Weisheit.

Jeder optimistische Idealismus hat zwei Schutz-Hütten errichtet für die, welche sich so aus der Wirklichkeit herausverirrten. Der Name der einen heißt: Wahrheit. Der Name der andern heißt: Gerechtigkeit. Kohelet zerstörte beide. Die Wahrheit ist nicht zu ergründen. Und die Gerechtigkeit? Er malte ihre Abwesenheit ebenso breit und farbig aus, wie das, schon vor ihm, der Autor des ›Buch Hiob‹ getan hatte: »Da ist ein Gerechter, und geht unter in seiner Gerechtigkeit; und ist ein Gottloser, der lang lebt in seiner Bosheit.« Übrigens machte Kohelet bei dieser Gelegenheit eine große Entdeckung – die allerdings keine Folgen hatte für seine Philosophie: daß es nicht die menschliche Natur ist, welche diesen Zustand der Ungerechtigkeit schafft, sondern die Gesellschaft. »Weil nicht bald geschieht ein Urteil über die bösen Werke«, schrieb er, »dadurch wird das Herz der Menschen voll, Böses zu tun.« Am Anfang ist nicht die schlechte Natur, sondern das schlechte Vorbild. Es ist der Glanz um die herrschende Ungerechtigkeit, die menschliche Verehrung für den angepaßten Menschen – die alle guten Triebe im Keime tötet. Die dicke Wirklichkeit, die jedem vor Augen steht, ist der große Propagandist gegen das zarte Ideal, das in jedem lebt. Aus dieser mächtigen Einsicht zog Kohelet, wie gesagt, keine Konsequenzen. Er glaubte nicht an die Kraft des Menschen, Neues zu schaffen unter der Sonne.

Also, zweitausend Jahre, bevor der russische Romancier Turgenjev das Wort ›Nihilismus‹ prägte, war er vollendet da. ›Alles ist eitel‹: sowohl das irdische Ziel, das ich mir setze – und von dem ich nicht einmal sagen kann, ob es ›nützlich‹ ist; als auch das utopische Ziel, das ich der Menschheit setze – das sie aber nie erreichen wird, weil es nichts Neues geben wird unter der Sonne. Eitel sind vor allem aber auch Wahrheit und Gerechtigkeit, in die wir aus der Verlorenheit zu flüchten suchen – und die nichts sind als leere Phantasien. »Alles ist eitel«, sagte Kohelet.

Aber sagte er nur das? Nein!

Was nicht eitel ist

Er war kein Klageweib. Er tat sich nicht gütlich in traurigen Dithyramben. Ja, er war in gewissem Sinn sogar ein nützliches Mitglied der menschlichen Gesellschaft. Denn er suchte zu erforschen: »was den Menschen gut wäre, daß sie tun sollten, solange sie unter dem Himmel leben.« Er war ein Lehrer des Wegs zum Glück. Er war einer der größten Lehrer, der herrlichsten Lehrer.

Das klingt seltsam. Sind diese deprimierenden Aphorismen nicht ein höchst ungewöhnlicher Weg zum Glück? Alle menschlichen Errungenschaften werden hier entwertet. Alles menschliche Hoffen wird hier entmutigt. Führt das nicht unmittelbar in das Unglück der Verzweiflung? Kohelet glaubte: er könne nichts Brauchbares lehren, bevor er nicht den Menschen befreit hätte von diesem ›Haschen nach dem Wind‹. Und er hielt alle diese Großtaten und alle diese fernen Ziele und diese so berühmte geistige Welt für ›Wind‹.

Die Zerstörung aller Illusionen war aber nicht sein letztes Wort – nur ein gründliches Niederreißen vor dem soliden Aufbau. Für ihn rief er den unruhigen Bergsteigern und Tauchern und Läufern und Baumeistern, die in ihr Vorhaben tief verstrickt sind, immer wieder zu: »Es ist besser, eine Handvoll Ruhe; denn beide Fäuste voll mit Mühe und Haschen nach dem Wind.«

Solche Sentenzen sind als ›Quietismus‹ verketzert worden – mit diesem philosophisch vornehmen Ausdruck für Faulheit. Forderte der Nihilist Kohelet nicht direkt zu solch einer Faulheit auf, mit einem Satz wie: »Man arbeite, wie man will, so hat man keinen Gewinn davon«? Daraus scheint es doch nur eine vernünftige Folgerung zu geben: nicht arbeiten!

Er gab diesen Rat nicht. Seine Weisheit mündete nicht in ein traurig-müdes Achselzucken und in die Empfehlung, nichts zu tun, und nur den Nabel zu beschauen. Er sagte nicht nur: »Alles ist eitel« – er sagte auch noch: was nicht eitel ist. Was ist nicht eitel? Die Einsicht: daß alles eitel ist – bereitete nur die andere wesentlichere Einsicht vor: »daß nichts Besseres drinnen ist, denn Fröhlichsein und Sich-Gütlich-Tun«.

Ist das nicht geradezu materialistisch? Aus dem Talmud wissen wir, daß ein großer Streit darüber getobt hat, was von diesem Kohelet eigentlich zu halten sei. Ist er ein frommer Mann gewesen? Hielt er die Fröhlichkeit für eine gute Gabe Gottes? Ist er ein unfrommer Mann gewesen, der Gott nicht recht in Betracht zog – und nicht einmal an den Fortschritt glaubte? Es ist in den Sätzen des Kohelet auch bisweilen von Gott die Rede. Aber selbst Epikur erwähnte die Götter; denn man lasse dem Volk, meinte er, an was es gewohnt ist.

Da steht zwar zu guter Letzt, am Ende aller dieser subversiven Sätze des Kohelet, noch das respektable: »Fürchte Gott, und halte seine Gebote.« Da aber dem Autor dieser Gott und diese Gebote erst so spät eingefallen sind, erst im letzten Satz, sieht es mehr so aus, als habe ein Frommer diesen frommen Befehl angehängt, um das Vorhergehende unschädlich zu machen. Jedenfalls konnten sich die Gelehrten nicht einig werden: die Schule des Rabbi Hillel las mehr den gottesfürchtigen Juden heraus, die Schule des Rabbi Schammai mehr den genuß-süchtigen Ketzer. Aber dank der glänzenden Mystifikation, die dem König Salomon die Ehre und die Schande der Autorschaft zuschob, konnte man dieses Werkchen nicht ausschließen von dem biblischen Sammelband.

Und wenn nun ein Bibel-Leser fragt: Kohelet, wie kann ich glücklich werden?, so antwortet dieser großartige Mann, der sich so schlau in eine so illustre Gesellschaft eingeschmuggelt hat: »Ein Narr schlägt die Finger ineinander und verzehrt sich selbst«; »denn in der Hölle, da du hinfährst, ist weder Werk, Kunst, Vernunft noch Weisheit.«

Und wenn der Bibel-Leser weiter fragt: es ist mir nicht genug, Kohelet, die Finger nicht ineinander zu schlagen – wie kann ich mein Leben mit Glück füllen? dann antwortet er: »Tue, was dein Herz lüstet und deinen Augen gefällt.« Iß und trink und ›lebe mit deinem Weibe, das du lieb hast‹.

Und wenn der Bibel-Leser doch erschreckt und mahnend ruft: aber Kohelet, du sagst nichts über die Familie und das Volk und den Staat und die Vereinten Nationen und die Gerechtigkeit!, dann antwortet der alte Weise: lies aufmerksamer, ich habe gesagt, worauf allein es ankommt, zwischen Mensch und Mensch: »Wenn zwei beieinander liegen, wärmen sie sich; wie kann ein Einzelner warm werden?« Wärme ist das Einzige, was zählt: zwischen Mensch und Mensch. Die Quelle dieser Wärme nannte er: Gott.

Gibt es einen Denker, der dem Leben mehr zugetan war als dieser Prediger der Fröhlichkeit und der Wärme? Es war Kohelet, der berühmteste Miesmacher der Welt-Literatur, der den leidenschaftlichsten und kürzesten und schönsten Hymnus auf das Leben verfaßt hat: »Ein lebendiger Hund ist besser als ein toter Löwe.«

Ein lebendiger Hund – was hat er nicht alles zu leiden! Und ein lebendiger Mensch – wieviel mehr noch hat er zu leiden! Der Mensch hat auch noch Hoffnungen, die zergehen. Der Mensch müht sich auch noch um Wahrheit, die er nicht finden kann. Der Mensch sehnt sich auch noch nach einem menschlicheren Dasein – blickt zurück auf die Bemühungen seines Lebens, blickt zurück auf die Bemühungen der Jahrhunderte und verzweifelt.

Kohelet sieht nicht fort, beschönigt nicht, ist grausam im Entlarven. Kohelet weiß um die Verlorenheit des Menschen. Und jubelt – mit dem Wort eines seiner spätesten Enkel, Nietzsches: Dennoch! Seine Sinne sind nicht stumpf geworden vom Leid. Seine Augen sind verliebt in das Licht und die Sonne. Sein Ohr und seine Zunge feiern Feste. Er ist glückselig von ungezählten Freuden. Dieses Glück zaubert ihm nicht sein Leid hinweg. Und fälscht nicht seine Verzweiflungen freundlich um. Sie sind in voller Stärke da.

Aber sie lehren ihn nun: der Mensch ist ein Elender, dem es gegeben ist, mitten im Elend auch noch glücklich zu werden. Kein Engel könnte so jubeln über die Schönheit des Daseins, wie Kohelet gejubelt hat. In seinem Jubel ist ein furchtbarer Ton: ist das volle Wissen um Vergänglichkeit und Tod. Es ist das Dunkel, das er nicht vergessen kann – welches seinem Glück diesen Glanz gibt. Es ist die Bitterkeit, die er nicht vergessen kann, welche seinem Glück diese Süße gibt. Kohelet erst ist die Erfüllung Epikurs. Vielleicht können nur die gründlich Enttäuschten, die völlig Unbedeckten, so überschwenglich glücklich sein.

Er lebte nicht wie Epikur in einem sorgfältig abgetrennten Garten. Er lebte im Tal des Todes, im Tal der Vergeblichkeit. Aber in diesem öden Tal entdeckte er tausend Schönheiten des Daseins. Wie werde ich glücklich, Kohelet? Indem Du nicht vergißt, wie hoffnungslos unglücklich Du bist – und doch mit offenen Sinnen Sonne und Licht und die Wärme des Mitmenschen genießt.

Das war der eine Weg aus dem Garten des Epikur heraus. Den andern Weg ging der Römer Seneca. Ihm war dieser Garten nicht zu eng; ihm war er noch zu weit.

VI.

Ein Brief des Weisen Seneca:
›Über das glückliche Leben‹

Ein Multi-Millionär preist das Glück,
das in der Tugend liegt

Im Jahre 58 nach Christi Geburt erschien in Rom ein Brief ›Über das glückliche Leben‹.

Dieser offene Brief wurde sehr beachtet. Sein Autor war der einflußreichste Schriftsteller jener Tage. Außerdem war er der mächtigste Mann im weiten Römischen Reich – gleich nach dem Kaiser. Und außerdem war er noch gerade in einen nicht unbeträchtlichen Skandal verwickelt. Das Schreiben ›Über das glückliche Leben‹ hat auch mit diesem Skandal etwas zu tun – obwohl nur die Zeitgenossen das sehen konnten. Der Briefschreiber hieß: Annaeus Seneca.

Eigentlich ist dieses sehr lange Schreiben gar kein Brief. Es ist zwar an eine bestimmte Person gerichtet, an Senecas ältesten Bruder – aber er hätte genau so gut an irgend einen anderen Lebenden oder an einen Toten oder auch an einen Ungeborenen adressiert sein können; so unpersönlich verhält sich dies Schriftstück zu dem Mann, an den es sich wendet. Kurz, es war ein höchst literarisches Dokument, das da im Jahre 58 in Rom erschien – eine Abhandlung in Brief-Form.

Niemand erfährt aus ihr auch nur das Geringste über Senecas Bruder Gallio. Von sich selbst spricht der Brief-Schreiber ein wenig mehr. Allerdings ahnt heute kein Leser, was jeder Leser damals, im Jahre 58, genau wußte: hier setzt sich ein mächtiger Hofmann, der vor seinem Kaiser und dem ganzen großen Römischen Reich verklagt worden ist, zur Wehr – mit allen Philosophen-Künsten. Aber noch nach neunzehnhundert Jahren interessiert uns Lebende dringend die Frage, die hier behandelt wurde: was hat man von einem Weisen zu halten, dessen Lehre vom glücklichen Leben durchaus nicht übereinstimmt mit seiner Lebensführung?

Als der hochberühmte philosophische Schriftsteller Seneca diesen Brief an die Öffentlichkeit brachte, war er in den Fünfzigern: ein kleiner, stämmiger, kahlköpfiger Herr mit sehr dunklen Augen, einem sehr fleischigen Genick und einem Spitzbart, der nur angedeutet war. Er war elegant, charmant, witzig und sehr in Mode; ein Glanz-Stück in jeder feineren Gesellschaft.

Sein Leben war höchst erfolgreich gewesen. Als Junge war er vom spanischen Cordova, seinem Geburtsort, nach Rom gebracht worden, dem Mittelpunkt der Welt. Hier war er dann der Mittelpunkt des Mittelpunkts geworden. Er hatte einen sehr guten Start gehabt; denn die Senecas waren wohlhabend und hatten glänzende Beziehungen zu den herrschenden Kreisen. Der begabte Sprößling kletterte mit Leichtigkeit die Leiter der Staatsämter hinauf – bis er schließlich dort anlangte, von wo man nur noch fallen kann.

Ganz so sonnig ist sein Leben aber auch wieder nicht gewesen. Er war von Kindheit an schwach auf der Lunge. Das Asthma plagte ihn sehr. Er mußte immer schon mit Genüssen sehr vorsichtig sein. Und die Seele war nicht robuster. Der Jüngling war so labil, daß er mit dem Gedanken umging, sich das Leben zu nehmen; nur hatte er nicht den Mut, den Eltern das anzutun. Die waren vom alten römischen Schrot und Korn; und vererbten offenbar so viel auf den Jungen, daß er es trotz allem einige sechzig Jahre auf der Erde aushielt – und gar nicht ungern.

Diese Haltbarkeit verdankte er – in den kritischen Jahren – auch der Philosophie. Philosophen entstehen sehr oft aus menschlichen Lebewesen, die eine dringende Not dazu treibt, zu philosophieren. Es mag sein, daß auch dem Seneca die Philosophie schließlich nur noch diente zur Beschönigung einer miserablen Welt und als Vorwand für gut geformte Sätze. Aber zunächst erlöste ihn das Nachdenken über das

Glück von manchem Unglück. Was für ein Glück er dabei entdeckte, steht auch in diesem Brief.

Seneca fand, was auch andere vor ihm schon gefunden hatten: daß das Vergnügen, die Lust, die Freude – alles, was man gemeinhin ›Glück‹ zu nennen pflegt ... nichts ist als: ein Nebenbei. Es kommt eigentlich gar nicht darauf an, philosophierte Seneca. Dieses Glück ist weder das zentrale Motiv, das die Menschen bewegt – noch der Segen des Himmels, der dem Menschen dies Glück als Prämie für gutes Verhalten verleiht. Das Glück ist höchstens eine ganz angenehme Zugabe.

Es ist zu vergleichen einer Blume, die von ungefähr in einem Getreide-Feld aufblüht. Man hat Weizen oder Roggen gesät; und nun wächst da, ganz unerwartet, eine bunte Köstlichkeit empor, die von niemand geplant ist. Sie erfreut einen gewiß; aber nicht für sie hat man gesät. Seneca benimmt sich zum Glück herablassend-liebenswürdig: etwa wie ein sehr beschäftigter Geschäftsmann, dem man ein schönes Bild an die Wand seines Arbeitszimmers hängt; er hat zwar keine Zeit für so etwas, aber er ist durchaus nicht gegen die Kunst. Er hat andere Sorgen und würdigt das Überflüssige eines freundlich-flüchtigen Blicks. Als der Philosoph Seneca also philosophierte, bestand dies ›Nebenbei‹ aus Villen und feinen Möbeln und üppigen Gärten und jenen fünfhundert Elfenbein-Tischen, die im ganzen Imperium hochberühmt waren. Er predigte: »Wir wissen gar nicht, wieviele Dinge, an die wir gewöhnt sind, überflüssig sind – bis wir anfangen, auch ohne sie auszukommen.« Aber er hatte bis zu diesem Tag nicht damit angefangen.

Dieser höflich-kühle Blick auf die schönen Dinge des Daseins ist nicht das Einzige, was ihn das Nachdenken über das Glück gelehrt hat. Er ist nicht in jeder Brief-Zeile so detachiert. Manchmal kommt da ein höchst gereizter Kostverächter zum Vorschein. Der spricht von den ›kleinlichen und nichtswürdigen und unhaltbaren Trieben des elenden

Körpers‹. Der hält es für einen Verrat am Geist, ›dem Körper aufzuwarten‹. Dem ist es ›wahre Wollust‹, ›die Wollust zu verachten‹. Der sieht die wahre Freude nicht im Genuß, sondern – in der ›Mäßigung darin‹. Der schildert die Genießer, ›wie sie auf ihrem Rosenlager abwarten, bis es Zeit ist für die Garküche; ihr Ohr weiden sie an den Tönen der Gesänge, ihr Auge an Schauspielen, ihren Gaumen an wohlschmeckenden Dingen. Mit sanften, linden Wärmemitteln wird über den ganzen Körper ein Reiz verbreitet, und damit zugleich die Nase etwas zu tun habe, so wird der Ort selbst, wo man der Üppigkeit opfert, mit mancherlei Wohlgerüchen angefüllt.‹

Klingt das nicht nach bleichem Nazarenertum? Man hat den Seneca und seinen strengen Blick auf die Reize des Lebens gern mit dem Urchristentum zusammenbringen wollen. Sein Brief ›Über das glückliche Leben‹ wurde fünfundzwanzig Jahre nach Jesu Tod geschrieben. Und hat dieser Seneca nicht in manchem Schreiben seinen Freund Lucilius aufgefordert, an einem Tisch mit seinen Sklaven zu essen – weil doch Freie und Sklaven derselben Macht unterworfen seien? Viele Kirchenväter waren der Ansicht, daß es schon vor Christus eine christliche Philosophie gegeben habe. Der heilige Jeronimus schrieb: »Wenn man die Bücher der Philosophen liest, so kann man nicht umhin, bisweilen in ihnen Gefäße Gottes zu sehen.« Und namentlich dieser Seneca stand in hohen Ehren bei der christlichen Kirche: bei Lactanz, bei Tertullian. Es war wahrscheinlich im Vierten Jahrhundert, daß man jenen Briefwechsel zwischen Seneca und Paulus in die Welt setzte, den man bis vor kurzem für echt hielt: acht Briefe des Philosophen und sechs Briefe des Apostels; so sehr fand man christlichen Geist in diesem Römischen Heiden. Aber Senecas unfreundliche Worte über die tausend Herrlichkeiten des Daseins kamen nicht aus urchristlicher Stimmung. Sie kamen ganz wo anders her: aus der griechischen Kultur, aus dem kynischen Pessimismus.

Seine erste Askese hatte ein pythagoräischer Lehrer auf dem Gewissen. Der lehrte – der Lehre des Meisters zufolge – die Seelen-Wanderung. Der kleine Seneca zog die Konsequenz. Er weigerte sich, Tier-Fleisch zu essen, weil er fürchtete, bei dieser Gelegenheit auch Menschen-Seelen mitherunterzuschlucken. Außerdem bekam ihm die vegetarische Kost ganz ausgezeichnet; er fühlte sich so leicht dabei. Und außerdem meinten seine Lehrer: diese Diät habe mindestens ein Gutes, selbst wenn die Theorie von der Seelen-Wanderung nicht stimme – sie sei sehr billig.

Aber der Vegetarianismus hatte damals einen Haken; und deshalb gab Seneca das Ganze wieder auf, schon nach einem Jahr. Er war nicht gut für die Karriere. Der Kaiser Tiberius war ein sehr strenger Herr – immer, wenn es nicht um seine eigenen Gelüste ging. So war er zum Beispiel sehr streng gegen nicht-römische Sitten und Gebräuche. Er war anti-östlich, wie Augustus vor ihm. Nun war bekannt, daß die Juden bestimmte Speise-Verbote hatten. Die vegetarische Kost war also schon – fast jüdisch. Und die Familie Seneca, die mit dem aufgeweckten Jungen sehr viel vorhatte, war leidenschaftlich gegen solche asiatischen Eskapaden. Deshalb opferte der angehende Philosoph seinen ersten Verzicht, den Verzicht auf Fleisch – dem guten Fortkommen. Und dann stellte er, ein Leben lang, seine Verzicht-Philosophie auf den Boden der kaiserlich-römischen, Neronischen Tatsachen.

Er wurde also ein partieller Asket. Der zarte, anfällige Körper und auch die Klugheit des Diplomaten drängten ihn in die Richtung der Vorsicht – die immer etwas von Verzicht an sich hat. Aber die römische Gesellschaft und der immense Erfolg drängten ihn noch stärker in die entgegengesetzte Richtung: in die Richtung des guten Lebens. So wurde er ein Genießer – mit lebensverneinenden Extratouren. Er gewöhnte sich im Laufe des Lebens eine ganze Reihe von Askesen an – im Rahmen des Überflusses. Zum Beispiel war er gegen Salben. Und gab die höchst zweifelhafte Sentenz von sich: »Der beste Körper-Geruch ist – gar kein Körper-Geruch.« Oder, er hielt gerade Dampf-Bäder für einen überflüssigen Luxus. Oder, er strich von seinen durchaus nicht spartanischen Menus gerade Austern und Pilze, mit der Begründung: sie seien das Entzücken des Fressers, weil sie so leicht zu schlucken und so leicht wieder herauszubringen seien, und er hatte etwas gegen diese Entzücken. Seine schwarze Liste der Genüsse war offenbar höchst willkürlich. Aber sie zeigt deutlich, daß in dem von Luxus umgebenen, lururiös lebenden Hofmann ein Lebensverächter rumorte – wenigstens ein bißchen.

Senecas Askese schlug literarisch aus. Durch die Philosophen-Schule der Stoa, seine große Lehrerin, war er verbunden mit jenem Geist, der einst in den kynischen Wander-Predigern gelebt hatte. Dieser Geist hat durch Jahrtausende gewirkt auf alle Zeiten, auf alle Nationen – bis zu Schopenhauer hin. In der Diatribe eines dieser Kyniker, eines gewissen Teles, der dreihundert Jahre vor Seneca gelehrt hatte, heißt es:

»Vom ganzen Leben ist zunächst einmal die Hälfte gleichgültig, in der ich schlafe. Dann ist die erste Zeit der Kindheit – voll Beschwerden! Das Kind hat Hunger – doch die Amme schläfert es gewaltsam ein. Es dürstet – sie badet es; es will schlafen – sie macht mit der Klapper Lärm.

Ist es der Amme glücklich entronnen, nimmt den Jungen wieder der Erzieher, der Turnmeister, Elementarlehrer, der Musik- und Mallehrer in Empfang. Vorwärts schreitet die Jugendzeit. Hinzu kommen Mathematik-, Geometrie-, Reit-Lehrer. Des Morgens früh wird der Knabe geweckt. Ausruhen gibt es da nicht.

Er wird mannbar: neue Furcht vor dem Aufseher, dem Turn- und Fechtmeister, dem Gymnasium-Vorsteher. Alle prügeln, belauern, plagen ihn.

Aus dem Jünglingsalter ist er dann heraus und schon zwanzig Jahre alt. Und immer noch muß er bange sein

*und ängstlich auf den Aufseher und Leiter blicken. Wo er
schlafen muß, liegen auch sie daneben; wo er wachen soll,
bewachen sie ihn; wo er zu Schiff geht, steigen sie mit ein.*

*Ein Mann ist er nun in voller Blüte: Soldat wird er und
wird alt im Dienste der Stadt; ist Bürger, führt das Heer
an, hat Staats-Leistungen zu geben, ist Richter.*

*Glücklich war er nur die Zeit über, die er als Kind ver-
lebte. Seine Manneskraft geht dahin; er kommt ins Alter;
wieder muß er sich kindische Pflege gefallen lassen.«*

Und dann zog dieser trübe Grieche Teles die trübe Bilanz:
»Nicht sehe ich also, wie man ein glücklich Leben leben
kann, wenn man es nach dem Maß von Freude und Lust
mißt.« Diese Leute also, welche die Geschichte der Philosophie ›Kyniker‹ und ›Stoiker‹ nennt, gehören ganz gewiß nicht zu den Christen. Sie sind nicht gegen Lust und
Freude, weil sie sündhaft ist – sondern weil sie letzten
Endes in Unlust und Leid mündet. ›Dem Sinnengenuß unterworfen‹ hieß für Seneca: ›dem Schmerz unterworfen‹.
Deshalb schrieb er gegen den Sinnengenuß – nicht von einer
Metaphysik der Sünde her. Weil Seneca daran zweifelte, daß
es mit Austern und Salben und Dampf-Bädern à la longue
gut gehen wird – machte er sie schlecht. Er war kein Christ.

Die moderne Psychologie arbeitet gern mit dem ›Neid
der Besitzlosen‹ als Erklärung für herabsetzende Wert-
Urteile. Und das ist ganz gewiß nicht ganz falsch. Die Verachtung guter Dinge ist ein geschickter Trick derer, die sie
nicht haben können. Aber das gilt nicht nur für die Besitzlosen. Das gilt auch für die Besitzenden. Auch die, welche
im Wohlstand leben, haben manches nicht, müssen manches
entbehren – gemäß den Grenzen der menschlichen Natur.
Der Multi-Millionär Seneca rächte sich an den Austern und
den Dampf-Bädern und den Salben dafür, daß sein Körper
nicht aus Eisen war – und daß man selbst mit einem eisernen Körper nicht Austern, Dampf-Bäder und Salben in
alle Ewigkeit genießen kann.

Die Empfehlung von ›Tugend‹ anstelle von Austern und Salben ist also zum Teil die Geschichte vom Fuchs und den sauren Trauben – und zum andern Teil: eine Vorsicht. Und diese ›Tugend‹ wird nun so schneeweiß angestrichen – wie die Austern und die Dampf-Bäder und die Salben (›das Vergnügen‹) angeschwärzt werden. Außer dieser Weisheit läßt sich aber offenbar nichts von der Tugend sagen, wie die folgende Briefstelle zeigt: »Die Tugend ist etwas Hohes, Erhabenes, Königliches, Unüberwindliches, Unermüdliches; das Vergnügen etwas Niedriges, Sklavisches, Kraftloses, Hinfälliges, dessen Niederlage und Heimat Hurenhäuser sind und Garküchen. Die Tugend wirst du finden im Tempel, auf dem Forum, auf der Kurie, vor Mauern stehend, in Staub gehüllt, frischen Blutes, die Hände voll Schwielen; das Vergnügen oft in Winkeln steckend und die Finsternis suchend, um Badehäuser und Schwitzstuben umherstreichend und um die Orte, wo man die Sitten-Polizei nicht gern hat; weichlich, nervenschlaff, von Wein und Salben triefend, bleich oder geschminkt und von Arzneien verdorben.«

Dies schrieb einer der reichsten und erfolgreichsten Männer Roms, im Strudel eines glänzenden großstädtischen Lebens. Und bis zu diesem Tage schreiben es ihm viele nach.

Das Glück des Weisen

Jene etwas gesichtslose Tugend hat von Leuten wie Seneca nicht nur ein Gesicht bekommen, sondern auch Arme und Beine und vor allem: die dickste Elefantenhaut. Als Person heißt die hier beschriebene Tugend: ›der Weise‹.

Es gibt im Reiche der Ideale kaum eins, das populärer geworden ist und einflußreicher als jener stoische Weise, dem man immer nachgerühmt hat, daß er um das wahre Glück weiß.

Was ist das Glück des Stoikers Seneca und Millionen

anderer Unentwegter bis zu diesem Tag gewesen? Die körperliche und seelische Hornhaut! Der Panzer, der nichts
durchläßt! Die vollendete Anästhesie des Körpers und der
Seele! Die Mortifikation mitten im Leben! Die Protektion
gegen alle Eventualitäten, von der Infektion bis zur Revolution! Glück ist: die Sicherung gegen alles nur mögliche
Unglück. Der Weise ist der Abgehärtete. Seneca, der zarte,
empfindliche Seneca, war stolz darauf, jeden Neujahrsmor-
gen festlich damit zu begehen, daß er ins kälteste Berg-
Wasser sprang. Das war bestimmt kein Vergnügen. Aber
»das ist mir kein Weiser, über dem irgend etwas steht,
vollends gar das Vergnügen«.

Es gibt Zeiten, die den Zeitgenossen solch ein Ideal ein-
bläuen. Es gibt Zeiten, die man nur ertragen kann, wenn
man wenigstens ein bißchen ein ›Weiser‹ ist. Senecas Zeit
ist solch eine Zeit gewesen. Als er klein war, regierte der
böse Kaiser Tiberius. Als er ein berühmter Schriftsteller
wurde, war der Kaiser Caligula, der auch schriftstelleri-
schen Ehrgeiz hatte, eifersüchtig auf ihn. Und es ist nicht
sehr angenehm gewesen, die kaiserliche Eifersucht zu erregen. Einmal kniete ein Gladiator, der mit Caligula kämpfen
mußte, und die kaiserlichen Stöße nur parierte, am Ende
des Kampfs nieder vor seinem Herrn und bat um Verzeihung, daß er es gewagt hatte, sich zu verteidigen. Bei
dieser Gelegenheit rannte ihm dann der Imperator das
Schwert durch den Bauch – und rief sich als Sieger aus.
Seneca entging einem solchen Schicksal; aber nur, weil eine
Hofdame dem Caligula versichert hatte, daß sein Schrift-
steller-Konkurrent Seneca sowieso sehr bald an Schwind-
sucht sterben werde. Da brauche die Majestät sich nicht selbst
zu bemühen.

Senecas nächster Herrscher hieß Kaiser Claudius. Das
war ein alter Narr mit weichen Knien und einer zu langen
Zunge; seine Mutter nannte ihn einen Abort, weil die Natur
ihn nicht fertig gemacht habe. Dieser Claudius, der manches
gelernt hatte und einen guten literarischen Geschmack besaß,

soll von Senecas Schrift ›Über den Zorn‹ so beeindruckt gewesen sein, daß er, Claudius, sich selbst in einem Erlaß dieses Lasters beschuldigte. Etwas später allerdings schickte er den Philosophen nach Corsica in die Verbannung, weil er im Verdacht stand, etwas mit einigen Prinzessinnen des Kaiserhauses zu haben. Claudius war eigentlich gar nicht so engherzig; er hatte einmal ein Edikt vorbereitet, welches das Rülpsen und Furzen an der Tafel ausdrücklich gestattete. Aber die Kaiserin Messalina, seine hohe Gemahlin, ein üppiges, hübsches, rothaariges, hirnloses Ding, hätte den Seneca am liebsten umbringen lassen; bestimmt nicht aus Moral, sondern weil es gerade in ihre Haus-Politik paßte. Die Haut dieser Kaiserin war so weiß, daß es hieß, sie bade täglich in der Milch von fünfhundert Eselinnen. Ihr Herz war rot. Es lebte von der Gefälligkeit der Liebhaber, die sie in ihr Bett befahl – und außerdem vom Blut ihrer Feinde. Und Seneca gehörte zu den Feinden. – Wenn man mit Herrschaften wie Tiberius, Caligula, Claudius und Messalina sehr gut bekannt ist, dann ist es allerdings recht praktisch, aus Stein zu sein – das heißt: – ein Weiser. Da verläßt man sich besser schon nicht auf Genüsse, die einem eine kaiserliche Megäre und ein liebedienerischer Senat von einer Stunde zur andern entziehen können.

Nachdem der Schriftsteller Seneca fast acht lange Jahre auf der ungesunden, öden, unkomfortablen Insel Corsica als Emigrant gelebt hatte – ein ›lebender Leichnam‹, der sich vergeblich beim fernen, bösen Kaiser einzuschmeicheln suchte, hatte ihn die neue Kaiserin, Agrippina, die Mutter des elfjährigen Nero, nach Rom zurückbeordert. Es sind nicht gerade die feinsten Motive gewesen, die diese Dame zu der guten Tat veranlaßten. Sie hielt es nur für ganz opportun, sich den angesehenen Intellektuellen zu verpflichten. Und machte ihn zum Lehrer des frischen, begabten und gutartigen Nero. Von nun an war der ›Weise‹ in alle größeren Affären dieses recht unweisen Palastes verstrickt. Da konnte er jeden Tag von neuem lernen: wie gut es ist, sich aufs Weise-Sein zu trainieren. Seneca war ein Anbeter der ›Weisheit‹ – und machte alles Unweise kräftig mit. Als Kaiser Claudius mehr oder weniger umgebracht wurde, deckte Seneca dies Ereignis mit schönen Sätzen zu. Sie wurden am Tage des Begräbnisses deklamiert: von Senecas Schüler, der nun Kaiser Nero hieß. Das war ein sommersprossiger Siebzehnjähriger mit rotem Haar; eine kleine rote Locke war vor jedes der beiden Ohren gekämmt. Seneca nahm das Leben des jungen Imeprators in Regie. Wenn der kaiserliche Jüngling sein Verhältnis zur kleinen Acte vor der kaiserlichen Gemahlin verbergen wollte, arrangierte Seneca das. Wenn die Kaiserin-Mutter bei den Audienzen fremder Gesandter dabei sein wollte (was sich durchaus nicht schickte), fand Seneca einen Dreh, das zu verhindern. Und als Nero schließlich seine Mama umbringen ließ, mußte Seneca dies peinliche Geschehnis im besten Römisch stilisieren, in einer Adresse an den Senat.

Vielleicht war diese Tätigkeit eine gute Schule der Weisheit; eine Abhärtungs-Kur, die Körper und Seele stählte. Denn wenn man in einem Schloß zu Hause ist, in dem immer die gerade regierende Herrin sich von Zeit zu Zeit das Haupt eines Feindes per Post zusenden läßt – wird man von keinem Unglück mehr überrascht. Und wenn man in einer Gesellschaft verkehrt, die, vorsichtshalber, vor dem Essen Gegen-Gift zu nehmen pflegt – sobald man in ein nicht ganz zuverlässiges Haus geladen ist: dann kann man wirklich nicht mehr enttäuscht werden. Der Kreis der römischen Kaiser und Kaiserinnen und ihrer Freunde und Freundinnen war die ideale Universität zur Aneignung jener Weisheit, jenes ›Glücks‹, das Seneca, ein klassischer Nachdenker über das Glück, also beschrieb: »Ich will nicht anders sein wie der vereinzelte Fels auf seichtem Meeresgrunde, an den die Wogen, wo sie sich erheben, unaufhörlich schlagen, ohne daß sie ihn deshalb von seiner Stelle rücken, oder ihn durch ihr so viele Jahrhunderte wiederholtes Anprallen verzehren.«

Seneca gewöhnte sich im Hause des Caligula, des Claudius und des Nero das Gruseln ab. Und predigte die Härte und Unempfindlichkeit des Felsens als höchstes Glück. »Glück ist nur da, wo keine Furcht ist«, lehrte er. Das hatte Epikur auch gesagt. Aber darf man den Satz umdrehen? Darf man die Abwesenheit der Furcht schon als Glück proklamieren? Kann wirklich glücklich genannt werden: »wer durch Vernunft es dahin bringt, daß er weder wünscht noch fürchtet«?

War Seneca glücklich?

Theoretisch ein Fels und praktisch ein Mitmacher

Seneca schrieb den Brief ›Über das glückliche Leben‹ nicht nur, um zu wiederholen, was er schon seit zwanzig Jahren gelehrt hatte: daß man am besten daran tut, sich undurchdringlich zu machen für Hitze und für Kälte und für Beleidigungen – und auch für süßere Empfindungen, die einen abhängig machen von irgend einem Glück. Sein Brief ist weniger ein Lehr-Brief – und mehr ein Plädoyer. Er hatte es bitter nötig, im Jahre 58 nach Christus, sich zu verteidigen.

Wir wissen von dem Historiker Tacitus, der etwa zwei Menschenalter später lebte, was man sich damals in Rom und in der Provinz über den Mitbürger Seneca, den Mentor des Kaisers Nero, zuflüsterte. Nero war sehr beliebt, namentlich in den ersten Jahren seiner Regierung. Für Seneca hatte man hingegen offenbar gar keine Sympathien. Man warf ihm sehr viel vor. Versuchte er nicht, die Römer für sich zu gewinnen und dem Kaiser zu entfremden? Stellte die Schönheit seiner Villen und seiner Gärten nicht die Schönheit der kaiserlichen Villen und Gärten in den Schatten? Und tat Seneca nicht so, als hätte er allein die Kunst der schönen Rede gepachtet? Unterschätzte er nicht, aus Eifersucht, die große Begabung seines Schülers Nero: die kaiserliche Poesie, den kaiserlichen Gesang und die kaiserliche Meisterschaft beim Wagen-Rennen? Und weshalb? Es durfte kein Gott sein neben Seneca ... So schwätzte das Volk. In der üblen Nachrede gegen den unpopulären, mächtigen Philosophen bekundete sich die eifersüchtige Bewunderung für den sehr populären Nero.

An dem bösartigen Getuschel war ein Körnchen Wahrheit. Und Seneca selbst konnte dies Körnchen nicht übersehen. Da sitzt nun der verwöhnte Hofmann, sagte man, mitten im irdischen Paradies – und klagt öffentlich das gute Leben an. Das ist reichlich komisch. Das ist sogar unappetitlich. Ja, das ist Ärgernis-erregend. Und eines Tages, im Jahre 58, sprach einer das ganz laut aus; obwohl gerade dieser Mann kein Recht dazu hatte, den Ankläger zu machen. Seneca durfte die Anklage nicht auf sich sitzen lassen.

Im Jahre 58 sprach man in der Großstadt Rom vor allem von zwei Ereignissen: von den Siegen des General Corbulos über die Parther in Armenien; und von diesem Publius Suillius, der öffentlich ausgesprochen hatte, was schon seit Jahren alle Welt über Seneca weniger öffentlich geklatscht hatte. Wie kommt dieser Multi-Millionär dazu, seinen Mitbürgern ein einfaches Leben zu predigen? Wie kommt dieser verwöhnte Höfling dazu, öffentlich den Reichtum zu verachten – und selbst Geld auszuleihen gegen hohe Zinsen?

Jener Suillius war der Gatte der Stieftochter des Dichters Ovid. Der Ankläger war selbst kein sehr feiner Mann; er hatte zum Beispiel für die selige Kaiserin Messalina als Spion gearbeitet. Auf diesen Seneca hatte er nun eine besondere Wut, weil er die ganze Innung der kaiserlichen Einflüsterer brotlos gemacht hatte. Auch war der gefeierte Moralist wohl nicht ganz unschuldig an dem Gesetz, auf Grund dessen der Advokat Suillius wegen übertriebener Rechtsanwalts-Gebühren verklagt worden war. Kurz, die Feinde des Philosophen versuchten, ob er nicht vielleicht sturmreif sei. Suillius war nur ihr Wortführer.

Der Attackierte schlug zurück. Er konnte natürlich nicht

seine prächtigen Grundstücke und seine beiden Parks und seine berühmten Möbel und die Kollektion von fünfhundert Elfenbein-Tischen verschleiern. Er konnte nicht vertuschen, daß Frau Seneca dreihundert Millionen Sesterzen besaß. Er konnte nicht leugnen, daß er sich einen Teil des Jahres mit dem Kaiser in Bajae, dem fashionablen Badeort in der Bucht von Neapel, herumtrieb. Was ihn von den Genossen seines Kreises moralisch unterschied, war nur: daß er das Leben, das er führte – schlecht machte. Aber Kapuziner-Predigten genügten nicht mehr, in diesem Moment. So schlug Seneca zurück, indem er den Suillius als gemeinen Verbrecher verklagte.

Das war ganz gewiß nicht schwer zu beweisen. Er bezichtigte den Mann zum Beispiel einiger Morde. Der Mörder schützte, um sich zu decken, Befehle des toten Kaisers Claudius vor. Nero ließ die Archive durchsuchen und fand nichts, was den Suillius entlastete. Da wurde er auf die spanischen Balearen verbannt – und lebte hier herrlich und in Freuden. Seneca war amtlich gerächt. Seine Ehre aber ging aus dieser Geschichte doch etwas ramponiert hervor.

Der Brief ›Über das glückliche Leben‹ war nun von ihm als eine autobiographische Ehren-Rettung gedacht. Er sollte das schlechte Renommée des großen Moralpredigers aus der Welt schaffen. Seneca war es seiner Reputation schuldig, den Bruch zwischen seiner Lehre und seinem Leben philosophisch wegzudisputieren – oder doch wenigstens in einem schöneren Licht erscheinen zu lassen. Weshalb lebst du nicht gemäß deiner Philosophie vom Glücklichen Leben, lieber Seneca? Diese Frage, die allenthalben herumgetuschelt wurde, nahm er nun selbst auf.

Mit einem großen Aufwand von Worten variierte er die Anklage: »Warum speisest du nicht nach deiner eigenen Vorschrift? warum hast du so niedliche Hausgeräte? warum trinkt man bei dir Wein, der älter ist, als du selbst? warum ist doch dein Haus so hübsch eingerichtet? warum pflanzt man doch Bäume, die nichts geben als Schatten? warum trägt deine Frau das Vermögen eines wohlhabenden Hauses an ihren Ohren? warum sind deine Sklaven so kostbar gekleidet? warum gilt es doch bei dir für eine Kunst, aufzuwarten (und dein Silber ist doch nicht nach Laune aufgestellt, sondern es wird mit Sachkenntnis in Verwahrung gehalten)? und warum hast du einen, der im Vorlegen Meister ist?« Kurz: »Warum klingt denn dein Wort kräftiger als dein Leben?« Auf alle diese Fragen antwortete er, im Schweiße seines Angesichtes, das Folgende.

Erstens, mein lieber Ankläger – man konnte und man kann jedem großen Philosophen vorwerfen: »Anders sprichst du, anders lebst du.« Ich fühle mich da in der besten Gesellschaft; in der Gesellschaft von Plato und Epikur und von Zeno. Zweitens – er hat ein Zweitens sehr nötig. Denn ist etwas schon dadurch gerechtfertigt, daß andere es nicht besser gemacht haben? Und stimmt denn die Behauptung des Seneca: ein Philosoph ist ein Mann, der nicht lehrt, wie er selbst lebt – sondern wie man leben soll? Und hat sich Platon nicht, ganz im Gegensatz zu Seneca, seinem Nero verweigert, welcher Dionys von Syrakus hieß?

Nun trat Seneca zu seiner Selbst-Verteidigung in der Maske der Bescheidenheit auf. Mein lieber Ankläger, sagte er: »Ich bin nicht ein Weiser...« Ich werde es auch nicht werden. Ich versuche nur, in aller Demut, mich ein klein wenig diesem Vorbild zu nähern. Ist es nicht auch etwas, ein hohes Ideal anzuerkennen und sich zu bemühen? Man muß ›den Mann, der Großes versucht hat, achten, auch wenn er fällt‹. Ich habe Großes versucht. Gewiß, ich bin auch gefallen. Aber ist das ein Grund, meine ›trefflichen Worte‹ zu verachten? Da ist etwas dran, lieber Seneca, möchte man über die Jahrtausende hinüber antworten. Besser: eine gute Maxime steht nur auf dem Papier als – sie steht nicht einmal auf dem Papier. Aber beunruhigte es dich nie, Seneca, daß es so billig ist, im Besitze aller irdischen Güter – den Mitmenschen die schönen Dinge des Lebens zu verekeln?

Und ist deine eigene Existenz nicht die schwerste Kritik an deiner Theorie vom Glück? Es muß dieser ›Weise‹ eben doch nicht der rechte Glückliche sein – wenn sein Glück dich nicht veranlassen konnte, ihm zu folgen und selbst solch ein Weiser zu werden.

Seneca fühlte wohl selbst, daß seine Position recht schwach war. Deshalb wahrscheinlich benahm er sich plötzlich überheblich und fuhr seine Kritiker recht hochmütig an. Meine Lieben! »Ich habe es nicht zur Gesundheit gebracht, ich werde es auch nicht dazu bringen; ich bereite mir nicht sowohl Abhilfe. als Linderungsmittel für mein Podagra, zufrieden, wenn es sich nur seltener meldet und weniger sticht.« Nach dieser Verteidigung ging er dann zum Angriff über. »Jedoch mit Eurem Fußwerk verglichen, Ihr Gebrechlichen, bin ich ein Läufer.« Das war ein rhetorischer Effekt, mit dem man höchstens einen Sekunden-Applaus haben kann.

Und da er wohl nicht einmal sich selbst überzeugt hatte, holte er noch ein Drittes heran. Es gibt Advokaten, die immerzu das Thema ihrer Verteidigung wechseln. Da Seneca die zentrale Anklage nicht entkräften konnte, versuchte er auch noch, das bisher von ihm so geschmähte Gute Leben – zu verteidigen, obwohl er es noch vor einigen Minuten in Gegensatz zum Glücklichen Leben gesetzt hatte. Ein Philosoph ist, unter anderm auch, ein Mann: der nie um Argumente verlegen ist.

So preist er nun plötzlich den moralischen Wert des Reichtums. Weshalb ist es sogar für einen Weisen besser, reich zu sein – als arm? Wenn er reich ist, hat er mehr Mittel, ›seinen Geist zu entwickeln, als wenn er arm ist‹. Im Armen kann sich die Tugend nur so äußern, ›daß sie sich nicht beugen und unterdrücken läßt, wohingegen beim Reichtum ein weites Feld geöffnet ist für Mäßigung, für Freigebigkeit, für Tätigkeit, für gute Verwendung und Äußerung einer großartigen Gesinnung‹. Also zeigt der weise Multi-Millionär plötzlich doch noch seine Vorliebe für den Reichtum: »Lieber ist mir's, wenn ich in vornehmer Kleidung beweisen kann, was ich für eine Gesinnung habe, als mit nackten oder halbbedeckten Schultern.«

Wer aber nun diesen abrupten Wechsel vom nackten Weisen zum gutgekleideten Weisen seltsam finden sollte, dem sucht der große Debattierer Seneca mit subtilsten philosophischen Begriffs-Unterscheidungen beizukommen. Er doziert: ich habe vom guten Leben gesagt, ›man solle es verachten‹; ich habe nicht gesagt, ›man soll es nicht haben‹. Und ich habe da ein Ehrfurcht-gebietendes Vorbild. Cato pries das Zeitalter, in dem der Besitz von einigen Silberblechlein ein Verbrechen war; und besaß selbst vierzig Millionen Sesterzen. Weshalb auch nicht? »Der Weise achtet sich der Gaben des Zufalls in keinem Falle unwert.« Und nun erst bekommt dieser glückliche ›Weise‹ sein exaktes Porträt: »Er liebt die Reichtümer nicht, aber einen Vorzug gibt er ihnen; nicht in die Seele nimmt er sie auf, aber in sein Haus.« Unter dieser feinen, subtilen Unterscheidung zwischen ›Vorziehen‹ und ›Lieben‹, zwischen ›In-sein-Haus‹-Aufnehmen und ›In-die-Seele‹-Aufnehmen liegt die Auflösung des Geheimnisses begraben: wie es geschah, daß dieses Ideal des Weisen ein zweitausendjähriger Erfolg wurde. Der Weise ist ein detachierter – Konformist. Sein Glück liegt im Mitmachen – per Distanz. –

Wir wissen nicht viel von diesem älteren Bruder Novitius Gallio, an den der Brief ›Über das glückliche Leben‹ gerichtet ist. Der jüngere und berühmtere Seneca nannte ihn den charmantesten aller Menschen. Gallio war sechs Jahre zuvor Gouverneur der Römischen Provinz Achaja gewesen. In seiner Amtszeit waren Unruhen ausgebrochen; und eines Tages war der Jude Paulus, aus Tarsus, vor sein Tribunal gebracht worden – seine Landsleute hatten ihn auf Ketzerei verklagt. Der Gouverneur Gallio entschied, daß diese ganzen Streitereien nicht zu seinen Obliegenheiten gehörten; und der Dichter Kipling drückte das in einem Gedicht über diesen Gallio so aus: er habe sich weder für Priapus noch für Paulus entschieden. Ob diesen neutralen, der Einmischung nicht geneigten Gallio die Unterscheidung zwischen ›Vorziehen‹ des guten Lebens und ›Liebe‹ zum guten Leben mehr interessierte als der Fall Paulus, wissen wir nicht. Wir wissen auch nicht, ob er seinem Bruder auf diesen Brief geantwortet hat.

Da war aber sehr viel zu antworten; besonders drei Jahre später, im Jahre 61, als Seneca wieder einmal im Mittelpunkt des öffentlichen Interesses stand. Achtzehn Jahre zuvor war die Insel Britannien Teil des Römischen Reichs geworden. Einige britische Lokal-Könige regierten noch eine Weile weiter, im Rahmen der römischen Militär- und Zivilverwaltung. Und einer dieser Eingeborenen-Könige, mit Namen Prasutagus, Herrscher über die Iceni, die im heutigen Norfolk und Suffolk saßen, war ein Schuldner des Philosophen Seneca.

Als nun Prasutagus starb, forderte der Philosophen-Gläubiger sein Darlehen zurück. Die Königin-Witwe Boudicca war auf die römischen Herren, die Eroberer ihrer Heimat, gar nicht gut zu sprechen. Die Mißstimmung wurde noch verschärft durch das Verhalten ihrer beiden Töchter, die sich mehr oder weniger freiwillig mit römischen Okkupations-Offizieren eingelassen hatten. Und nun wollte der Römer Seneca auch noch Geld? Das war zuviel. Die königliche Witwe brachte einen Aufruhr zustande, bei dem einige siebzigtausend Römer und Römer-Freunde zugrunde gingen. Sollte der Zusammenhang zwischen seinem Darlehen und diesem Krieg dem Philosophen nicht zu denken gegeben haben: daß es sehr schwierig ist, unbeflecktes Geld von beflecktem zu unterscheiden?

Er war in seinem Brief ›Über das glückliche Leben‹ sehr ausfallend geworden. »Höre also auf«, hatte er seinem Ankläger zugerufen, »den Philosophen das Geld zu verbieten. Die Weisheit ist keineswegs zur Armut verdammt. Es kann sein, daß der Philosoph reiche Schätze hat, aber sie sind keinem abgedrungen, nicht mit fremdem Blute befleckt, ohne

Frevel gegen einen Menschen erworben und ohne niederträchtige Handgriffe; die Ausgaben sind dabei so wenig unehrbar als die Einnahmen, und sie pressen keinem Herzen Seufzer aus außer einem mißgünstigen.« Man sieht: Seneca hatte ein sehr gutes Gewissen – ohne das man nicht glücklich sein kann. Aber war das Kapital und waren die Zinsen, die nun von Britannien zurückkamen, nicht befleckt mit fremdem Blut? Mit dem Blute von Römern und von Nicht-Römern? Nero hat (wie Sueton berichtet) gesagt: »Geld ist dazu da, daß man es ausgibt.« Der Lehrer Seneca soll schon nach den ersten vier Jahren aus seinem generösen Schüler 12 Millionen Dollar herausgeholt haben. War wirklich das Geld, das Seneca, die Feder des Kaisers Nero, verdient hatte (zum Beispiel auch für die schöne Formulierung des Mutter-Mords, den Nero begangen hatte) – ›ohne Frevel gegen einen Menschen erworben‹?

Und auch im Rein-Philosophischen, im Abstrakten, ist nicht alles ganz klar. Vielleicht war der Bruder Gallio zwar kein Denker, aber doch ein heller Kopf. Und er antwortete ganz schlicht: Bruder, ich verstehe nicht den feinen Unterschied zwischen ›Vorziehen‹ und ›Lieben‹. Du sagst: »Reichtum gehört zu den Dingen, die den Vorzug haben.« Wenn ich aber das gute Leben lange genug vorgezogen habe – dann liebe ich es eben. Wenn der Luxus lange genug in meinem Haus gewesen – dann ist er auch in meiner Seele. Man macht nicht ungestraft alles mit. Und man sollte nicht denken, daß man irgend etwas tut – wenn man wohlgeformte Essays schreibt, um dieses Unding in die Welt zu setzen: theoretisch ein Fels und praktisch ein Mitmacher. –

Aber legte dann nicht der berühmte Tod des Seneca Zeugnis ab: von diesem Weisen und seinem Glück?

Seneca schrieb einmal: »Ich will mit derselben Miene die Ankündigung meines Todes anhören, mit der ich ihn für einen anderen verhänge und Zeuge davon bin.« Er hielt sein Versprechen. Und die Nachwelt hat ihn sehr gepriesen dafür, daß er auch die erste Hälfte des Satzes wahrgemacht hat.

Sollte man aber nicht einmal den Ton auf die zweite Hälfte legen – und sich erinnern, daß er ein stummer Zeuge von ungezählten Morden gewesen ist? Deshalb darf man den Tod des müde und gleichgültig gewordenen Hofmanns nicht mit dem Tod des Sokrates vergleichen.

Senecas Tod war einer der landesüblichen Morde. Der Philosoph war inzwischen alt geworden und noch kränklicher und hatte recht genug. Er hatte seinen Kaiser gebeten, ihn von den Gesellschaften zu entbinden. Er hatte auch, der ewigen Angriffe müde, darum gebeten, die kaiserlichen Geschenke zurückzunehmen. Aber Nero hatte geglaubt, so etwas schade nur dem kaiserlichen Prestige.

Seneca hatte sich in den letzten drei Jahren seines Lebens weniger um das Reich gekümmert und mehr um seine Weinberge, um seine geliebte Frau und um seinen prachtvollen Aphorismen-Stil. Er studierte Vulkane und Erdbeben, die er als Befreiung von eingesperrter Luft deutete. Er studierte die Quelle des Nils, die Ursachen für Donner, Wind und Kometen. Er zerbrach sich den Kopf über die Farben des Regenbogens, die er nicht für real hielt. Und er schrieb jene Briefe, mit denen er in die Literatur-Geschichte als Schöpfer einer neuen Literatur-Gattung einging: des Essays. Rom brannte. Die Christen wurden gekreuzigt. Rom wurde wieder aufgebaut. Seneca brachte in großer Zurückgezogenheit seine Alters-Weisheit zu Papier.

Aber Zurückgezogenheit ist nicht immer Sicherheit. »Es ist gefährlich«, schrieb Seneca, »den Anschein zu erwecken, als suche man ein sicheres Versteck. Ein Mann verdammt, was er offensichtlich meidet – auch ohne es auszusprechen.« Die Zurückgezogenheit der letzten Jahre gewährte ihm keinen Schutz. Er war zu sehr verfilzt mit der kaiserlich-römischen Gesellschaft. Oder lebte er gar nicht so sehr in der Zurückgezogenheit? War auch er im Komplott? Wir wissen es nicht.

Jedenfalls flog im Jahre 65 eine der üblichen Verschwörungen gegen den Kaiser auf. Sie war vielleicht nicht ganz so üblich und etwas respektabler als der Durchschnitt. Denn es waren ein Dutzend Senatoren verwickelt; und beide Brüder des Seneca. Beim Verhör berichtete ein Komplice den folgenden Ausspruch des Philosophen: »Sein Wohlergehen hänge ab von Pisos Sicherheit.« Piso war der Rädelsführer dieser Verschwörer.

Nero befiehlt, die Villa, in der Seneca sich gerade aufhält, zu umstellen. Seneca sitzt bei Tisch, mit seiner Frau und zwei Freunden. Der Kaiser läßt seinen alten Lehrer fragen: hast du jenen belastenden Satz gesprochen? Die Antwort lautet: Ja! Der Kaiser fragt: bereitet sich Seneca zum Tode vor? Die Antwort lautet: Nein!

Da sendet Nero dem Seneca den Befehl, zu sterben. Viele Kaiser haben in diesen Jahrzehnten vielen Tausenden den Tod befohlen: Greisen und Mädchen, Schuldigen und Ahnungslosen. Manche wollten nicht und machten ein großes Geschrei. Manche stürzten sich in ihren Dolch, ohne mit der Wimper zu zucken; denn es war in besseren Kreisen ein üblicher Abschluß des Lebens. War Seneca schuldig? War er unschuldig? War er vielleicht von den Verschwörern ausersehen, zum Kaiser gekrönt zu werden? Wir wissen es nicht.

Dagegen weiß man sehr genau, wie er sich verhalten hat. Er benahm sich völlig gelassen. Aber auch gerecht? War es gerecht, daß er, als das bittere Ende seines glücklichen Lebens nahte, gegen Nero sagte: »Wenn einer seine Mutter und seinen Bruder erschlagen hat, dann bleibt ihm schließlich nicht viel mehr übrig, als auch noch seinen Lehrer zu ermorden«? Hatte denn Seneca, der nun Empörte, sich damals empört, als Nero seine Mutter umbrachte? Seneca war in jenes Unternehmen eingeweiht gewesen und hatte es in einem schönen Brief schön stilisiert. Er hatte sein Leben lang nach dem Grundsatz gelebt: »Glücklich ist, wer mit dem Bestehenden, sei es wie es wolle, zufrieden und mit seinem Zustande befreundet ist.« Er hatte das Glück des Mitmachers genossen.

Man soll sich aber nicht beschweren, wenn man mit der Clique untergeht, zu der man gehört. Seneca fragt jetzt empört: »Wer wußte nichts von Neros Grausamkeit!« Er hätte sich selbst antworten können: ich, sein Lehrer, der ich alle seine bösen Taten mit schönen Worten geschmückt habe – ich wußte von seiner Grausamkeit und verklärte sie mit meiner Sprache; und nun trifft es eben mich . . . Die Schnitte, die Seneca in seine Venen machte, halfen nicht viel. Das Blut tröpfelte nur heraus. Der Schierling, den er nahm, wirkte nicht recht. Inzwischen diktierte er den Sekretären seine letzten Meditationen. Ist das wirklich der Inbegriff des Glücks: mit angeschnittenen Venen und Gift im Bauch – sich am Funktionieren seines Gehirns zu erfreuen? Schließlich brachte man ihn in ein Dampf-Bad. Er hatte es einst als überflüssigen Luxus verketzert, nun half es ihm, zu sterben.

Er wurde ohne jede Feierlichkeit verbrannt. Und dann erbaute sich Generation auf Generation an dem Bild des Weisen und an dem Schriftsteller, dessen knappe, geistvolle Sätze die Mottos der kommenden Jahrhunderte wurden. Am Ende des Mittelalters gab es an der Universität Piacenza eine ›Professur für Seneca‹.

Er hatte auch seine Gegner. Montesquieu schuf die Figur jenes Persers, der durch Europa reiste und sich über manches Europäische lustig machte. Dieser kritische Perser stellte auch fest: »Wenn einem Europäer ein Unglück zustößt, hat er kein anderes Heilmittel als die Lektüre eines Philosophen, den sie Seneca nennen; wenn ein Asiate Kummer hat, dann greift er wenigstens zu einem Trunk, der ihn aufpulvert.« Und der unabhängigste und kühnste Denker der Moderne, Friedrich Nietzsche, schrieb dem Seneca diese Grabschrift:

> Seneca et hoc genus omne
> Das schreibt und schreibt sein unausstehlich
> weises Larifari,
> als gält' es primum scribere,
> Deinde philosophari.

Verehrer und Kritiker bezeugen gemeinsam die mächtige Wirksamkeit dieses ›Weisen‹ – durch die Jahrtausende. Worin liegt sie? Vielleicht ist es nicht genug, sich an die weisen Kalender-Sprüchlein zu halten. Vielleicht ist diese weise Unerschütterlichkeit nicht nur eine Negation gewesen. Vielleicht ist es zu wenig, die so gepriesene stoische Freiheit aus lauter Negierungen zusammenzusetzen: Freiheit von Furcht, Freiheit von allen irdischen und überirdischen Mächten . . . Vielleicht lebte in Seneca und manchem unter seinen Jüngern wenigstens für Stunden die unbändige Lust eines Gottes, der weiß, was Kreatürlichkeit ist – und sich selbst als Kreatur fühlt, eine grenzenlose Potenz. Und vielleicht ist es dieses gewaltige Glück gewesen, das dem sterbenden Seneca in den Augen stand, und die Anwesenden so faszinierte, daß sie den Jahrhunderten Seneca als Personifikation dieses Glücks ins Gedächtnis meißeln konnte. Tacitus hat diesen Tod beschrieben. Rubens hat ihn gemalt. Er wurde eine der unvergeßlichsten Szenen des glücklichen Triumphs über Tod und Verderben im Gedächtnis der Menschen. –

Zu denen, die auf der Suche nach Glück beim Weisen Seneca in die Lehre gingen, gehörte, dreihundert Jahre nach diesem Jahre Achtundfünfzig, ein afrikanischer Lebemann, der dann der Heilige Augustinus wurde. Er wurde mit Senecas Weisheit nicht glücklich – und schuf ein neues Glück.

VII.

Der Heilige Augustinus unterhält sich
über das Glück

Ein lebensgieriger Sophist

Am dreizehnten, vierzehnten und fünfzehnten November des Jahres 386 nach Christus fand auf dem Landgut Cassiciacum bei Mailand eine dreitägige Unterhaltung über das Thema ›Wie lebe ich glücklich?‹ statt.

Der Besitzer Verecundus war nicht dabei. Sein Gast, ein Mailänder Lehrer, Aurelius Augustinus, war die Seele der dreitägigen Diskussion. Er hatte gerade Geburtstag und feierte ihn mit Verwandten und Freunden auf seine Weise.

Nach dem Frühstück, das recht bescheiden war, damit man sich das Denken nicht noch unnütz erschwere – ging die ganze Gesellschaft ins Badehaus; denn es war herbstlich kalt, und hier, im Badehaus, fand man zugleich Ruhe und Wärme. Erst am dritten Tag klärte sich das Wetter soweit auf, daß es morgens nicht mehr neblig war; und am Nachmittag war es draußen so schön, daß man auf die kleine Wiese hinuntergehen konnte. Man machte es sich dort bequem und schloß unter einem lauen, heiteren Himmel das Gespräch über das Glücklichsein ab.

Von den Leuten, die dabei waren, ist uns nur dieser Mailänder Lehrer der Beredsamkeit, Augustinus, seine Mutter Monica und sein fünfzehnjähriger, unehelicher Sohn Adeodatus bekannt. Der Name Adeodatus heißt auf deutsch: ›Von Gott gegeben‹. Als Adeodatus seinerzeit auf diesem Stern ankam, soll der achtzehnjährige Vater gar nicht entzückt gewesen sein. Inzwischen aber war sein Stolz auf diesen Knaben so gewachsen, daß er von ihm sagte: er überrage viele gelehrte Männer an Geist.

Von den übrigen Teilnehmern weiß man nur, daß auch

ein Bruder und zwei Vettern des Augustinus anwesend waren. Diese Vettern sind, wie es heißt, nicht sehr beschlagen gewesen. Da es aber bei jener Debatte nicht um ein abgelegenes wissenschaftliches Problem ging, sondern um eine Frage, die alle Menschen betrifft, hielt man es für gut, auch Nicht-Akademiker mit gesundem Menschenverstand teilnehmen zu lassen. Hingegen waren die beiden Schüler des Lehrers, die allein kräftig mitdiskutierten, gelehrt durch und durch. Sie kannten ihren Cicero auswendig.

Es fing an mit der Frage: »Wollen wir glücklich sein?« Ohne die kleinste Pause des Zögerns antwortete man mit einem einstimmigen: »Ja!« Mit dieser Frage und dieser Antwort hatte schon ein paar Jahrhunderte zuvor der Römer Seneca begonnen. Und mit dieser Frage und dieser Antwort schloß mehr als ein Jahrtausend später Spinoza sein Nachdenken über das Glück ab. Alle Menschen wollen glücklich sein. Doch hingen alle drei Denker dieser Feststellung ein ›Aber‹ an. Aber – hieß es immer wieder, aber ›nur eine geringe Zahl‹ wird wirklich glücklich. Weshalb eigentlich? Dieses Weshalb gehört zu den ältesten Sorgen der Philosophen.

Man muß unterscheiden zwischen Sorgen und Problemen. Probleme kann man durchdenken oder beiseite liegen lassen. Sorgen zwingen zum Denken. Das Thema, das der Mailänder Lehrer in diesen November-Tagen aufs Tapet brachte, war nicht nur ein uraltes Problem, sondern auch eine ganz aktuelle Sorge. Und so hingen diese abstrakten Begriffs-Zergliederungen, die man nun vornahm, viel mehr mit dem täglichen Leben zusammen, als wenn man sich (zum Beispiel) über das Dach unterhalten hätte, unter dem man gerade saß. Dieses Dach war offenbar in Ordnung. Aurelius Augustinus hingegen war gar nicht in Ordnung und sehr reparaturbedürftig.

Er war nun zweiunddreißig Jahre alt, ein erfolgreicher Meister der Rhetorik. Und noch bis vor ein paar Wochen war er das gewesen, was man heute, fast sechzehnhundert

Jahre später – einen wurzellosen Literaten nennen würde. Er hatte der Mutter Monica viel Kummer gemacht. Sie war eine Christin, die auch ihren Mann, kurz vor seinem Tode, noch dazu gebracht hatte, sich taufen zu lassen. An ihren sehr gebildeten Sohn aber konnte sie jahrelang nicht heran. Nun hatte er sich, vor wenigen Wochen, dazu durchgerungen, seinem Leben und seinem Denken, was bei ihm eins war, eine neue Richtung zu geben – eine entgegengesetzte Richtung. In diesem Augenblick also, in diesem November, da er ein zweiunddreißig Jahre altes Leben abschloß, um ein sehr neues Leben zu beginnen, stellte er die Frage nach dem Glück: gewissermaßen, um sich klar zu machen, daß er bisher nicht glücklich gewesen war – und weshalb nicht. Die gelehrten, steifen Sätze, die er auf dem Gut Cassiciacum bei Mailand im Herbste 386 formte, waren der Abglanz einer harten, denkwürdigen persönlichen Entscheidung. Ein Mensch hielt Gericht über sein Leben – über ein Leben, wie es die meisten Menschen führen. Und sagte zu diesem Leben: Nein! Und dieses Nein geht uns viel mehr an – als der ganze Haufen von Argumenten, die er für sein Nein vorbrachte.

Ein Zeitgenosse, der die Entwicklung dieses Aurelius Augustinus von weitem beobachtet hätte, wäre bestimmt nicht auf den Gedanken gekommen: daß dieser Mann den Kurs seines Daseins plötzlich mit einem tollen Ruck in die entgegengesetzte Richtung bringen würde. Er hatte ein schönes, glückliches Leben geführt? Was hatte ihm gefehlt? Er war zur Welt gekommen an der Peripherie des weiten Römischen Reichs, in Nord-Afrika. Diese Peripherie hatte einen sehr glänzenden Mittelpunkt: die Stadt Karthago, die von Kaiser Augustus wieder aufgebaut und eine der blühendsten Großstädte des Reiches geworden war. Hier hatte der junge Mann eine vorzügliche Ausbildung bekommen. Denn Vater Patricius ist zwar nur ein geringer Bürger des kleinen Örtchens Thagaste gewesen. Aber er war sehr ehrgeizig für seinen Sohn: der Junge sollte lernen, ›möglichst gut und fortreißend‹ zu reden. Und da der Kleine interessiert war und sehr begabt: begabt mit Phantasie, Urteilskraft und Ehrgeiz – machte er schnell Karriere. Sein Leben wurde recht erfolgreich.

Es gab da auch Schwierigkeiten, wie in jedem Leben. Er hat (zum Beispiel) schrecklichen Ärger mit seinen Studenten gehabt. In Karthago waren sie so rüpelhaft, daß ganze Horden von ihnen in seine Vorlesungen einbrachen: nicht um zu lernen, sondern um Unfug zu stiften. Und als er dann nach Rom ging, weil man ihm sagte, daß es dort um die Moral der jungen Leute besser stünde, gab es neuen Ärger: man hatte sich einen Trick ausgedacht, wie man den Lehrer um sein Honorar bringen könne. So blieb er in Rom auch nicht und ging nach Mailand.

Aber was war der Ärger mit jungen Raufbolden und Betrügern in Karthago und Rom – im Vergleich zu den Freuden des Umgangs mit der intellektuellen Elite in den Hauptstädten der Welt. Aurelius hatte in den erlesensten Kreisen verkehrt. Neun Jahre lang stand er den Manichäern besonders nahe – einer weltanschaulichen Gruppe, die sowohl von dem persischen Zoroaster als auch von der christlichen Gnosis beeinflußt war. Hier rechtfertigte man prachtvoll das Leben, das er führte. Die Natur des Menschen, lehrten die Manichäer, besteht aus zwei Naturen: einer guten und einer bösen. Was ist dagegen zu tun, daß man auch die böse mit-durchfüttern muß? Schließlich ist man nicht Gott und hat sich nicht selbst gemacht. Und Augustinus fütterte kräftig auch diese andere Seele, zu der er ein metaphysisches Recht hatte.

Die sogenannte böse Natur äußerte sich bei ihm – wie bei allen anderen Menschen bis zu diesem Tage – hauptsächlich dreifach: in einem großen Appetit auf Geld, in einem großen Appetit auf Macht und in einem großen Appetit auf Frauen. Die ersten beiden Appetite hatte er mit Hilfe jener Kunststücke befriedigt, die er seinen Beruf nannte. Er verkaufte für gutes Geld die Technik, ›andere durch Worte zu besiegen‹. Und sie zahlten gern dafür, daß sie sich, dank seiner Ratschläge, ›Redewaffen für ihre Leidenschaften schmieden‹ konnten. Er durchschaute großartig seine Profession. »Auch meine wissenschaftlichen Studien«, schrieb er später, »die man für so ehrenvoll hielt, hatten ihren Reiz für mich; besonders im Hinblick auf die öffentlichen Rechtstreitigkeiten, bei denen ich um so mehr Lob zu ernten hoffte, je trügerischer ich zu reden verstehen würde.«

Der dritte Appetit spielte in seinem Leben eine ganz besondere Rolle. Aurelius ist schon sehr früh sehr männlich gewesen. Er war erst Fünfzehn, da erblickte ihn einmal sein Vater im Bade ›in der Vollkraft der Männlichkeit und stürmischen Jugend‹ und freute sich schon auf die Enkel und erzählte strahlend seiner Frau von der beglückenden Entdeckung. Mutter Monica reagierte auf den stolzen Bericht ihres Mannes – mit der Warnung an den Sohn: »keine Unzucht zu treiben und besonders keine Ehefrauen zu verführen«. Der Knabe hielt das alles für pures ›Weibergeschwätz‹. Schließlich war er es seinem Renommée schuldig, mindestens so viel zu erleben wie seine Kameraden; und wenn er auch nicht sofort mit einer Kollektion von Lastern konkurrieren konnte, so mußte er wenigstens mit ihnen prahlen. Es war der Ehrgeiz, der ihn in die Wollust trieb; und es war dann die Wollust, die einen neuen Ehrgeiz in ihm erzeugte. Welcher Fünfzehnjährige wagt es, sich wegen Keuschheit verlachen zu lassen! Und Aurelius hatte außerdem noch sehr heißes Blut. Mit achtzehn hatte er einen unehelichen Sohn. Die Hoffnung des Vaters auf Enkel war sehr zeitig in Erfüllung gegangen.

Karthago war ein gutes Klima für ein heißes Blut. Die Gottesdienste zu Ehren der punischen und römischen und sonstigen Götter waren die Zentren der Umarmungs-Freuden. Karthago hatte auch einen christlichen Bischof und viele Basiliken; und Kaiser Konstantin hatte ein strenges Gesetz erlassen gegen die religiös inszenierten Umarmungen en masse und coram publico. Aber nach wie vor ging es in den Hainen des Saturn und in den Tempeln des Baal ebenso munter zu wie – sagen wir – auf europäischen Kostüm-Festen nach dem Ersten Weltkrieg; nur waren damals in Karthago die Kostüme den Göttern geweiht.

Es war ein ununterbrochener frommer Fasching. Das goldene Bild des Herkules wurde herumgetragen. Die Prozession endete mit öffentlichen Orgien. Kastrierte, Effeminierte, geschminkte Priester der Göttin Cybele schlurften in weibischen Gewändern durch die Straßen der afrikanischen Metropole. Die Ziegen dieser Cybele und die Böcke des Pan sprangen unter lasziven Gesängen aufeinander. Und auch der Gottesdienst der phönizischen Astarte, die mit der Cybele irgendwie verwandt war und unter dem Symbol des Mondes verehrt wurde, diente diesem Liebesleben, das von keinem Standesamt kontrolliert wurde. Auf den Stufen zum Altar der Astarte sielten sich die Paare in Seligkeit. Wilde, aufreizende, geile Tempel-Gesänge machten die muntere und ermunternde Begleit-Musik. Der siebzehnjährige Philosophie-Student Augustinus war hier ein häufiger und begeisterter Gast.

Er liebte Frauen. Er war verrückt nach den Freuden, die sie ihm gaben. Er jagte durch das Labyrinth der Liebes-Leidenschaften: Verliebtheit, Geliebtwerden, Argwohn, Eifersucht. Dieses Umgarnen und Umgarntsein, diese Lüste und Schmerzen bildeten sein Glück. Und vielleicht gab es da noch ein Glück mehr, das er nicht so offen eingestanden hat – wie er es heute vielleicht tun würde: die Leidenschaft für Freunde. Er sagte von einem Jugendgefährten, den er in frühen Jahren verlor: seine freundschaftlichen Bekundungen waren ›mir süßer als alle Wonnen meines Lebens‹. Und einer seiner intimsten Freunde, Alypius, suchte ihn immer wieder von einer Ehe abzubringen. Moderne Psychologen, geschult in den Äußerungen der mann-männlichen Liebe, haben vieles zusammengetragen, was darauf hinzudeuten scheint, daß ihn auch mit Freunden mehr verband als nur Freundschaft.

So viel hatte ihm also das Leben beschert: beruflichen Erfolg, Frauen, Freunde, alle Genüsse der Weltstädte des Römischen Reichs – zur Zeit, als es überreif war. Er war glücklich gewesen in Karthago – in dem Sinne, in dem Menschen in der Regel glücklich sein wollen. Er war glücklich gewesen in jenem geistig-regen Rom, wo alles geglaubt wurde und alles verspottet wurde und alles zugleich geglaubt und verspottet wurde – und wo Augustinus, nach seiner Trennung von den Manichäern, in der ›Neuen Akademie‹ die Weisheit der reifsten philosophischen Skepsis eingesogen hatte . . .

Und nun – in diesen November-Tagen – nahm er Abschied von den karthagischen und römischen und mailändischen Gefährten glücklicher Jahre. Er nahm Abschied vom Schwören und vom Fluchen. Er nahm Abschied von hundert Sehnsüchten, Plänen und seligen Erfolgen. Und zur Feier des Abschieds bewies er – in einem Badehaus und auf der Wiese eines kleinen italienischen Guts: daß er nie glücklich gewesen war; und daß das wahre Glück in einem ganz anderen Leben liegt. Um das zu beweisen, debattierte er drei Tage lang mit seiner Mutter und seinem jungen Sohn und seinen Verwandten und seinen Schülern über das Glück.

Es ist bei solchen Debatten das Resultat, auf das einer hinaus will, immer wichtiger, als die Logik, die er benutzt, um es zu erreichen.

Ist jeder glücklich, der das, was er will, hat?

Der junge Lehrer Aurelius Augustinus ist ein gelehrter Mann. Er spricht deshalb, das, was ihn bewegt, nicht so direkt aus – wie es vielleicht seine ungelehrten Vettern tun würden. Er spricht nicht von sich. Er behandelt seine schwere Sorge wie ein anonymes wissenschaftliches Problem.

So treten sie in minutiöse begriffliche Zergliederungen

ein. Ein Resultat lautet: daß man nicht glücklich sein kann, wenn man etwas entbehrt. Das ist gerade keine sehr gewaltige Entdeckung. Aber nun kommt die interessante Wendung: dieser triviale Satz läßt sich nicht umkehren. Man kann nicht sagen: daß jeder, der nichts entbehrt, schon deshalb glücklich ist. Es wird gefragt: »Ist jeder glücklich, der das, was er will, auch hat?« Es wird geantwortet: nein! Diese Frage und diese Antwort sind die Angelpunkte des Gesprächs.

Und das ist genau sein eigener Fall. Er hat alles gehabt. Er hat eine Erziehung gehabt, als ob er aus einem reichen Hause stammte. Er hat alles gelesen, was die erlesensten Geister geschrieben haben. Er hat mit den raffiniertesten Intellektuellen seiner Zeit Umgang gepflegt. Er hat große Begabungen entwickelt und mit ihnen geglänzt und mit ihnen gewirkt. Mädchen beglückten ihn. Freunde begeisterten ihn. Um ihn herum brauste die vielklängigste, vielfarbigste, reichste Kultur, welche die Welt je gesehen hat. Weshalb ist dies Leben nicht glücklich gewesen?

So unverhüllt wurde in diesen November-Tagen nicht gefragt. Man bewegte sich im Bereich einer fernen Abstraktheit. Aber noch heute kann der Leser des kühlen Berichts, den Augustinus von dieser Unterhaltung gegeben hat, hinter den steifen Pas des Gelehrten ein sehr leidenschaftliches Herz schlagen hören. Es war dieses Herz, das den akademischen Argumenten die Richtung wies. Augustinus suchte mit allem Eifer jenes Glück zu entwerten, von dem er sich – noch bis vor ein paar Wochen – nicht hatte trennen können.

Mit großer Gelehrsamkeit setzte er auseinander, daß es zwei Arten von Glück gibt; und daß jenes Glück, welches er genossen hatte, nicht das rechte gewesen sei. Da man sich nun, wie gesagt, bei dieser Unterhaltung ganz literarisch-unpersönlich benahm und durchaus nicht von Augustinus sprach – so sprach man von einem alten Römer, namens C. Sergius Orata. Dieser Orata, ein Verwandter des berühmten Rebellen Catilina, ist schon von Cicero als literarisches Beispiel benutzt worden. Der Mann hatte nämlich alles gehabt, was ein Mensch haben kann: Luxus und außerdem noch Gesundheit, gesellschaftliches Prestige und außerdem noch Freunde. Und nun zerbrach sich die Gesellschaft auf dem Gute Cassiciacum bei Mailand den Kopf, ob dieser Orata wohl glücklich gewesen sei. Was aber hinter der Sorge um den damals schon dreihundert Jahre toten römischen Millionär steckte, war nichts als die sehr lebendige Absicht: nachzuweisen, daß man so sehr im Fett leben kann wie dieser selige Römer – und trotzdem ist man nicht glücklich.

Wie kann man dem toten Orata nachweisen, daß er, trotzdem er alles hatte, nicht glücklich gewesen war? Man behauptete einfach, daß er nicht glücklich gewesen sein kann – mag er nun klug gewesen sein oder dumm. Und man bewies das folgendermaßen: »Je scharfsinniger er war, um so mehr sah er ein, daß er alles verlieren kann.« Also muß er sich vor großen Verlusten gefürchtet haben. Wer sich aber fürchtet, kann nicht glücklich sein. Sollte also Herr Orata so gescheit gewesen sein, zu erkennen: mir kann es jeden Tag so gehen wie dem alten Hiob – dann wird er diesen wackligen Zustand nicht gerade als Glück empfunden haben. Wie aber, wenn er dumm war? Dann entbehrte er die Weisheit. Wer aber entbehrt, kann nicht glücklich sein. Also, ob jener Orata nun mehr oder weniger Grips hatte – es kommt auf eins heraus: er kann auf keinen Fall glücklich gewesen sein. So nicht und so nicht... Man darf aber diese Beweisführung nicht zu genau untersuchen. Mit den Beweisen der scharfsinnigsten Denker steht es oft ganz miserabel. Aber viel wichtiger als ein Beweis ist immer: was steckt dahinter? Es steckte hier dahinter ein altes Unglück, das glänzende Farben hatte, und ein neues Glück, das sich noch nicht recht beschreiben ließ.

Immer wieder kam man zurück auf die Frage: »Ist jeder glücklich, der das, was er will, hat?« Mutter Monica, die Christin, antwortet: »Falls er das Gute will und es hat, ist er glücklich; falls er dagegen das Böse will, ist er, auch

wenn er es hat, unglücklich.« Augustinus, der in dieser
Stunde offenbar völlig vergessen hat, daß er sehr oft in den
Fängen des ›Bösen‹ – sehr glücklich gewesen war, applau-
diert enthusiastisch: »Mutter, du hast geradezu die Burg der
Philosophie erobert.« Er hätte auch sagen können: Mutter,
du hast geradezu die Philosophie zerstört. Denn diese Sentenz der Frau Monica, die auch größere Philosophen vor
ihr und nachher ausgesprochen haben, stellt einen der ganz
großen Diebstähle innerhalb der Geschichte der Philosophie
dar. Das Wort ›Glück‹ wird entwendet, von seinem Thron
herunter entführt – um eine kleine Hofdame jener Majestät zu werden, welche die Philosophen ›das Gute‹ nannten.

Wenn Frau Monica so gelehrt gewesen wäre wie ein Lehrer der Beredsamkeit, dann hätte sie sich zum Beispiel auf
den Philosophen Cicero als Kronzeugen berufen können. So
aber brachten die gelehrten Schüler das einschlägige Zitat
bei. Cicero hat geschrieben: es gibt wirklich Leute, die behaupten, »daß alle glücklich sind, die so leben, wie sie
es selbst wollen. Das ist aber falsch, denn wollen, was sich
nicht geziemt, bedeutet tiefstes Unglück. Ein geringeres Unglück aber ist es, nicht zu erlangen, was man will, als erlangen zu wollen, was sich nicht gehört.« Das Glück ist also
(nach Cicero) gebunden an das ›Was-sich-geziemt‹, an das
›Was-sich-gehört‹. Der unphilosophische Mensch macht allerdings andere Erfahrungen. Sein Glück ist oft gerade gebunden an das Was-sich-nicht-geziemt. Was Cicero und
Frau Monica da sagten, ist höchst problematisch.

Andererseits läßt sich nicht aus der Welt schaffen, daß
dieser Augustinus mit all seinen Erfolgen, mit seinem Glück
in der Liebe und in der Karriere nicht recht zum Genuß
dieses Glücks gelangt war. Er suchte es, seit seinem neunzehnten Jahr. Damals las er Ciceros ›Hortensius‹ – ein
Werk, das ihm die Idee gab, er könne das Glück im ›Hafen
der Philosophie‹ finden. Und noch heute hält er von dieser
Philosophie so viel, daß er meint, von ihr aus kommt man

›alsbald zu den Gefilden des seligen Lebens‹. Jenen Hafen hat er viele Jahre gesucht: bei Platon und bei Aristoteles und bei Cicero und bei Plotin – und vor allem in jenen Kreisen, die den Manichäismus bekannten.

Hier verkehrte er lange Jahre, ließ sich gesellschaftlich fördern, machte Einwendungen – und wurde immer wieder auf ein Rendez-Vous mit dem berühmten Bischof Faustus von Mileve vertröstet. Eines Tages lernte er diesen Mann dann wirklich kennen. Das war ein liebenswürdiger, einnehmender Greis: ein großer Plauderer vor dem Herrn und ein redegewandter Schauspieler. Aber in den Wissenschaften war er gerade nicht sehr bewandert; von Astronomie verstand er rein gar nichts, und mit seiner Grammatik war es nicht weit her. Dieser Faustus hatte ihm alle Probleme lösen sollen! Mit ihm hatte man dem Augustinus jahrelang den Mund wässerig gemacht. Ein netter Gesellschafter, dieser Bischof der Manichäer! Aber was nutzt dem Durstigen ›der artigste Mundschenk‹?

Manche wiesen ihn auf die Evangelien hin. Er konnte mit ihnen nichts anfangen. Ihr ›stammelndes‹ Latein war lächerlich vor der ciceronianischen Eleganz. Und dann, man war nach allem gewohnt, in Büchern Bildung zu finden und scharfe Begriffe und einen welt-männischen Stil. Man war zu gelehrt und begrifflich geschult für diese Kinderfibel. Man war sehr verwöhnt worden von den scharfsinnigen Distinktionen des Aristoteles. Was sollte man da mit diesen kleinen Sätzen, die sich an die Armen im Geiste wenden?

Doch kam er immer mehr in ihren Bereich. Nach den schlechten Erfahrungen mit den Studenten in Karthago und Rom war er im vorigen Jahr hier in Mailand eingetroffen. Er hatte sofort die berühmten Veranstaltungen des christlichen Bischofs Ambrosius besucht. Als Rhetor von Beruf war Augustinus interessiert an allen großen, gefeierten Kollegen. So war er auch sehr neugierig gewesen, wie der angesehene Mailänder Prediger es eigentlich machte. Auf seine Lehren kam es wirklich nicht an. Augustinus achtete nur auf die Technik des Mannes. Nun gehörte aber Ambrosius zu jenen seltenen Leuten, bei denen man die Inszenierung nicht trennen kann von dem, was sie inszenieren. Er war kein Rhetor; er hatte etwas zu sagen. Der afrikanische Kollege hingegen wollte ihm nur seine Tricks abgucken.

Augustinus hatte auch in seinen Mailänder Tagen keine Zeit für sein Seelenheil gehabt, obwohl diese Seele sich doch nun schon seit undenklicher Zeit sehr unangenehm bemerkbar machte. Sie benahm sich ganz wie ein kranker Zahn, den man von Zeit zu Zeit fürchterlich spürt – und dann eine Zeit wieder vergißt. Er vergaß seine Seele immer wieder, seit dreizehn Jahren. Hier in Mailand hatte er nicht eine Stunde für sie Zeit gehabt. Da mußte er sich für die Schüler präparieren. Dann mußte er zeitraubenden gesellschaftlichen Verkehr pflegen – wie soll man ohne Beziehungen weiterkommen? Schließlich muß man sich auch mal erholen. Und dann nahmen die Frauen viel Kraft und Zeit. Er war in den letzten Monaten wieder einmal in einer ganz besonders verzwickten Lage gewesen.

Seine Mutter hatte es endlich bei ihm durchgesetzt: er verlobte sich mit einem ordentlichen Mädchen. Er wird also das Leben des zügellosen Junggesellen aufgeben und sich die Zügel der Ehe anlegen lassen. So trennte er sich von seiner ›geliebten Bettgenossin‹, schweren Herzens. Sie fuhr von Mailand nach Afrika zurück und legte dort das Gelübde ab: sich keinem andern Mann mehr zu geben. Er aber blieb allein zurück, mit dem Sohn, den sie ihm geboren hatte – und voller Sehnsucht.

Dazu kam, daß seine Braut, die ihm sehr gefiel und Geld hatte, noch zu jung war, erst zehn Jahre alt; man mußte also noch zwei Jahre bis zur Heirat warten. Aber wie sollte man ohne Frau leben? Und da nun die eine Frau ihm entrissen worden und die andere noch nicht reif war – nahm er die Zuflucht zu einer dritten, hatte Sehnsucht nach der Mutter seines Sohnes und ein schlechtes Gewissen gegenüber der Braut. Er fühlte sich hundeelend. Er wollte ausbrechen aus diesem Leben. Schon seit dreizehn Jahren wollte er ausbrechen.

Er hatte sich sehr gut eingelebt in dieses süße Dasein – und sehnte sich dennoch heraus, mit einer nicht ganz eindeutigen Sehnsucht. Das Ideal der Enthaltsamkeit, der Keuschheit übte eine große Attraktion auf ihn aus. Nur wollte er die Verwirklichung dieses Ideals nicht so ganz schnell, nicht gerade sofort. Immer wollte er wenigstens noch ein Weilchen die Freuden des Daseins genießen. Aber diese Freuden befriedigten ihn nur, wenn er daran dachte, daß er sie eines Tages, vielleicht schon morgen, aufgeben wird ... Augustinus war ein fein organisierter Genießer.

Das ging so jahrein, jahraus. Das ging so dreizehn Jahre lang. Wenn es ihn mahnte: nun aber ist's genug – dann wollte er wieder nichts übereilen. Dann umschmeichelte er den unsichtbaren Mahner: »Im Augenblick! Sofort! Ja, gleich! Nur noch ein Weilchen!« Doch das Weilchen zog sich sehr in die Länge, dreizehn Jahre lang. Die süße Gewohnheit beglückender Irdischkeit hielt ihn sehr fest. Er hatte furchtbare Angst, sich zu trennen. Schließlich sprach sehr viel auch für das Leben, das er bisher geführt hatte. Die Stimme, die für dieses glückliche Leben in Karthago und in Rom und in Mailand sprach – seit Jahren, sagte zum Beispiel: »Auch die Dinge dieser Welt haben ihren Reiz und gewähren süße Freuden; es wird nicht so leicht sein, sie nicht mehr zu begehren, und es wäre schmachvoll, sich ihnen nachher wieder zuzuwenden«. Auch sagte Augustinus sich dies: »Es würde mir zum Beispiel nicht schwerfallen, eine Ehrenstelle zu erlangen. Was will ich mehr? An einflußreichen Freunden fehlt es mir ja nicht. Wenn ich es darauf anlege und recht eifrig betreibe, würde mir wahrscheinlich sogar ein Statthalter-Posten übertragen werden, dann könnte ich ein recht vermögendes Weib heiraten, damit wir ein hinreichendes Auskommen hätten, und ich wäre dann in jeder Beziehung befriedigt.« Wie ernst es dieser Mann mit dem neuen Glück meinte, kann man nur ermessen, wenn man beachtet: wie schwer ihm der Abschied von dem alten geworden ist.

Aber dann spürte der Unruhige, Umgetriebene immer wieder die Leere dieses gewohnten Lebens. Und sah auf der andern Seite, auf der Seite, zu der er hinwollte: eine beseligende Fülle. Auf dieser andern Seite lebte zum Beispiel seine Mutter, eine einfache Frau mit geringen Bedürfnissen und einer unerschütterlichen Zuversicht. Ja, die Ungelehrten hatten sich erhoben und das Himmelreich an sich gerissen – während er, der Gelehrte, und andere seinesgleichen, schwer beladen mit ›Wissenskram‹ und gierig nach hundert Flittern, ruhelos waren unter der glänzenden Oberfläche. Da fragte er immer wieder dieselbe Frage: weshalb gehen wir nicht den Weg jener Beneidenswerten? »Schämen wir uns vielleicht, zu folgen, weil die Ungebildeten vorausgegangen sind?« Und dann folgte er nicht. Ein Intellektueller, an verwickelte Probleme gewöhnt, ein Lebensgieriger, mit sehr differenzierten Sinnen – konnte er mit diesen einfachen Rezepten und diesem eintönigen Leben nichts anfangen. Und als vielerfahrener Erotiker gingen ihm die Mädchen nicht mehr aus dem Sinn.

So wollte er gerade dieses Leben, das er lebte – und wollte es wieder nicht. Und wurde, anläßlich dieses Zwists, einer der ersten großen Psychologen, die dahinter kamen: daß das Individuum nicht ein Unteilbares ist, sondern eine Anarchie. Und erkannte auch schon, daß nicht nur zwei Seelen – sondern sehr, sehr viele unterhalb einer Menschen-Haut gegeneinander streiten. Das plagte ihn sehr. Deshalb nahm er sich seit dreizehn Jahren vor, über seine Seele einen lebenslänglichen Diktator zu setzen, damit endlich einmal Ruhe und Ordnung herrsche. Denn er war sehr bekümmert: daß er zwar seinen beiden Armen und Beinen und noch vielen anderen Muskeln des Körpers spielend leicht gebieten könne – der Seele aber nicht.

Denn wenn er an sie (zum Beispiel) den Befehl ausschickt: nun aber genug mit dem bisherigen Leben! – dann flüstern immer irgendwelche Sirenen zurück: »Wie, du willst uns verlassen? Von dem Augenblick an werden wir in alle Ewigkeit nicht mehr bei dir sein. In alle Ewigkeit wird dir nicht mehr gestattet sein, dies und jenes zu tun.« Das ›Für-immer‹ war es, das die Entscheidung so schwer machte. Er zuckte immer wieder zurück, ein Definitivum zu schaffen. Er wollte sich ja trennen; aber doch wieder nicht so endgültig. Doch nur eine Endgültigkeit konnte ihn von diesem Hin und Her befreien, das ihn zermürbte.

Er versuchte, zu guter Letzt, noch einen andern Weg, um um dieses Für-immer herumzukommen. Sie waren zehn Freunde, die alle einen ›Widerwillen gegen das lästige und beschwerliche Treiben des täglichen Lebens‹ hatten. So wollten sie miteinander in die Einsamkeit gehen – in eine Zehnsamkeit. Sie wollten all ihre Habe in eine gemeinsame Kasse tun, was nicht wenig war, da auch ein sehr reicher Mann mitmachte. Alles war schon vorbereitet für dies weltliche Kloster, da tauchte die Frage auf: was soll aus unsern Ehefrauen werden und aus unseren Bräuten? An diesem Problem ging der ganze Plan kaputt.

Und wieder war das furchtbare Entweder-Oder da.

Unveränderliches Glück

Eines Tages – es ist erst wenige Wochen her, am Ende des Sommers 386 – überlieferte er dann seine Seele dem Diktator mit Haut und Haaren. Der Bürgerkrieg, der so lange in ihm gerast hatte, war zu Ende. Es war Friede, ewiger Friede; jedenfalls weiß man von keinem größeren Kampf während der letzten vierundvierzig Jahre seines Lebens.

Die seltsamen Umstände, unter denen dieser Friede zustande kam, schilderte er ein Jahrzehnt später in den ›Bekenntnissen‹ folgendermaßen. Eines schönen Tages, nachdem er wieder einmal in einem ganz besonders harten Zwist mit sich gelegen hatte, warf er sich unter einem Feigenbaum nieder. Die Tränen stürzten ihm aus den Augen. Von irgendwo, vielleicht aus der tiefsten Tiefe, rief eine singende Kinderstimme: »Nimm und lies!« Er nahm und las die Briefe des Apostels Paulus. Da stieß er auf einige kernige Sätze gegen das Fressen und Saufen und Huren. Und er unterwarf sich diesen Sätzen. Und begehrte Mädchen nicht mehr. Und hing keiner irdischen Hoffnung mehr nach. Und wurde nicht mehr hin- und hergerissen. Und lebte friedlich. Und nannte das Glück. In diesen November-Tagen war er allerdings über sein vergangenes Glück noch nicht so erhaben wie dann ein Jahrzehnt später. Es war ihm, auf dem Gute Cassiciacum, nicht unlieb, daß er Ruhm und Frauen genossen hatte – bevor er auf sie verzichtete.

Weshalb er sich aber plötzlich, nach langem Schwanken, nun doch diesem diktatorischen Willen unterworfen hatte, der ihm so viel verbot – was zumindest im Anfang, bevor die Unterwerfung eingeübt war, ein durchaus nicht beglückender Zustand gewesen sein mag: das läßt sich nicht einmal vermuten. Man vergesse aber nicht: daß seine Lunge damals sehr angegriffen war; daß er Atem-Beschwerden hatte; daß seine früher so klare und klangvolle Stimme sich dünn und geborsten anhörte; daß Asthma nicht sehr gut ist für einen Lehrer der Beredsamkeit; und daß Brust-Schmerzen wahrscheinlich noch die hitzigsten Phantasien abkühlen. Vielleicht half ihm also bei dem Entschluß: eine Diktatur aufzurichten über dem anarchischen Volk seiner Seele – auch noch der Umstand, daß sein Körper nicht gerade glänzend in Form war.

Von dem Tage, an dem er seinen Frieden mit dem strengen Herrn gemacht hatte, bis zu den Ferien der Weinlese waren es zwanzig Tage gewesen. Diese Zeit hatte er noch – mit seinem Geheimnis im Herzen – ›auf dem Lehrstuhl der Lüge‹ ausgeharrt, als ›Wortschacherer‹; denn er haßte es, Aufsehen zu erregen. Aber er war schon da fest entschlossen, nach den Ferien sich für immer ›vom Markte der Geschwätzigkeit zurückzuziehen‹. Das hatte er dann auch getan. Nun ist es November, er lebt auf dem Gut Cassiciacum, liest Psalmen, versucht vergeblich, in den Propheten Jesaias einzudringen – und macht jenes Glück schlecht, das er soeben für immer fortgeworfen hat. Auch nähert er sich schon ganz vorsichtig dem neuen Glück.

Nähert sich ihm auf dem alten Wege: auf dem Wege der Logik. Denn in diesen Tagen ›atmete noch einmal‹ sein ›akademischer Stolz auf‹. Er war auch durch den Übertritt zum Christentum nicht ein Armer im Geiste geworden. Und so baute er, reich versehen mit Cicero-Zitaten, den Weg der Logik zum Glück des Christen. Auf streng logische Weise wies er nach: weshalb Geld und Macht und lockende Mädchen einen nicht glücklich machen können – und was allein dieses Glück verleihen kann. Schüler Licentius forderte den jungen Christen Augustinus auf, den Anwesenden zu demonstrieren: »was ein jeder, um glücklich zu sein, wollen muß«. Und Augustinus setzte auseinander: daß »jemand, der glücklich sein will, sich das erwerben muß, was immer bleibt und ihm durch keinen Schicksalsschlag entrissen werden kann«. Der andere Schüler, Trygetius, gab, als advocatus diaboli, zu bedenken: »Es gibt viele Günstlinge des Glücks, die eben diese gebrechlichen und den Wechselfällen unterworfenen, aber doch für dieses Leben angenehmen Dinge in reichster Fülle besitzen und nichts von alledem, was sie wollen, zu missen brauchen.«

Aber Augustinus bringt unentwegt diese Unsicherheit alles Irdischen ins Spiel: niemand kann wissen, ob er nicht schon morgen alles verlieren wird. Und so verwandelte sich ihm die Frage nach dem Glück in die Frage nach einem Gut, das ›ewig und immerwährend‹ ist. Wo ist solch ein Gut? »Ewig und immerwährend ist nur: Gott.« Was folgt daraus? »Wer Gott hat, ist glückselig.«

Wie sollte Augustinus auch nicht ans Verlieren denken! Das wunderbare, mächtige Reich Rom lebte von einer Katastrophe zur anderen. Es war bereits in zwei Teile auseinandergebrochen: in ein Ost und ein West; und jeder Teil konnte jede Minute weiter auseinandersplittern. In schneller Folge löste ein Herrscher den andern ab; und fast jede Nachfolge begann mit einem Bürgerkrieg. Die ganze Welt war im Fluß: irgendwelche Hunnen in einem fernen Osten drückten auf die Goten, die Goten drückten auf die römischen Grenzen – und innerhalb dieser Grenzen herrschte der Mord und die Steuerschraube. Fünfundzwanzig Jahre nach diesen November-Tagen – und noch zu Lebzeiten des Augustinus – erwies sich das Ewige Rom als gar nicht ewig: es ging an Alarich und seine Goten verloren. Im Verlieren, im Sich-Auflösen war der Geist dieser Zeit.

In solchen Zeiten wird das Glück gern gleichgesetzt mit dem Unveränderlichen – und das Unveränderliche mit der Moral. »Die sittliche Vernunft«, schrieb Augustinus, »verkündet mit zweifelsfreier Gewißheit, daß das Unveränderliche dem Veränderlichen vorzuziehen ist.« Verkündet sie das wirklich? Ganz sicher ist nur: daß der Gedanke an die Veränderlichkeit das Glück vieler Menschen beeinträchtigt. So ängstigen sich junge Menschen vor dem Altern und alte vor dem Sterben. So fürchten die, welche oben sind, Veränderungen – und die, welche unten sind, wollen oft lieber wenig als das Risiko der Veränderung. Jeder hat viel Furcht vor Neuem. Und alle fürchten natürlich die Veränderung aller Veränderungen: die Auflösung ihres Ich. Wann ist ein Leben glücklich? »Wenn es ein ewiges sein wird«, antwortete der Christ Augustinus.

Das Ewige, das Unveränderliche haben die Philosophen seit je gesucht. Manchmal nannten sie es die Idee und manchmal das Gute und manchmal Gott. Sie suchten aber die Idee, das Gute und Gott immer – um des Glückes willen, um des ungestörten Glückes willen. In der europäischen Geschichte des Nachdenkens ist Platon der Klassiker des Unveränderlichen gewesen. Und Augustinus gab nun diesem abstrakten, kühlen, anonymen Begriff des Unveränderlichen:

der Idee – einen neuen Glanz. Er gab dieser Idee eine Seele – und nannte sie: Gott. Jenes Glück, das die unveränderliche Idee geben konnte, war höchstens ein Glück für Esoteriker, für abstrakte Denker – ein sehr unmenschliches Glück. Dem Gott aber kann man sich anvertrauen. Ihn kann man lieben. Der tiefste Satz, der in jenem November gesprochen wurde, lautete: »Alles, was ich liebe, brauche ich nicht zu fürchten.« Durch Gott wird man jede Furcht los, das größte Hindernis auf dem Wege zum Glück. Indem man Gott liebt, der die Welt gemacht hat und alles in ihr, fürchtet man nichts mehr: nicht den Einbruch der Barbaren ins Römische Reich und nicht einen Mißerfolg als Lehrer der Rhetorik und nicht den unabwendbaren Tod. Auch Epikur hatte im Sich-Fürchten das Haupt-Hindernis für das Glücklichsein gesehen. Und es ist kein Zufall, daß Augustinus offen bekannte: er würde ›der Lehre Epikurs die Palme reichen‹, wenn er ›nicht an die Fortdauer der Seele nach dem Tode und an eine jenseitige Vergeltung glaubte, was Epikur allerdings verneint‹. – Die echten Denker sind meist nicht so weit von einander entfernt, wie die Geschichten der Philosophie es wollen. Es ist dasselbe Glück, das Epikur und Augustin verehrten und suchten – wenn auch auf sehr verschiedenem Wege.

Denn dieser Mann Augustinus, der ein großer Skeptiker gewesen war und ein großer Genießer – und sich dann sowohl den Genuß des problematischen Denkens als auch den Genuß von Mädchen und Erfolgen verbot: dieser Mann pries bis in sein höchstes Alter die Reize des irdischen Daseins. Sein Hauptwerk, ›Der Gottes-Staat‹, an dem er dreizehn Jahre schrieb, von seinem Neunundfünfzigsten bis zu seinem Zweiundsiebzigsten, schließt mit einem Hymnus auf die Schönheiten des Irdischen; Epikur hätte sie nicht enthusiastischer besingen können. Der Heilige Augustinus pries sogar noch die männlichen Brustwarzen, die doch ganz ohne Nutzen seien, aber um der Schönheit willen geschaffen worden sind. Er pries nicht nur die unentbehrliche Technik, sondern auch noch die Großartigkeit jener Künste, die nur dem Vergnügen dienen. Und obwohl er – in den strengen Jahren nach der Trennung von seiner karthagischen und römischen Vergangenheit – Theater und Zirkus mit sehr bösen Augen angesehen hatte, rief er am Ende seines Lebens aus: was hat Gott »in den Theatern Wunderbares für das Auge, Unglaubliches für das Ohr zu schaffen und darzubieten unternommen«!

Ja, in seinem Dithyrambus auf dies geliebte irdische Dasein ließ er sich dazu hinreißen, alles zu besingen, wovon er sich auf der Höhe seines Lebens getrennt hatte: Gewürze, die den Gaumen kitzeln; Melodien, die dem Ohr schmeicheln; Dichtungen, die erheitern; Phrasen, welche die Rede schmücken. Er lobte – in seinem Enthusiasmus für die Tüchtigkeit des Menschen – sogar noch das Gift und die Waffen und die Maschinen, welche man erfunden hatte, einander zu verderben. Und um allem die Krone aufzusetzen, brach er in diese Verwunderung aus: »Wieviel glänzender Geist« ist nicht »von Philosophen und Häretikern« aufgewandt worden bei »Vertretung von Irrtum und Unwahrheit«.

Dieser christliche Heilige war weder ein Zelot, dem die Organe für Glück fehlten, noch ein Heuchler, der ein Interesse daran hatte, seinen Mitmenschen das Glück zu verekeln. Aber weshalb hatte er denn nur dieses Leben aus Theater, raffinierten Gerichten, schönen Frauen und zweifelnden Philosophen verlassen? Weil er eine sehr große, eine geradezu ausschweifende Vorstellung vom Glück hatte. Weil er aus war auf ein Paradies: »wo man weder aus Trägheit untätig ist noch aus Not arbeitet«. Weil er aus war auf ein Dasein: wo es »kein Bedürfnis mehr gibt, sondern nur eine volle, gewisse, sichere und ewig während Seligkeit«. Weil er aus war auf ein Leben, auf das alle Verehrer des Glücks – alle großen Utopisten, Sozialisten und Christen – ausgewesen sind: »Da werden wir feiern und schauen, schauen und lieben, lieben und preisen.« Er machte nicht das Glück schlecht. Er begnügte sich nur nicht mit wenig. Er war ein beneidenswert unbescheidener Epikuräer.

Sein Wille zum Glück war so mächtig, daß er den Himmel schuf; denn er glaubte nicht daran, daß die Erde die Stätte dieses unbändigen Glücks werden könne. Er wollte das irdische Glück – nur ungemischter, als es, seiner Meinung nach, im Diesseits zu haben war.

Er schätzte die Chancen, die das Glück hienieden hat, gering ein. Das unterschied ihn von all den utopischen Demokraten und Sozialisten und Dionysiern – die eins mit ihm sind in ihrer unbändigen Sehnsucht nach Glück.

Schützte ihn das Glück des Gottes-Staats – gegen das Unglück des Menschen-Staats?

Am Oster-Sonntag nach jenem Gespräch ›Über das Glück‹ in Cassiciacum, 33 Kilometer von Mailand entfernt, hatte Augustinus die Taufe genommen. Dann war er drei Jahrzehnte lang Bischof der nordafrikanischen Stadt Hippo.

In dieser Stadt konnte er im Jahre 430, dem letzten seines Lebens, seinem sechsundsiebzigsten, noch einmal und fürchterlich gut erkennen: wie flüchtig irdisches Glück ist und wie überwältigend das Unglück. Wie bewährte sich damals die Kraft des Glücks, das ihm der erhoffte ›Gottes-Staat‹ gab, gegen das entsetzliche Unglück, das er nun noch erfuhr?

Der römische Gouverneur in Afrika, Bonifazius, hatte von der Regierung den Befehl erhalten, sich in Rom einzufinden. Als er sich weigerte, schickte man Truppen hinüber, um ihn zu holen. Da ließ er sich zu seinem Schutz von Spanien Vandalen kommen. Die aber, einmal in Afrika, setzten sich hier fest und kämpften gegen Römer und Christen, die sie für römische Agenten hielten. Die einheimischen heidnischen Mauretanier machten mit den Vandalen gemeinsame Sache und erhoben sich gegen die römischen Herren.

Nicht nur das Reich, auch die Kirche war in Gefahr. Schließlich hatten die Heiden und die arianischen Barbaren die ganze nordafrikanische Küste erobert — mit Ausnahme der Städte Karthago, Cirte und Hippo.

Hippo, Augustinus' Bischofs-Sitz, wurde ein Zufluchtsort für die vertriebenen Städter und Bauern der Umgebung. Immer mehr Not drängte sich in seiner Stadt zusammen Im Jahre 430 wurde sie von den Vandalen belagert. Und dies war nun das Letzte, was der nach unveränderlichem Glück dürstende Augustinus auf dieser Erde erblickte: vor dem Feinde fliehende, verängstigte, kranke, frierende, hungrige, dürstende menschliche Kreaturen. Das All des Unglücks war in seiner Stadt, als er in die Hoffnung auf den glücklichsten ›Gottes-Staat‹ einging. Der Abschied kann ihm nicht schwer gefallen sein. War er glücklich bei diesem Abschied?

Damals, in Mailand, dreiundvierzig Jahre zuvor, hatte Mutter Monica, die Christin, auf die Frage: »Ist jeder glücklich, der das, was er will, auch hat?« zur Zufriedenheit ihres Sohnes geantwortet. Sie hatte geantwortet: »Falls er das Gute will und es hat, ist er glücklich.« Im Jahre 430 wollte der Heilige Augustinus ganz gewiß das Gute und hatte es auch — aber kann er glücklich gewesen sein in diesem Jahr in jener Stadt? Das aber ist die Kardinal-Frage, die entscheidet über den Wert des Glücks-Weges, den er sich gebahnt hat.

Achtzig Jahre nach seinem Tode nahmen afrikanische Bischöfe, die in die Verbannung mußten, seine Knochen auf die Reise mit — nach Sardinien. Und fast zweihundert Jahre danach, als die Sarazenen diese Insel eroberten, kaufte Liutprand, König der Langobarden, die irdischen Reste des Augustinus und brachte sie nach Pavia. Hier liegt begraben, was tot an ihm ist. Wo aber lebt er?

Er lebt, als eine der großen Autoritäten der christlichen Kirche: als der Denker, der ihre Dogmen über die göttliche und die menschliche Natur für Jahrhunderte geschmiedet hat. Und er lebt als einer der leidenschaftlichsten Sehnsüchtigen nach dem Glück. Vielen hat er den Weg gewiesen. Sind sie angekommen? Ist er angekommen? Ist er glücklich geworden? Und hat seine immense Vorfreude auf das Glück im ›Gottes-Staat‹ die Kraft gehabt: das Leiden an allen Vandalismen aufzuheben? und den Verzicht auf die guten Dinge des Daseins in ein frohes Opfer zu verwandeln?

VIII

Psellus aus Byzanz sucht das Glück sowohl im Palast als auch im Kloster

Eine glänzende Karriere

Die Antwort des Heiligen Augustin auf die Frage: wie werde ich glücklich? ist, wie man zu sagen pflegt, die große Antwort des Mittelalters geworden. Zwei Wege liegen vor dem, der das Glück sucht: der Genuß von Speise und Trank und Mädchen und Knaben und Erfolg und Ruhm; und dann ist da noch der andere Weg, den Augustinus mit Zweiunddreißig eingeschlagen hat – und der sich noch reiner abzeichnete im Leben ägyptischer Anachoreten.

Aber das Mittelalter kannte noch einen dritten Weg – welcher nur verdeckt ist von der konventionellen Scheidung zwischen dem sogenannten irdischen und dem sogenannten himmlischen Glück. Schon Augustinus entdeckte, daß der Mensch nicht dualistisch gebaut ist – ein Träger von zwei gegensätzlichen Seelen –, sondern pluralistisch, ein Gehäuse mit vielen Seelen. Allerdings zog er keine Konsequenzen aus dieser Einsicht und verurteilte sich zu einem einzigen Weg ausschließlich.

Wir stellen hier neben Augustinus eine andere große Figur des Mittelalters, für die es dies harte Entweder-Oder: entweder weltliches Leben oder mönchisches Leben, entweder irdisches Glück oder Verzicht um des jenseitigen Glückes willen ... nicht gab. Der Mann, von dem wir jetzt sprechen werden, tauschte die Welt ein gegen das Kloster und dann das Kloster gegen die Welt und dann die Welt abermals gegen das Kloster. Und man hat den Eindruck, daß nur der Tod diesem Wechsel ein Ende bereitet hat. Dieser Mann, der universalste Denker der Byzantinischen Kultur, näherte sich dem Glück sowohl auf dem irdischen als auch auf dem himmlischen Wege.

Sein Name war Constantin Psellus; auf dem Weg ins Kloster erhielt er auch noch den Namen Michael. Er war geboren im Jahre 1018, in der Millionen-Stadt Konstantinopel. –

Ein neugriechisches Sprichwort sagt: wenn die ganze Welt Zwölf gilt, so gilt Konstantinopel Fünfzehn. Dieser Satz muß aus der Zeit stammen, von der wir reden; denn damals war in Konstantinopel die ganze Menschheit versammelt. Wie ein Chronist des Zwölften Jahrhunderts berichtet:

»Die Bürger in der Kaiserstadt des Constantinus reden
In einer Mundart nicht, sie sind nicht einem Stamm
*   entsprossen;*
Ein Mischmasch vieler Zungen ist's und viel benannter
*   Gauner,*
Alanen, Türken, Kreter sind's, Rhodier und Chier,
Kurz, Völker aus der ganzen Welt, aus aller Herren Reichen.«

Die römischen Kaiser der ersten Jahrhunderte hatten hier Gemälde und Skulpturen aus Hellas' bester Zeit zusammengeschleppt. Und dann war Konstantinopel die erste christliche Hauptstadt des ersten christlichen Reichs geworden. Dieses Byzanz lebte 1123 Jahre und 18 Tage, wurde das Bindeglied zwischen der europäischen Antike, der arabischen, persischen, chinesischen Zivilisation und der italienisch-französischen Renaissance. Die Kultur von Byzanz wird meist als ein kleiner reizvoller Holzweg der Geschichte freundlich unterschätzt. Man weiß in der Regel von ihr nicht viel mehr: als daß ein Viertel der achtundachtzig byzantinischen Herrscher auf nicht sehr gesetzlichem Wege zur Macht gekommen ist, und daß die byzantinischen Kaiserinnen überlebensgroße Hetären waren – und daneben gab es dann natürlich auch noch die byzantinischen Mosaiken ...

Im perikleischen Zeitalter dieser Kultur, im Elften Jahrhundert nach Christus, lebte nun jener Psellus, den man abwechselnd den ›Albertus Magnus‹, den ›Bacon‹ und den ›Voltaire‹ von Byzanz genannt hat – so sehr ist er ein Inbegriff des geistigen Reichtums seiner Zeit gewesen. Er selbst verkündete: daß weder Athen noch Rom noch Alexandria mehr am Leben sei, nicht einmal Byzanz – daß aber alle diese große Vergangenheiten versammelt seien in seiner umfänglichen Seele. Und er war nicht der Einzige, der das sagte. Die Zeitgenossen sagten es auch. Die Nachfahren sagten es auch. Der Katalog seiner Schriften besteht aus 225 Nummern. Psellus war in allen Wissenschaften seiner Zeit beschlagen: von der Mathematik bis zur Dämonologie. Ja, er hat in allen Wissenschaften geglänzt. Auch war er einer der größten Vorläufer. Jahrhunderte vor der Renaissance entdeckte er Platon. Jahrhunderte vor der Aufklärung lehnte er die Astrologie ab. Jahrhunderte vor dem National-Staat war er der erste griechische Patriot. Im ersten Jahrhundert des zweiten Jahrtausends prangte die feinste Blüte europäischer Kultur nicht in Rom und nicht in Paris und nicht in Aachen – sondern in Byzanz.

Dieser Psellus ist der Minister und Vertraute von vier Kaisern und drei Kaiserinnen gewesen und wußte von ihnen recht viel. Als er dann auf der Höhe seiner Laufbahn war – Intimus des Imperators, Konsul der Philosophen, der Lehrer vieler Rassen der Weltstadt Byzanz und dazu noch Erzieher von Arabern und Westfranken, nahm er die Tonsur und zog sich auf den Berg Olympus zurück. Vom Berge Olymp zog er sich dann wieder in die Niederungen des Hoflebens zurück, schmeichelte und intrigierte, hatte ein wichtiges Gespräch über das Glück und fand dies Glück für sich selbst – im Feuer der Palast-Revolutionen. Und nahm dann abermals den Weg ins Kloster; und ging hier seinen Zeitgenossen und der Geschichts-Schreibung verloren.

Der große, schlanke Mensch mit der langen Adler-Nase, an die sich seine Karikaturisten hielten, und mit der Vertrauen erweckenden Suada, die sieben byzantinische Herrscher bezauberte – ging, um glücklich zu werden, den Weg des Augustinus und den entgegengesetzten Weg auch – hin und zurück und dann noch einmal. So ist er ein großes Beispiel geworden dafür: daß die beiden Wege zum Glück, die in der Logik einander widersprechen, sich im Leben ganz gut auch vertragen können.

Der Vater ist ein verarmter Edelmann gewesen, der kleine Handels-Geschäfte machte. Die Mutter war eine sehr bescheidene Frau mit einem einzigen unbescheidenen Wunsch: ein Junge, der es zu etwas bringt. Das erste Kind wurde ein Mädchen. Das zweite Kind wurde ein Mädchen. Das dritte Kind wurde schließlich ein Junge – und brachte es zu sehr viel.

Die Mutter war eine verständige Frau mit einer geradezu unverständigen Liebe zu dem kleinen Constantin. Sie wartete, bis er abends eingeschlafen war – um ihm dann ins Ohr zu flüstern: »Mein Liebling! Wie ich dich liebe! Aber ich darf dich nicht zu oft küssen.« So verband sie einen nüchternen Verstand mit einer trunkenen Leidenschaft. Der Kleine schlief gar nicht. Er tat nur so. Er verhielt sich ganz ruhig und hörte sich alles an. Er war ein geborener Diplomat.

Mutter Theodota war ein schönes Mädchen gewesen. Sie hatte nie etwas gewollt, nicht einmal einen Mann. Nun wollte sie alles: für ihren Sohn. Mit der großen Energie, die ihr eigen war, präparierte sie ihn fürs Leben. Sie erlaubte nicht, daß man ihm Ammen-Märchen erzählte. Er sollte lernen; denn Lernen ist der sicherste Weg zur großen Karriere – in allen Kulturen, die nicht streng kastenmäßig gebaut sind. Mit Fünf kam er zur Schule. Als er Acht war, wollte die Verwandtschaft ihn auf praktische Ziele hinlenken. Da nahm die Mutter ihre Zuflucht zu Träumen. Der Heilige Chrysostomus erschien ihr und gab ihr den Rat, den Jungen mehr lernen zu lassen. Selbst Peter und Paul bestärkten sie darin. Dagegen konnten die Onkel und Tanten nicht an. Mit Zehn konnte der kleine Psellus die ganze Ilias auswendig hersagen.

Die Mutter weckte seine Energien, trieb ihn vorwärts, stützte ihn – wenn es einmal zu schwer wurde. Sie hielt sich nachts, todmüde, in ihrem Bett aufrecht, um dem Jungen die Aufgaben abzuhören. Sie redete ihm gut zu, wenn es nicht mehr weiterging. Sie war eine einfache Frau. Sie verstand nichts von dem, was der Junge da in sich brachte. Aber sie wußte, daß Wissen ein Schlüssel zum irdischen Paradies ist. Und wahrscheinlich hatten alle diese fremden Kenntnisse auch noch etwas den Zauber der Zauberei für sie. Noch heute unterliegen bisweilen weniger Gebildete diesem Zauber – und manche Gebildete leben davon.

Mit Fünfundzwanzig wußte er dann alles, was man wissen konnte: Rhetorik und Philosophie und Musik und Recht und Geometrie und Astronomie und Medizin und Physik und die okkulten Wissenschaften und Platon. Und gewann in frühen Jahren die Reputation, auf allen diesen Gebieten etwas Besonderes zu sein. Wo wollte das hinaus?

Wohin will Einer, wenn er alles kann – und der Ehrgeiz ist tief eingepflanzt in ihm? Er will dorthin, wo das Licht seiner Tage am glänzendsten scheint. Das große Licht dieses Reichs war der Kaiserliche Palast und die Hagia Sophia neben ihm und das Hippodrom. Wer Ehrgeiz hatte, richtete seinen Blick dorthin. Auch Psellus richtete seinen Blick dorthin.

Als er Zehn war, starb in diesem Palast, der eine kleine Stadt war, der letzte männliche Sproß der Mazedonischen Dynastie, die fast zwei Jahrhunderte über das Reich geherrscht hatte. Es gibt in der europäischen Geschichte kaum eine Parallele einer so langen direkten Erbfolge – vielleicht mit Ausnahme des Hauses Vasa in Schweden. So fühlte das byzantinische Volk sehr mazedonisch. Man hatte auch nichts gegen eine weibliche Nachfolge. Der Kaiser hinterließ drei alte, unverheiratete Mädchen.

Die Älteste, ein pocken-narbiges Fräulein, hieß Eudozia. Sie war schon lange verschollen. Sie war in irgendeinem Kloster den Zeitgenossen verloren gegangen. Die Zweite hieß Zoe und war bereits Fünfzig. Der sterbende Kaiser hatte sie als Nachfolgerin erkoren; sicherheitshalber aber noch rasch verheiratet. Eigentlich hatte er für diesen Zweck einen armenischen Adligen im Sinn gehabt. Aber der saß auf seinen Besitzungen, fern von Byzanz – und die Sache eilte. So hatte man sich für den Stadt-Präfekten entschlossen, der bei der Hand war. Das war ein gut aussehender Mensch aus feiner Familie. Er hatte nur einen Fehler: er war verheiratet, vergötterte seine Frau – und sie dachte nicht daran, ihn abzugeben. Doch hatte ihr der Kaiser nur die Wahl gelassen zwischen Scheidung und Blendung des Gatten. So war sie ganz freiwillig ins Kloster gegangen. Zoe hatte geheiratet, und der letzte männliche Mazedonier war gestorben.

Der Hof, von dessen Glanz der junge Psellus geblendet wurde, war weiblich. Auf dem Thron saß Frau Zoe: eine Dame mit großen Augen, starken Augenbrauen, leicht gebogener Nase und schönem blonden Haar. Die Fünfzigerin sah wie ein junges Mädchen aus; das Gesicht zeigte nicht ein einziges Fältchen. Sie trug gern einfache, leichte Kleider; die brachten ihre graziöse Figur zur Geltung. Das schwere, goldgestickte Gala-Gewand, das wie eine Rüstung den Körper wegschloß, liebte sie nicht.

Sehr sorgfältig hütete sie ihre schneeweiße Haut. Ängstlich vermied sie die frische Luft, die sich mit den Parfums und den Kosmetika aus Äthiopien und Indien nicht vertrug. In ihren Räumen sah es wie in einem Laboratorium aus: immer wurde etwas über großen Feuern gebraut; immer wurde etwas in bunten Töpfen gemischt.

Die jugendliche, lebhafte, hübsche Majestät war nicht gerade gebildet, durchschnittlich intelligent, sehr kapriziös – und vor allem hungrig auf Männer. Der Staat interessierte sie nicht. Weibliche Handarbeiten interessierten sie nicht. Männer interessierten sie sehr; und die Thron-Inhaberin brauchte nur auszusuchen. Da war also zunächst ihr angetrauter Mann. Mit ihm hatte sie vor, kleine Mazedonier zu machen, um die Erbfolge zu sichern. Aber er war über 60;

und sie war 50. Er ließ sich einreiben und ölen. Sie trug heilige Kieselsteine am Hals und band sich magische Bänder um den Bauch. Aber Kinder bekamen sie nicht. Und sonst hatten sie keinen Spaß aneinander.

Zoe probierte etwas herum und blieb dann an dem Bruder eines Hof-Eunuchen hängen. Dieser Bruder war so hübsch, daß die Poeten der Zeit seine Schönheit besangen. Er verstand zuerst nicht recht, was sie eigentlich von ihm wollte. Dann aber lernte er es mit Hilfe seines Bruders, des Eunuchen. Und dann ging es ganz gut. Zoe küßte ihren Liebhaber öffentlich, setzte ihm die Krone auf den Kopf, gab ihm das Zepter in die Hand und ließ ihn neben sich Platz nehmen auf dem Thron. Ihr Mann war gar nicht eifersüchtig. Er hielt alles nur für Gerede. Er hatte sogar, wie das so geht, den Liebhaber seiner Frau so gern, daß er ins Schlafzimmer kommen durfte, wenn der Herrscher neben seiner Zoe lag. Dann ließ sich Seine Majestät sogar gelegentlich einmal die kalten Füße warm reiben – von dem Freund seiner Frau. Und ein neugieriger Zeitgenosse stellte die Frage: ob der nicht bei solcher Gelegenheit vielleicht auch die Beine der Kaiserin berührte? Zoes Gatte dachte an so etwas nicht. Er wußte, daß der schöne junge Mensch Epileptiker ist – und meinte: Epileptiker können weder lieben noch Liebe einflößen ... – So sah es in dem Himmel aus, in den die fromme Theodota ihren angebeteten Jungen hineintrieb.

Nachdem Zoes Mann von seinem medizinischen Irrtum über Epileptiker geheilt worden war, weil er diese Liebschaft beim besten Willen nicht mehr übersehen konnte, dachte er – offenbar: besser Einer als ein ganzes Dutzend. Obwohl er sich aber nun so verständig zeigte, verabreichte man ihm dennoch ein langsam wirkendes Gift. Und da es zu langsam wirkte, hielten gefällige Bediente, die dem Kaiser beim Baden aufwarteten, den kaiserlichen Schädel eine Weile unter Wasser. Dies geschah in der Nacht vom Gründonnerstag zum Karfreitag. Als der ahnungslose Patriarch noch in selbiger Nacht in den Palast beordert wurde, fand er Zoe und ihren Liebhaber bereits in Gala auf dem Thron. Der Geistliche zögerte, sie zu trauen. Er erhielt fünfzig Pfund in Gold und ebenso viel für seinen Klerus. So wurden Zoe und der Epileptiker Mann und Frau. –

Inzwischen hatte ein Studien-Freund des lernbegierigen Psellus bereits Karriere gemacht. Durch diesen Freund wurde er Steuer-Einnehmer in Mesopotamien; und, bald darauf, Unterstaats-Sekretär des byzantinischen Reichs. Die Gemächer der Zoe wurden das Feld, auf dem er seine diplomatischen Talente zu bewähren hatte.

Der epileptische Liebhaber, der nun Prinzregent geworden war, benahm sich recht schlecht. Zu den Anfällen seiner Krankheit gesellten sich jetzt noch Anfälle von Gewissensbissen wegen des Mordes, der ihn dahin gebracht hatte, wo er nun war. Er umgab sich nur noch mit zerlumpten Asketen. Er schlief auf dem nackten Boden, einen Stein unter dem Kopf. Er ließ sich von frommen Beratern bewegen, nicht mehr mit seiner Frau ins Bett zu gehen. Seine letzte Energie entlud sich in einem Kampf gegen die Bulgaren. Dann zog er sich ins Kloster zurück. Die verliebte Zoe rannte ihm nach, ohne jede Rücksicht auf Etikette. Er ließ sie nicht vor – und starb sogar.

Sein Neffe und Nachfolger, Zoes Adoptiv-Sohn, ging mit der Mutter noch rüder um, als der Liebhaber mit der Geliebten umgegangen war. Der angenommene Sohn ließ der alten Dame die grauen Haare abschneiden und steckte sie ganz einfach ins Nonnen-Kloster. Aber das Volk hing an den Mazedonier-Mädels – und holte nicht nur die Zoe aus dem Kloster wieder heraus, sondern auch noch ihre jüngere Schwester Theodora; die war, vor Jahren, von der Zoe ins Kloster gesperrt worden. Das Kloster war damals – neben sehr vielem, was es auch noch war – eine Art Gefängnis für hohe Herrschaften.

Schwester Theodora wußte gar nicht, wie ihr geschah, als ihr die Menge ein kaiserliches Gewand umwarf, sie aufs

Pferd setzte – und fort ging es direkt zur Hagia Sophia. Das Volk jubelte. Und Psellus, der schon mit Zehn die Ilias im Kopfe gehabt hatte und seit seinem fünfundzwanzigsten Jahr ein Dutzend Wissenschaften beherrschte – war nun in seinem Element. Der Weg zum Glück war durchmessen. Er war angekommen. Geschickt rannte er zwischen den beiden ältlichen Kaiserinnen hin und her. Geschickt prüfte er, von wo der Wind kam. Er eilte auch zu dem Entthronten, der sich am Heiligen Tisch eines Klosters festhielt – wie sich ein Moderner am Argument seines Verteidigers festhalten würde. Psellus weinte über das Leid des Ex-Monarchen bittere Tränen, predigte ihm die Moral, die er von Mutter Theodota gelernt hatte – und tat dann nichts, als das Volk den Rebellen vom Heiligen Tisch wegriß und blendete.

Nun stand der Gelehrte in den Kulissen des glänzenden Theaters und machte sich mit den Stichworten vertraut. Auf der Bühne agierten zwei alte Weiber. Sie saßen in Staats-Kostümen nebeneinander auf dem Thron: neben der immer noch jugendlichen Zoe saß nun die häßliche, keusche Bohnenstange Theodora, die zwar Würde hatte, aber einen viel zu kleinen Kopf. In konzentrischen Kreisen um die beiden Damen herum standen die Würdenträger des Reiches, mit niedergeschlagenen Augen – aus züchtiger Ehrerbietung für die thronende Weiblichkeit. Die Beiden waren von sehr verschiedener Art. Zoe gab aus – während Theodora mit Hingebung das Geld zählte, das sie in großen Kassetten sammelte. Zoe war liederlich – und Theodora hatte noch nie an einen Mann gedacht. Sie vertrugen sich nicht. Und überhaupt hatte die Zoe lieber ein männliches Wesen neben sich auf dem Thron. So heiratete sie, um die Schwester loszuwerden – und vielleicht auch aus anderen Gründen – ein drittes Mal. Unter der Herrschaft ihres neuen Mannes, Constantin X., erreichte der gelehrte Psellus den Gipfel des Glücks.

Zoe war Constantins dritte Frau. Constantin war Zoes

dritter Mann. Das war bedenklich. Die oströmische Kirche verbot ausdrücklich eine dritte Ehe. Trotzdem umarmte der Patriarch nach der Eheschließung Mann und Frau. Ob diese Umarmung den Segen des Himmels vermittelte oder nicht, ist bis zum heutigen Tage strittig.

Er war ein rüstiger Herr: ein Reiter, ein Läufer, ein Fechter. Wenn er einen freundschaftlich umarmte, krachte man zusammen. Und diese Muskeln aus Stahl umschlossen eine generöse Seele. Er war vergnügt – und liebte alles um sich herum vergnügt. Wenn er jemand damit in gute Stimmung bringen konnte, machte er ihn auch zum Minister. Wer so nett zu andern ist, erwartet gewöhnlich auch von den andern nur Nettes. Constantin ließ sich nicht einmal des Nachts bewachen.

Er hatte Frauen sehr gerne und brachte eine reizende Geliebte mit in die Ehe. Sie hatte nicht nur sieben Jahre Exil mit ihm auf der Insel Lesbos wacker durchgehalten, sondern konnte sich auch mit dem Professor Psellus über griechische Mythologie unterhalten. Die alte Zoe lud sie ein. Die Geliebte erhielt einen Titel, der fast so gut war wie der kaiserliche. Constantin setzte noch mehr durch.

Er schloß mit der ältlichen Gemahlin einen offiziellen Vertrag, der ihre Beziehung auf ›Freundschaft‹ einschränkte. Beide Gatten unterzeichneten das Schriftstück, das dann an den Senat ging. Nachdem die Behörde gebührend davon Kenntnis genommen hatte, zog die kaiserliche Maitresse in den Palast. Rechts waren die Zimmer der Zoe. Links waren die Zimmer der Sclerena. In der Mitte hauste der vergnügte Constantin. So glücklich war der große Mäzen des Professor Psellus.

Die Kaiserin war nun nicht mehr eifersüchtig. Sie achtete nicht mehr auf ihre Kleider und auf die schneeweiße Haut. Sie nahm Statuen und Bilder der Heiligen in ihre Arme, sprach zu ihnen, gab ihnen süße Namen und verbrachte mit ihnen selige, tränenreiche Stunden. Damit war allen geholfen: dem Constantin und der Sclerena und der Zoe.

Und auch Psellus war glücklich. Das perikleische Zeitalter von Byzanz war da. Drei Jahrzehnte lang war das Reich geistig verödet gewesen. Die Araber hatten diese Erben von Griechenland und Rom reichlich verspottet. Nun aber ging die Sonne wieder auf. Die Universität Byzanz wurde nun eröffnet. Araber und Perser und Kelten kamen an, um zu den Füßen des Professors Psellus zu lernen. Sogar ein Babylonier traf ein, wie der Professor stolz notierte. Er, ein einzelner Mann, konnte sich rühmen, bei allen Völkern der Erde Gefangene gemacht zu haben. Der Nil, jubelte er, nährt die Länder Ägyptens; er aber, Professor Psellus, nähre die Seelen.

Es war eine Lust, zu leben. Gelehrte regierten das Reich. Freund Likhoudis, der ihn an den Hof gebracht hatte, war Minister-Präsident. Freund Xiphilin, Professor des Rechts, war Justiz-Minister. Freund Mawropous, Professor der Rhetorik, war Geheimer Hofrat. Psellus selbst war Großkämmerer, Staats-Sekretär und ›Konsul der Philosophen‹. Die Philosophie regierte das Reich. Die byzantinischen Mandarinen herrschten. Er war glücklich: die ersten Gelehrten waren die Ersten am Hof.

Die Familie Psellus brachte offenbar keine Entweder-Oder-Seelen hervor. Mutter Theodota war eine Nonne geworden, eine Heilige – und hatte neben Gott nur noch die Karriere des Jungen im Kopf gehabt. Und auch Psellus, ihr Sohn, lebte nicht Entweder-Oder. Er verschmolz zum Beispiel ganz ausgezeichnet eine überragende Gelehrsamkeit mit niedrigster Diplomatie. Er verglich seine Herren mit der Sonne, und die Sonne zog den Kürzeren bei dem Vergleich mit dem ›Sonnen-König‹. Er verschmolz auch vieles andere. Er war ein gut-christlicher alter Grieche. Das ging ausgezeichnet. Es geht vieles in der menschlichen Seele zusammen, was innerhalb der Logik einander beißt. Man kann noch so sorgfältig Teller und Besteck für Fisch scheiden von Teller und Besteck für Fleisch, der Magen kennt diese Ordnung nicht. Es ist ähnlich mit dem seelischen Misch-Kessel. Es geht vieles in der menschlichen Seele zusammen, was in der Logik einander beißt.

So erklärte zum Beispiel dieser Professor Psellus die Ilias auf christlich, weil in seiner Seele Homer und Jesus außerordentlich gut miteinander auskamen. Auch sein Troja war auf der Landkarte zu finden. Auf einer weniger materiellen Karte bedeutete Troja aber: das Irdische. Sein Trojanisches Pferd war auch aus Materie; daneben bedeutete es aber auch noch: die Dämonen, die den Menschen während des Schlafs überraschen. Hinter Jupiter und den Seinen war auch noch der christliche Gott mit seinen Engeln und Cherubinen und Heiligen. Und der Professor Psellus entdeckte im geliebten Homer – das Dogma von der Heiligen Dreieinigkeit. Überhaupt, meinte er, sind die Griechen unbewußte Christen gewesen. Platon war ein sehr früher Kirchenvater und der große Alexander ein Vorläufer des Messias. Und Psellus' Freund, der Bischof John Mawropous, bat in einem Poem den Christus um die Gefälligkeit, Platon und Plutarch als Christen anzusehen.

Wollte dieser Psellus sein Glück auf heidnischem Wege? Oder auf dem Wege des Augustinus? War er ein Grieche? Oder ein Christ? Er ließ sich von den Beamten des Reichs, die nach Griechenland gingen, Statuen mitbringen – und versprach ihnen als Gegengabe seine Protektion. Und als einer einmal es wagte, die Präfekten-Stelle im verödeten Hellas auszuschlagen, herrschte er ihn an: ob das Heilige Land der Kämpfer von Marathon, des Philipp und des Alexander vielleicht nicht gut genug für ihn sei? Ob er vielleicht gar für einen Schwindel halte, was die alten Philosophen Schönes über Athen und den Piräus sagten? Das Griechenland zur Zeit des Psellus war wahrhaftig nicht mehr das Griechenland zur Zeit der Schlacht von Marathon; slawische Völker hatten das Land überschwemmt. Psellus aber fragte: »Müssen wir nicht die Kinder um ihrer Eltern willen lieben – auch wenn wir nicht mehr alle Züge der Eltern in den Kindern wiederfinden?« Er war ein Grieche.

Man hat ihn den letzten alten und den ersten modernen Griechen genannt.

Und dann war er außerdem auch noch der Erbe eines tausendjährigen Christentums und der Sohn einer christlichen Asketin – und sprach mit Verachtung von diesem Leben. Wenn er aber dann vom Tode redete, zum Beispiel am Grabe seiner Lieblingsschwester – dann fielen ihm wiederum nur die Eleusinischen Felder ein mit ihren bunten Wiesen, ihren lieblich murmelnden Bächen, ihren Rosen und ihren Nachtigallen. Also beschrieb er das Jenseits. Wohin wollte er? Welches Glück wollte er? Er stand nie, wie Augustinus, an einem Scheideweg. Er hatte Verlangen nach weltlichem Glück – und nach mehr. –

Im Palast hatte sich inzwischen manches verändert. Die junge Sclerena war plötzlich gestorben. Auch die alte Zoe war dahingegangen, mit Vierundsiebzig. Und der lebenslustige Constantin spürte einige Folgen seiner Lebenslust in allen Gliedern. Der Magen wollte nicht mehr so, wie der Gaumen wollte. Und die Gicht hatte ihn schwer verheert. Die verkrümmten Hände konnten nichts mehr recht halten. Die geschwollenen Füße trugen ihn kaum noch. Für Paraden band man ihn auf dem Pferde fest, rechts und links paßte ein kräftiger Knecht auf, daß er nicht überkippte; vorsichtshalber räumte man auch noch die Steine aus dem Weg, um jede Erschütterung zu vermeiden. Aber seinen alten Humor hatte er trotz allem nicht verloren. Psellus gab ihm ein bißchen Philosophen-Trost. Manchmal war auch der Magen nicht ganz so unzugänglich; dann fraß der Kaiser nach Herzenslust. Und da war auch wieder eine neue Frau: eine gefangene Alanen-Prinzessin, der er goldene Schlangen um die Arme legte, goldeingefaßte Perlen in die Ohren hing – und güldene Gürtel um die schmale Taille band. Und dann war auch noch ein Favorit da.

Dieser Mann verstand es ganz ausgezeichnet, zu stottern. Er konnte sich so sehr anstrengen, eine Silbe herauszubringen – ohne Erfolg, daß der Kaiser ganz glücklich wurde.

Constantin liebte diesen Künstler der Stotterei von Herzen. Der Kaiser und sein Stotterer saßen beieinander und hielten Händchen. Wenn die Stotterei besonders schön war, küßte ihn Constantin mitten auf seinen hochbegabten Mund. Und auch abgesehen von diesem Mund war der neue Favorit sehr talentiert. In den Frauen-Gemächern saß immer noch die greise Theodora – eine hohe Siebzigerin, die schon in den Zwanzigern ein Ausbund an Keuschheit gewesen war. Der kaiserliche Spaßmacher erzählte nun von ihr die tollsten Obszönitäten, die in lachhaftem Gegensatz standen zu ihrer Art und ihrem Leben. Er legte ihr die unwahrscheinlichsten Schweinereien in den Mund. Er spielte diese greise Jungfrau: während der Schwangerschaft, bei der Geburt, im Kindbett. Der Kaiser amüsierte sich ganz köstlich. Und selbst als der Narr sich in die Alanen-Prinzessin vom Kaukasus verliebte, und dem Kaiser, seinem Nebenbuhler, vor dem Schlafzimmer auflauerte, den Dolch im Gewande – verlor der Herrscher nicht den Spaß an seinem Freund. Dem Psellus hingegen war weniger spaßig zu Mute. »Wir müssen lachen«, schrieb er, »obwohl wir weinen möchten.« Die Philosophie regierte nicht mehr. Ein Hof-Narr hatte sie entthront.

Aber er war nicht allein schuld, daß sich plötzlich alles verdüstert hatte. Die Generäle waren unzufrieden mit der Herrschaft der Rhetoren und Philosophen. Das Reich war wieder einmal schwer bedroht: im Westen von den Normannen; im Osten tauchten die Seldschuken auf. Kann man sich gegen eine solche Gefahr mit einer christlichen Interpretation der Ilias verteidigen? fragten die Generäle. Außerdem waren die regierenden Gelehrten ihnen zu nahe getreten, als sie die klein-asiatischen Großgrundbesitzer geschwächt hatten.

Und der Spaßmacher wie die Generäle waren nicht einmal die einzigen Gegner des Philosophen. Auch mit dem großen Patriarchen Keroularios hatte er sich eingelassen. Der hatte inzwischen (im Jahre 1054) etwas getan, was von weltgeschichtlicher Bedeutung war – und, wie das so geschieht, von den Zeitgenossen überhaupt nicht beachtet wurde. Papst Leo IX. hatte den oströmischen Patriarchen verflucht – und der oströmische Patriarch verfluchte nun seinen westlichen Rivalen. Nicht ein einziger Zeitgenosse erwähnte dieses Ereignis, das den siebenhundertjährigen Konkurrenz-Kampf zwischen Rom und ›Neu-Rom‹ abschloß. Dagegen machte damals sehr viel Aufsehen: daß Psellus eine Anklage-Schrift gegen den Patriarchen verfaßt hatte, weil er purpurne Halbstiefel trage, was sich nicht passe; Psellus verklagte ihn auf Majestäts-Beleidigung und chaldäische Ketzereien. Der Patriarch starb an gebrochenem Herzen. Aber auch der Professor hatte nicht gerade Nutzen von diesem Krach. Psellus und sein Kreis standen nach allen Seiten hin im Kampf. Die Zänkereien nahmen überhand. Der Kaiser schloß die Universität.

Und vor Psellus, der schon angelangt zu sein schien, öffnete sich ein neuer Weg zum Glück.

Vom glücklichmachenden Palast ins seligmachende Kloster

Dieser andere Weg ist nicht so kurz zu beschreiben – wie es die kurzen Schlagworte versuchen: ›Verzicht auf das Irdische‹, ›Hinwendung zum Himmlischen‹, ›Vereinigung mit Gott‹.

Psellus nennt die Wendung vom einen Weg zum anderen: ›Übergang zum besseren Leben.‹ Aber worin ist das Leben im Kloster eigentlich ›besser‹, glücklicher? Wofür ging der angesehene, berühmte, einflußreiche Mann von seinem glänzenden Weg ab – und wählte den weniger glänzenden? Er war eine Leuchte des Reichs. Er war weithin sichtbar – bis nach Persien hin, bis nach Äthiopien hin, bis nach Franken hin. Und wenn er nun plötzlich die geliebten Paläste und Hallen und Auditorien und Bäder verließ – und in

irgend einem fernen, glanzlosen Haus auf dem Berge Olymp
verschwand, so fragte man überall: weshalb?

Es hatte damit begonnen, daß Constantin X. den Freund
Likhoudis als Minister-Präsidenten entließ und irgend einen
Barbaren zu seinem Nachfolger ernannte. Das brachte einem
schon die Vergänglichkeit alles Irdischen sehr nahe ... Dieser Kaiser, mit seiner Gicht, seiner aufrührerischen Generali-
tät und seinem Stotterer war nicht fähig, das perikleische
Zeitalter von Byzanz am Leben zu erhalten. Das Gelehr-
ten-Ministerium fiel. Die schönste Kultur-Blüte verwelkte.
Und Psellus blickte, da er ein Philosoph war – also ein
Verallgemeinerer – mit traurigen Augen auf den Gang einer
solchen Welt.

Das Scheitern von Hoffnungen ist ein guter Boden für
das Emporschießen jener Triebe – die dem Irdischen feindlich sind, die auf Nicht-Irdisches gehen, was immer man zu
einer Zeit darunter verstehen mag. Und diese weltflüchti-
gen Triebe waren in einem Byzantiner des Elften Jahrhunderts nicht schwach entwickelt. In der Kuppel der Kirche
von Daphni bei Athen gibt es ein gewaltiges Mosaik, das
aus jener Zeit stammt. Ein regenbogenfarbiger Kreis, fünfzehn Fuß im Durchmesser, rahmt den Kopf Christi ein –
den Kopf eines sehr gestrengen, tödlich ernsten Herrn: des
›Christus Pantocrator‹, des Weltherrschers Christus. Das
längliche, bärtige Gesicht ist starr, völlig unzugänglich.
Dieser Gott läßt nicht hoffen, nur zittern. Wenn man ihn
ansieht, verschwindet die weite, bunte, lustige Welt. Auch
das war Byzanz. Diese Stadt lebte nicht nur in dem raffinierten Toiletten-Schnickschnack der Kaiserin Zoe, sondern auch
in dem überwältigend Fernen, Unerbittlichen. Byzanz war
die berüchtigte Stätte leichtsinnigsten großstädtischen In-
den-Tag-Lebens – und zugleich ein Treibhaus der Furcht
vor der Zukunft.

Denn diese üppige Stadt lebte nun schon seit Jahrhunderten in ewigem Schrecken vor der Flut der Barbaren, die an
die Deiche des Reiches schlug. Im Vierten Jahrhundert wa-

ren es die Ostgoten gewesen, im Fünften die Hunnen und die vandalischen Seeräuber, im Sechsten die Slawen und die Anten der Donau-Ebene, im Siebenten die Perser und Araber, dann die Bulgaren, die Russen, die Ungarn. Und jetzt sind es die mohammedanischen Seldschuken. Ein verängstigter Zeitgenosse stellte sie sich so vor: »Sie beten den Wind an und leben in der Wildnis. Sie haben keine Nasen; und an ihrer Stelle zwei kleine Löcher, durch die sie atmen.« Diese Beschreibung stimmte nicht ganz. Aber exakt war die Furcht hinter dieser Beschreibung. Hatte nicht Mohammed einst geschworen, seine Rosse im Tiber zu tränken und die Peters-Kirche in einen Pferde-Stall zu verwandeln? Das hatte man nun schon seit Jahrhunderten vereitelt. Aber wird nicht eines Tages der byzantinische Wall brechen? Wenn eine Gruppe so unablässig erinnert wird an den Untergang, gehören die Todes-Ahnungen zum Alltag. Die Prophezeiung von der großen Flut, die alles und zuerst das Reich begraben wird, gehörte zum byzantinischen Alltag.

Und der Gedanke an ein Leben, das in aller Stille abläuft – fern von diesen geliebten lauten Straßen, Plätzen und Palästen, gehörte, von Jugend an, zum Alltag des Constantin Psellus. Eine Art von Instinkt nannte er diese seine Neigung vom Leben fort, so tief verwurzelt war sie in ihm. Er war, neben anderem, auch der Sohn seiner Mutter; und sie ist wahrhaftig keine klassische Griechin gewesen. Als ihre Tochter, die Schwester des Psellus, mit Achtzehn starb, hatte sich Mutter Theodota ins Kloster zurückgezogen. Das war schon immer ihr Wunsch gewesen. Aber dann hatte ihr Gatte stets geklagt: »Ich kann mich eher von Gott trennen als von meiner Frau.« Nach dem frühen Tode der Tochter hielten auch diese Klagen sie nicht mehr zurück. Sie legte die schwarze Nonnen-Tracht an, ließ sich das lange, blonde Haar scheren – und überredete den schwachen Gemahl, auch abzutreten.

Der junge Psellus hatte dann in der Nähe der beiden Klöster gelebt. Die geliebte Mutter, die ihre große Energie darauf gerichtet hatte, aus ihm einen Ausbund an Gelehrsamkeit und Erfolg zu machen – machte nun aus sich einen Ausbund an Körperlosigkeit. Und nie konnte der Sohn das Gück vergessen, das durch ihr abgemagertes, durchsichtiges Gesicht durchschien: an jenem Tage, da sie als Braut Christi gekleidet wurde – und starb. Als er ihr zu Füßen fiel, sagte sie: »Mögest auch du, lieber Sohn, eines Tages dies Glück erfahren.« Nun war auch er auf diesem Wege – als jener andere sich schloß, den ihm die Mutter durch ihren Enthusiasmus fürs Lernen geöffnet hatte.

Er wanderte nicht allein aus der Welt heraus. Eines Tages, als er mit den Freunden Xiphilin und Mawropous beisammen war, hatte sich herausgestellt, daß auch sie daran dachten: ein neues, besseres, glücklicheres Leben zu beginnen. Xiphilin schützte eine Krankheit vor, nahm seine Demission und reiste aus dem Leben heraus in ein Kloster auf dem Berg Olymp in Bithynien. Mawropous folgte ihm. Psellus blieb zunächst noch am Hofe zurück, völlig verwaist.

Der Kaiser klammerte sich an ihn, ließ ihn auf dem Thron Platz nehmen, setzte sich zu seinen Füßen und schrieb, ein braver Schüler, auf, was der Lehrer diktierte. Darf man einen so hilfsbedürftigen Kaiser verlassen? Aber Psellus hatte keine Ruhe mehr. Er schlief keine Nacht. Die Freunde lockten, vom Berge Olymp herab. Er hatte beim Abschied versprochen, bald nachzukommen. Aber wie sollte er loskommen?

Er simulierte Schmerzen an der Leber und am Herzen. Er verfiel sogar in ein Delirium, ging mit seinen Fingern in die Haare und machte die Geste des Scherens. Jeder, der die Szene sah, wußte, was sie zu bedeuten habe: die Seele des Professors Psellus denkt an die Tonsur und an eine Zukunft als Mönch. Man beeilte sich, dem Kaiser Constantin Mitteilung zukommen zu lassen über die unbewußten Vorgänge im Innern seines Staats-Sekretärs.

Constantin war verzweifelt. Psellus war nicht irgend ein Minister. Sie hatten viel miteinander philosophiert: über die erste Ursache und die Schönheit des Universums. Und dieser Lehrer war mit seinem kaiserlichen Schüler viel geschickter umgegangen als seinerzeit der weniger höfische Platon mit dem weniger lustigen sizilianischen Herrscher Dionys. Wenn Psellus merkte, daß die ›Seele‹ und die ›Tugend‹ seinen Fürsten zu langweilen begann, griff er zur Leier und rezitierte schöne Verse. Kann man solch einen Mann entbehren?

So flehte der Kaiser ihn an, ihm doch nicht das Augenlicht zu nehmen. Dann machte der Kaiser ihm die glänzendsten Angebote – und drohte, wenn das Locken nicht half, seine Familie und seine Freunde zu vernichten. Psellus antwortete nur: »Ich werde vom Leben dieser Welt scheiden« – und ließ sich eine Tonsur scheren. Als nun der Zehnte Constantin (der noch im Verlust ein gemütlicher Herr war – und dem infolge der Gicht und des Ärgers mit den Generälen der Gedanke ans Kloster nicht so fern lag) sah, daß da nichts zu machen war: gratulierte er seinem Mönch und pries die Mönchs-Kutte auf Kosten der brillanteren Hof-Uniform ... und starb über kurzem, im Kloster.

Wohin zieht man sich eigentlich zurück – wenn man sich von dem Leben, in dem man siebenunddreißig Jahre gelebt hat, zurückziehen will? Der weiteste Rückzug ist: ganz aus dem Leben heraus, bis in den Tod. Wenn man sich aber nicht ganz so weit zurückziehen will, hängt der Platz, zu dem man zurückgeht, davon ab: was einem die Mode der Zeit und die eigenen Umstände als Asyl zur Verfügung stellen.

Da hatte dieser Psellus zum Beispiel einen Zeitgenossen mit dem Namen Cecaumenus. Wir wissen von diesem Mann, weil ein kleines Büchelchen, das er für seine Kinder niederschrieb, am Leben geblieben ist. Er stammte ab von einer der besten Familien des Reichs, hatte Großgrundbesitz und war sehr einflußreich. Von Beruf war er General; und hielt das Soldatentum für die einzig anständige Art menschlicher Betätigung. Viele Jahrzehnte brachte er in der großen Welt zu, das heißt am Hof; und hatte eines Tages genug. Und faßte denselben Entschluß wie sein Mitbürger Psellus: und zog sich zurück. Und da er Land hatte, zog er sich nicht auf den Berg Olymp zurück, in ein Kloster, sondern nach Thessalien, auf seine Güter. Und hier fand er sein Glück in zwei Betätigungen: in der Bewirtschaftung seines Guts – und in der Fortifikation seiner Seele mit ideologischem Stacheldraht.

Er war in seiner philosophischen Selbst-Isolierung nicht ganz so extrem wie später manch ein Pessimist des Neunzehnten Jahrhunderts. Er lehnte öffentliche Ämter nicht durchaus ab; wenn er auch meinte, man könne höchstens im eigenen Hause Frieden haben. Er war sogar nicht ganz abgeneigt, gelegentlich einmal in die Großstadt zu fahren, in das Sünden-Babel Byzanz: zum Beispiel, wenn man das Bedürfnis fühle, die kaiserliche Majestät zu verehren; oder Kirchen zu besuchen; oder sich an der Schönheit der Stadt zu erbauen. Im übrigen aber halte man sich fern: sowohl von den stolzen Palästen als auch von den eitlen Philosophen. Auch von den Freunden halte man sich fern (die immer gefährlicher sind als Feinde) – und vor allem von den Weibern. Das Weib ist seit je das Zentrum in der Schieß-Scheibe der Pessimisten.

Am meisten Angst, lehrte Cecaumenus, mußt du vor der Kaiserin haben. Ist sie besonders nett zu dir, so renne, so weit deine Füße dich tragen. Überhaupt ist jede Beziehung zu Frauen voll von Gefahren: noch mehr, wenn du mit ihnen gut – als wenn du mit ihnen schlecht stehst. Sobald dein Auge aufglänzt, sobald dein Herz schneller zu schlagen beginnt, bist du verloren. Deshalb: halte Distanz! Kann man aber ihren Umgang nicht vermeiden, weil man zum Beispiel Frau und Töchter hat, so schließe man sie auf jeden Fall ab – wie Schuldige. Und bekommst du einmal Besuch von einem Freund, der auf der Durchreise ist – bringe ihn überall unter, nur nicht bei dir zu Haus. Dein Freund wird zwar vor deiner Gattin und deinen Mädchen und

deinen Schwiegertöchtern die Augen niederschlagen – bei
dieser Gelegenheit sie aber nur um so genauer studieren.
Und schließlich verführt er sie. Und wenn sich das nicht
macht, prahlt er wenigstens damit. Cecaumenus faßte die
Weisheit seiner Unlust in die Worte zusammen: »Die Natur
des Menschen ist Wankelmut; er rutscht leicht ab.« Psellus
und Cecaumenus haben dasselbe Leben kennengelernt, eines
Tages den gleichen, alles verpestenden Ekel gespürt – und
deshalb denselben radikalen Entschluß gefaßt: Rückzug in
einen einsamen Winkel. Der eine zog sich auf sein Gut zurück, der andere ins Kloster.

Und das braucht nicht viel Unterschied zu machen. Denn
das Kloster war damals eine große Bewahr-Anstalt: für
alle, die sich etwas (aber doch nicht ganz) vom Leben zurückziehen wollten; oder die etwas (aber doch nicht ganz) vom
Leben zurückgezogen wurden. Diese Klöster beherbergten
(zum Beispiel) Prinzessinnen, die keinen Mann bekommen
hatten; Bürgermädchen, die Pech gehabt hatten; Kurtisa-
nen, die in Ungnade gefallen waren; Konkurrenten, die vom
Sieger hier lebendig begraben wurden. Das Kloster war sowohl ein Asyl für Krüppel, Gescheiterte und Lebensmüde;
als auch ein Gefängnis, dessen Wärter bisweilen so streng
waren, daß sie sogar weiblichen Tieren den Eintritt in
männliche Klöster verweigerten. Und das Kloster war noch
vieles, vieles mehr. Man weiß von einem gar nichts, wenn
man nur weiß, daß er ins Kloster ging. Man weiß zunächst
nur, was ihm kein Glück mehr schenken konnte – aber
nicht, welches Glück er suchte.

Das Kloster war entstanden aus der Abwendung vom
Alltag: eine Behausung für Menschen, die nicht mehr mitmachen wollten. Ägyptische und syrische Höhlenbewohner
waren die ersten christlichen Mönche gewesen. Das Kloster
war dann manchmal eine Stätte, an der scheue, ungesellige
Eremiten nebeneinander lebten – und manchmal die Siedlung einer Menschen-Gruppe, die als eine Gemeinde von
Brüdern an einem gemeinsamen Werk arbeitete. Die Kloster-

Insassen hatten in verschiedenen Zeiten an verschiedenen Plätzen verschiedene Interessen. Und eigentlich läßt sich nur eins von allen sagen, die freiwillig im Kloster lebten: daß sie mit ihrem Alltag nichts mehr zu tun haben mochten, mindestens zeitweise nicht. Sie alle verschlossen sich vor der Welt. Sie alle konnten sagen, was Psellus sagte: »Wir tauschen das Leben der Aufregungen und der Verwirrungen ein für ein Leben ohne Zufälle und Überraschungen.«

Aber das sagt noch nicht viel. Das ist erst eine negative Bestimmung. Wenn einer sich vor der Welt verschließt, muß man fragen: für welchen Gott? für welches Glück? – zwei Fragen, die immer identisch sind. Psellus, der im Jahre 1055 den Palast in Byzanz eintauschte gegen das Kloster auf dem Olymp, tat es für – Christus. Für was für einen Christus? Den einen sieht er streng an und den andern hold. Zu dem einen spricht er triumphierend und zu dem andern als Leidender. Man verdeckt zu oft das spezifische Glück, das einer sucht, mit dem unspezifischen Namen des Gottes, in dessen Namen er es sucht.

Psellus hatte vielleicht selbst nicht genau gewußt, worauf er aus war, als er ins Kloster ging. Er hatte sich nach einem Kloster zu sehnen geglaubt, ›in dessen Schatten so viele fromme Eremiten zusammen mit den Engeln das Lob des Höchsten singen‹. Aber diese Sehnsucht ist offenbar pure Literatur gewesen – und das merkte er selbst sehr bald. Er hatte, wie er nun entdeckte, nicht das geringste Talent dafür, mit den Engeln und den Mönchen des Olymps das Lob des Höchsten zu singen. Und das ist weder die Schuld der Engel noch die Schuld der Mönche gewesen. Es war nur dies: ihr Glück in Christo harmonierte nicht mit seinem Glück in Christo.

Was war sein Glück in Christo? Goethe dichtete: »Wie einer ist, so ist sein Gott, darum wird auch Gott so oft zum Spott.« Das Glück, das einer in Gott findet, ist das gesteigerte, vom Alltäglichen gereinigte Glück, dessen er fähig ist. Die Höhe dieses Glücks wird Gott genannt. Das tiefe, strahlende Glück der Nonne Theodota, der Mutter des Psellus, die von bräutlichen Gefühlen überwältigt wurde, als sie den Schleier nahm – wird kaum verschieden gewesen sein von der Seligkeit anderer keuscher und ebenso seliger Bräute; es macht nicht viel Unterschied, ob man Christus zu seinem Bräutigam macht – oder den Bräutigam zu seinem Christus. Was war Psellus' Glück in Christo?

Er hätte zum Beispiel seinem Gott dienen und dienend glücklich werden können: im Ausbau des Neu-Platonismus. Er hatte Pech. Er war nicht ins richtige Kloster gekommen. Er aber gab sich selbst Schuld, so sehr unterlag dieser kluge Mann den Vorurteilen seiner Welt. »Ich sollte nur an Gott denken«, klagte er; »aber meine Natur und der unwiderstehliche Drang meiner Seele nach Wissen haben mich auf den Weg der Wissenschaft geführt.« Er tat sich ganz gewiß Unrecht. Niemand denkt an ›Gott‹. Jeder denkt nur an Irdisches – und benennt es Gott. Oder denkt, wie mancher Mystiker, alles Irdische weg; und nennt das Sich-Verflüchtigen des letzten Gedankens, des letzten Gefühls, der letzten Phantasie: Gott. Mit Gott eins werden – ist nur ein Chiffre für das Sich-Konzentrieren auf das Glück, dessen man fähig ist.

Psellus konnte sich, wie jeder Mensch, Gott nähern nur auf dem Wege, für den er trainiert war. In seinem Kloster aber erkannten die Mönche den Heils-Weg des Psellus nicht an. Ihr un-irdisches Glück und sein un-irdisches Glück harmonierten nicht miteinander. Er war bereit, die Kaiserin Theodora und einen angesehenen Minister-Posten und den interessantesten Hofklatsch und viele andere reizvolle Dinge aufzugeben für eine intensive Beschäftigung mit Platon. Seine Mit-Mönche aber waren erstens zu ungebildet, um etwas über Platon zu wissen; und wußten zweitens von ihm nur, daß er der ›Hellenische Satan‹ gewesen ist. Außerdem dienten sie Gott mit Schweigen – während der begabte Rhetor Psellus dem lieben Gott mit seiner volltönenden Stimme dienen wollte, die schon auf die irdischen

Götter im Palast von Byzanz solch einen Eindruck gemacht hatte. Dazu kam, daß das Fasten und die Enthaltsamkeit seinem delikaten Körper ganz und gar nicht bekam. Hier gab es also kein Glück für ihn. Die Sehnsucht nach seiner Familie und nach der geliebten Stadt wurde immer stärker. Und so zog er sich von dem Zusammenleben mit Gott wieder zurück – in die nicht sehr großartige, aber sehr reizvolle Welt von Byzanz.

Ganz bestimmt ist der Ekel vor dieser Welt in ihm ebenso stark gewesen wie (zum Beispiel) in seinem Freund und Mit-Mönch Xiphilin – und wie in jenem anderen Zeitgenossen, dem abseits lebenden Gutsbesitzer Cecaumenus. Auch Psellus hatte die Reise aus dem Leben heraus mit vollem Herzen angetreten. Aber er konnte auf der einsamen Spitze eines kahlen Berges und in Schweigen nicht zu seinem Glück kommen. Und da er auf diesem Wege nicht recht weiterkam, lockte ihn wieder der andere – der in die glänzende Hauptstadt zurückführte. Und außerdem brauchte die greise Majestät Theodora dringend seinen Rat.

Die olympischen Mit-Mönche waren tief gekränkt. Die Innung der Eremiten schimpfte homerisch hinter ihm drein. Er war ein Deserteur. Bruder Jacob schickte ihm eine giftige Satire nach: in ihr figurierte Psellus als Gott Jupiter, der es auf dem Berg Olymp nicht aushält, weil er alle seine kleinen Göttinnen vermißt. Ein Vergleich übrigens, der nicht sehr großartig war; denn der alte Jupiter hatte sich auf dem alten Olymp ganz ausgezeichnet vergnügt. Aber auch Psellus' Replik scheint nicht sehr geistreich gewesen zu sein: er warf auf jeden Fall dem Bruder Jacob das Schimpfwort ›Alter Silen‹ an den Kopf.

Dann stürzte sich der Ex-Mönch von neuem in den Strudel der Großstadt und genoß wieder ein Glück, das er vor kurzem noch ›das sogenannte Glück‹ tituliert hatte.

Es dauerte gar nicht lange – und Psellus war wieder in der dicksten Politik und Philosophie.

Und hatte wieder die Herrscher von Byzanz zu belehren: wie man sich seiner Rivalen erwehrt – und was man vom Glück zu halten habe. Mit dem Nachfolger der Theodora wird er kaum philosophiert haben. Ihm warf er nur den verächtlichen Satz nach: »Er philosophierte, wenn es gar nichts zu philosophieren gab; er war kein Philosoph, er tat nur so.« Aber dieser Unphilosophische hatte einen mächtigen Rivalen: den General Isaac Commenus. Und diesen Mann dürstete es ganz furchtbar nach der Macht – und nach der Philosophie des Glücks nebst ihrem Lehrer, dem Professor Psellus.

Der aufrührerische General kampierte auf der asiatischen Seite des Bosporus, mit einem mächtigen Heer. In Byzanz hatte man große Angst. Schließlich kam man im Palast zu dem Entschluß, den diplomatischen Veteranen Psellus und zwei andere Herren von der Diplomatie zum gefährlichen General hinüber zu senden. Dort hielt Psellus dann eine ganz großartige Rede. »Meine Beredsamkeit war unwiderstehlich«, notierte er. Der aufsässige General hörte sich die Botschaft an, verabschiedete die drei diplomatischen Herren und versprach, ihnen eine Antwort zukommen zu lassen. Sie verfügten sich in ihr Zelt. Es war Abend.

Da trat ein furchtbares Ereignis ein. Aus Byzanz kam die Nachricht, daß der Kaiser entthront worden war. Psellus, nun der Gesandte des Ex-Kaisers, hatte also auf den Falschen gesetzt. Der Sendbote des Legitimen war über Nacht der Advokat des Illegitimen geworden. Seine Lage war furchtbar; und er hatte offenbar sehr schlechte Nerven. Die beiden andern Delegierten schliefen wunderbar in dieser Nacht. Der Philosoph hingegen konnte kein Auge zutun. Jede Stimme, jedes feinste Geräusch in der Nähe des Zelts alarmierte ihn. Er jagte vom Lager hoch: ist mein Mörder schon da? ... Zwei Jahre sind es nun her, daß er das Glück, welches das Kloster auf dem Berg Olymp ihm schenken sollte, wieder eingetauscht hatte gegen das Glück im Palast zu Byzanz. Wohin hatte eigentlich dieser Weg geführt, auf dem die ehrgeizige Mutter, die als heilige Nonne gestorben war, ihn vorwärts getrieben hatte? Zur Angst vor dem Mörder! Doch war diese Angst offenbar nicht groß genug, um ihm das Leben am Hof gründlich zu verekeln. Als der Morgen graute, fühlte er sich schon wieder viel besser. Er war froh, daß er wenigstens nicht im Dunkel umgebracht worden war.

Es war ein sehr festlicher Morgen. Das Heer des Generals setzte sich in Bewegung, in Richtung auf die Hauptstadt. Und der ganze Troß setzte sich mit in Bewegung; auch die gegnerische Diplomatie, Psellus und seine beiden Kollegen. Schließlich ließ der General, der nun bald Kaiser sein sollte, den Professor Psellus zu sich bitten. Der zitterte ein bißchen für sein Leben – und war sehr bald ganz beruhigt. Denn der neue Herr zog den erfahrenen Minister in ein langes, vertrauliches Gespräch. Als Vertrauensmann Michaels VI. hatte Psellus vorgestern die Meer-Enge überschritten. Als Vertrauensmann des Gegners und Nachfolgers, Isaac I. Commenus, segelte er nun wieder zurück. Er tanzte auf allen Festen. Er war kein störrischer, aristokratischer Provinzler – wie sein Zeitgenosse Cecaumenus. Auch Psellus philosophierte über die Unbeständigkeit des menschlichen Herzens. Machte aber diese Unbeständigkeit wacker mit. Dieselben Einsichten können die verschiedensten Anwendungen haben.

Die Sonne geht auf. Das Volk tanzt auf der Straße. Arbeiter und Eremiten, Senatoren, Kaufleute und Philosophen sind glücklich. Und Psellus ist ganz besonders glücklich. Denn der aufgehende Stern, auf der Höhe des Glücks, Isaac I. Commenus, richtete diese große Frage an den philosophischen Beichtvater Psellus, der nun bereits eine Institution am Hofe zu Byzanz geworden ist: »Du bist ein weiser Mann, lieber Psellus. Ich glaube, daß das Glück, welches ich in dieser Stunde genieße, nicht mehr zuverlässig ist, sondern voll von bösen Dingen. Ob das wohl gut enden wird?«

Die Freuden-Feuer lodern zum Himmel empor. Angenehme Düfte sind in der Luft. Und der Gott, dem zu Ehren die Sonne scheint, und dem zu Ehren die erste Stadt der Erde Feiertags-Kleider angelegt hat – macht sich Gedanken über sein Glück. Das freut natürlich einen, der Fachmann ist in der Frage nach dem Glück. Und so antwortet Psellus ausführlich: einmal als Philosophie-Professor – und dann auch noch als ein sehr diplomatischer Untertan. Der Professor gibt dem kaiserlichen Laien zu verstehen, daß er, der Gelehrte, die ganze einschlägige Literatur kennt. Er lobt den Herrscher für seine philosophische Unruhe und beruhigt ihn mit den Worten: schließlich ist nicht gesagt, daß alles, was gut beginnt, schief ausgehen muß. Und obwohl er ein guter Grieche ist, schiebt er die Lehre vom Neide der Götter einfach beiseite. Und obwohl er ein guter Christ ist, philosophiert er etwas kühn: nichts ist notwendig; alles hängt ab von unseren Handlungen. Worauf will er hinaus? Du kannst, mein lieber Kaiser, nur auf dem Wege der Tugend glücklich werden. Und du kannst sofort selbst den ersten Schritt auf diesem Wege tun: vergiß, daß ich als Bote deines Feindes zu dir gekommen bin ... Und da Isaac I. glücklich werden wollte, machte er den Philosophen des Glücks zum Senats-Präsidenten. Die Sonne war inzwischen weiter gewandert und stand im Zenith. –

Der Lehrer des Glücks brachte allerdings dem hohen Schüler nicht sehr viel Glück. Angeekelt von der Welt im allgemeinen und vom byzantinischen Hof im besonderen zog sich Isaac I. schon nach zwei Jahren in jenes Kloster zurück – das, wie gesagt, neben vielem anderen, auch ein Sanatorium für feine Leute war, die nicht mehr mitspielen wollten. Psellus' Kaiser und Kaiserinnen hatten offenbar keinen so guten Magen wie ihr ständiger Weiser. Der schwamm immer oben. Der wurde immer vergnügter. Und als der Mönch Isaac dann doch schließlich nicht die ganze Macht aufgeben wollte, stieß ihn der Glücks-Philosoph einfach vom Thron – zugunsten seines alten Spezi, des Constantin Doucas.

Die Herrscher lösten einander ab. Ihr Philosoph blieb. Er ließ sich von jeder Welle tragen. Einst hatte er dem großen, greisen Patriarchen Keroularios das letzte Lebensjahr verbittert. Nun sitzt die Nichte des Toten auf dem Thron, jedes Jahr wird eine Gedenk-Rede auf ihn gehalten – und der Lobredner heißt Psellus. Er feiert nun den Mann, den er, als er lebte, schwer angeklagt hatte: als einen heiligen Prälaten, als Märtyrer. Die Nichte auf dem Thron konnte zunächst den Ankläger von einst nicht leiden. Aber auch sie war Schriftstellerin. Eine ihrer Arbeiten hatte es zu tun mit der ›Frisur der Ariadne‹, eine andere mit ›Beschäftigungen, die sich für Prinzessinnen ziemen‹. Und auf dem Boden des gemeinsamen Berufs trafen die beiden Schriftsteller einander.

Im übrigen hatte Psellus für diese Dame keine besondere Achtung. Sie hatte es ihrem Gatten schriftlich gegeben, daß sie nach seinem Tod nicht mehr heiraten wird; und dieses Dokument war beim Patriarchen von Byzanz feierlich deponiert worden. Als sie dann aber so weit war, wußte die vierzigjährige Witwe dem Patriarchen das Papier zu entlokken. Und heiratete wieder. Der Philosoph verfaßte bei dieser Gelegenheit den Satz: »Der Mensch ist ein Wesen, das sich nicht treu bleibt – vor allem nicht, wenn er gute Vorwände für seine Unbeständigkeit findet.«

Auch Psellus blieb sich nicht treu. Ja, er war geradezu ein Ausbund an Untreue. Was aber die Nicht-Philosophen unbewußt treiben, treibt der Philosoph bewußt – und deshalb ungehemmt. Er braucht keine ›guten Vorwände für seine Unbeständigkeit‹. Die Andern wanken, geben nach, gleiten langsam ab, lassen sich schließlich fallen. Der Philosoph, der nicht nur unbeständig ist, sondern auch diese

Unbeständigkeit als ein allgemeines Gesetz verkündigt – und damit rechtfertigt, braucht keine Vorwände mehr. Er ist ein Zyniker. Er führt das Fallen auf geschickte Weise durch. So sagte Psellus dem neuen Mann der unbeständigen Witwe ins Gesicht: Du hast das wachsame Herz des David – und machte ihn dann, in einem Nachruf, als Wichtigtuer lächerlich. Und weshalb? Weil sein Glück daran hin – noch nach Jahrzehnten eines solchen Lebens daran hing, immer dabei zu sein. Wobei? Beim Blenden und beim Verstümmeln und bei der unersättlichen Liebesgier mehr oder minder alter Kaiserinnen und bei den Intrigen wechselnder Hof-Kamarillas. Denn wenn das nicht sein Glück ausgemacht hätte, dann wäre er nicht vom Berge Olymp abermals in diese Niederungen herabgestiegen.

Das Leben dieses großen, universalen Gelehrten widerspricht in einem entscheidenden Punkte vielen Philosophen des Glücks. Sie haben erklärt: nur die Unbildung sei schuld daran, daß einer sein wahres Glück nicht sehe; die Masse sei zu dumm, um das wahre Glück zu erkennen – das sich eben nur der Vernunft erschließt. Und dieses wahre, echte, vernünftige Glück sah immer anders aus als das Leben im Zentrum des byzantinischen Hofes – dort, wo am meisten gemordet und gefressen und geschwindelt und gehurt wurde. Aber da ist nun dieser Mann Psellus gewesen, Inbegriff der Vernunft seiner Zeit – und trotzdem führte ihn diese Vernunft nicht zum wahren, echten Glück, sondern zu jenem Glück, das von den meisten seiner Kollegen immer für ganz unecht und unvernünftig gehalten wurde. Hier war also einer, der alles kannte, was Philosophen je über das Glück gedacht haben – und wählte freiwillig ein Dasein, das voll war von Schmeichelei und Untreue und Mord.

Er wählte aber nicht ausschließlich dieses Glück. Nicht lange vor seinem Tod zog er sich ein zweites Mal ins Kloster zurück. Er war nun an die Sechzig. Er hatte länger regiert als vier Kaiser und drei Kaiserinnen. Aber es wäre zu oberflächlich, den ersten Rückzug ins Kloster aus politischer

Miß-Stimmung – und den zweiten aus Alters-Müdigkeit abzuleiten.

In seinen Memoiren, welche die Geschichte des Palastes und des Reichs in diesem Jahrhundert schildern, gibt es auch kleine philosophische Oasen. Da wird einmal auseinandergesetzt, daß die menschliche Seele auf dreifache Weise glücklich werden könne. Sie kann sich (erstens) dem Genuß der Sinne hingeben. Sie kann sich (zweitens) vom Körperlichen so sehr wie möglich befreien – und konzentrieren auf ›Nicht-Irdisches‹. Dazwischen aber gibt es (drittens) noch einen Seelen-Zustand, der in der Mitte liegt zwischen den beiden Extremen. Das ist im Rohen die Psychologie, die autobiographische Psychologie des Psellus: er lebte meist im Dazwischen; denn das Gefühl von ›der Verächtlichkeit des menschlichen Lebens‹ hat ihn nie verlassen. Das Glück, das der Palast zu schenken hatte, tat ihm nie genug. Er lebte im Palast – und gravitierte nach dem Kloster. Sein Glück lag wohl im Wechsel zwischen beidem. Den größeren Teil des Lebens verbrachte er allerdings im Palast.

Er fand viel Glück in der Zuneigung von vier männlichen und drei weiblichen Majestäten und in dem Trubel, der sie umgab. Daneben suchte er auch noch das Glück – so fern von ihnen wie möglich. Ob er das auch noch fand, ob er schließlich zu seinem ganzen Glück kam, wissen wir nicht. Aber denkwürdig bleibt dieser Mann in der Geschichte des Glücklichseins: weil er dort, wo man am Scheidewege zu stehen pflegte, nicht für nötig fand, sich zu entscheiden – sondern das Unvereinbare vereinte. –

IX.

Spinoza denkt, um glücklich
zu werden

Krieg, Pestilenz und Wahn

Die Jahre, in denen der niederländische Jude Spinoza den Weg zu einem glückseligen Leben suchte und fand, waren (wie jeder im Geschichtsbuch nachlesen kann) berühmt unselige Jahre.

Die ersten sechzehn Jahre seines Daseins, 1632 bis 1648, waren die letzten sechzehn des Dreißigjährigen Krieges. Als Spinoza Dreißig war, wurden die christlichsten Christen, einige friedliche Sekten, als ›Diener des Teufels‹ verfolgt. Als er Zweiunddreißig war, drangen die Pest und der Bischof von Münster in die Niederlande ein. Als er Vierzig war, eroberten die Franzosen die wichtigsten Städte des Landes und bedrohten Amsterdam. Krieg, Pestilenz und Wahn regierten seine Heimat in den vierundvierzig Jahren, die er zu leben hatte. Ist es ein Wunder, daß er die Frage nach dem glücklichen Leben so dringend stellte?

Man kann diese Zeit und dieses Land auch anders malen. Als Spinoza ein Knabe war, wohnte, wenige Straßen von seinem Haus entfernt, der Maler Rembrandt; Spinoza war auch ein Zeitgenosse der klassischen holländischen Malerei. Wer die Bilder betrachtet, die damals gemalt wurden, hat gewiß nicht den Eindruck, daß das Leben zu seiner Zeit heillos von apokalyptischen Reitern beschattet war. Wer die Mennoniten und Kollegianten liest, die damals predigten, dem klingt eine sehr menschliche Zeit ans Ohr. Und wer in einige von den Büchern sieht, die damals in Amsterdam herauskamen, erblickt ein recht aufgeklärtes Zeitalter.

Im Jahre 1668 erschien (zum Beispiel) ein Werk mit dem

Namen ›Blumengarten‹. In ihm heißt es: »Buhlschaft oder das Leben mit einer Maitresse ist an sich nichts Böses, obgleich es, wie auch die Vielweiberei, nicht der Sünde wegen, sondern um gewisser nützlicher Zwecke willen, vom Gesetze des Landes verboten wird.« So sehr dunkel kann es also in Spinozas Niederlanden nicht gewesen sein. – In jeder Zeit ist alles da. Als Spinoza lebte, gab es Morde und Seuchen – und außerdem noch Descartes und Rubens und einige humane liberale Herren in der Holländischen Regierung. Die Frage ist immer: was rückt einem auf den Leib? Was lebt in der nächsten Nachbarschaft?

Wovon wurde Spinoza in Mitleidenschaft und Mitfreudenschaft gezogen? Er stammte aus einer Emigranten-Familie. Er gehörte zu einer ersten Generation im neuen Lande. Seine Eltern und seine Verwandten und deren Freunde lebten zwar auch in Holland – aber mehr noch in der spanisch-portugiesischen Vergangenheit. Die Tradition, in welcher der Junge aufwuchs, war bevölkert von Jägern und Opfern. Es gab damals in Amsterdam kaum eine jüdische Familie, von der nicht Angehörige in die Hände der spanischen Inquisition gefallen waren. Spinoza wurde groß in einer Gruppe von Vertriebenen, die glücklich entkommen waren. Er wurde nicht mehr gejagt. Er konnte über das Gejagtsein schon nachdenken. Aber er hatte noch genug Grund zum Nachdenken.

Holland war ein Land der Freiheit – verglichen mit Spanien und Portugal. Ohne diesen Vergleich sah es nicht ganz so gastfreundlich aus. Man wurde zwar geduldet; aber man war eben nur geduldet. Zuerst war einem sogar der öffentliche Gottesdienst verboten gewesen. Später war das Verbot dann aufgehoben worden; vor allem auf Grund eines Gutachtens des Hugo Grotius. Aber Spinoza war schon Fünfundzwanzig, als die jüdischen Bewohner Hollands endlich als Staatsbürger anerkannt wurden. Das Verbot von Misch-Ehen blieb weiter bestehen; auch wurde kein Jude zu öffentlichen Ämtern zugelassen. Spinoza wuchs auf in einer Gruppe von Benachteiligten – die sich ihrer begrenzten Freiheit erfreuten.

Benachteiligung macht böse. Es ist eine alltägliche Erfahrung, daß Knechte – zu knechten trachten. Unterdrückung schafft nicht nur Unterdrückte, sondern zugleich auch kommende Unterdrücker; das lehrt jede geglückte Revolution der Vergangenheit. Was den Juden von den Christen angetan worden war – taten die Juden, bei gegebener Gelegenheit, ihren eigenen Leuten an. Man rächt sich an den Schwächeren dafür, daß man sich an den Stärkeren nicht rächen kann.

Uriel da Costa ist in den Niederlanden des Siebzehnten Jahrhunderts das prominenteste Opfer einer solchen Rache geworden. Er war jüdischer Abkunft; und dann, in Portugal, katholisch erzogen worden. Dann war er von Oporto nach Amsterdam geflohen, um zur Religion seiner Väter zurückzukehren. Als Jude erklärte er dann: daß die Fünf Bücher Mose nicht göttlicher Herkunft seien. Die Jüdische Gemeinde Amsterdam tat ihn darauf in Acht und Bann. Nach fünfzehn Jahren widerrief er – und wurde, bald darauf, ein zweites Mal rückfällig. Aber diesmal war er schon nach sieben Jahren soweit, sich der jüdischen Lehre wieder zu unterwerfen. Die Strafe war nicht sehr human. Zunächst bekam er einmal neununddreißig Geißelhiebe. Dann legte er sich, wie das Ritual der Knechtung es wollte, auf die Schwelle der Synagoge; und die Gemeinde-Mitglieder schritten über ihn hinweg in den Tempel. So entschädigten sich die Juden dafür, daß man in der Regel über sie hinwegzuschreiten pflegte. Uriel da Costa erschoß sich bald darauf.

Wahrscheinlich war der achtjährige Spinoza, der Sohn eines portugiesischen Flüchtlings, dabei gewesen, als man seinen Stammesgenossen da Costa so feierlich schändete. Sechzehn Jahre später nahm die organisierte Grausamkeit den Spinoza zwischen die Zähne. Er wurde vor das Rabbinats-Kollegium zitiert. Man verhörte ihn; und belegte ihn wegen unjüdischen Denkens mit dem kleinen Bann, dem Ausschluß für dreißig Tage. Es folgte ein zweites Verhör. Zeugen wurden vernommen. Der Sünder sollte einlenken. Spinoza wehrte sich. Man konnte ihn nicht mit Mord-Instrumenten gleichschalten, weil eine zurückgesetzte Minorität nicht darüber verfügt. So entlud sich die jüdische Ohnmacht in dem Fluch, den man für solche Fälle bereit hatte: »Verflucht sei er am Tage und verflucht sei er bei Nacht, verflucht beim Niederlegen und verflucht beim Aufstehen, verflucht bei seinem Ausgang und verflucht bei seinem Eingang. Gott möge ihm nie verzeihen!« Und dieser Fluch war nicht nur eine dringende, an Gott gerichtete Empfehlung, nach aller Strenge zu verfahren. Es hieß auch noch: »Wir verordnen, daß niemand mit ihm verkehre, nicht mündlich und nicht schriftlich, niemand ihm eine Gunst erweise, niemand unter einem Dache oder innerhalb vier Ellen mit ihm sei.« Spinoza war ausgestoßen.

Man täte aber diesen Amsterdamer Juden unrecht, wenn man ihre Rachsucht dem jüdischen Gott der Rache in die Schuhe schöbe. Einer der mildesten Christen dieser Zeit, der Friese Menno Simons, der alle gewaltsame Etablierung des Gottesreichs auf Erden ablehnte und Barmherzigkeit predigte, nannten den Bann ›das Kleinod der Kirche, ohne den eine Gemeinde wie eine Stadt ohne Mauern und Tore sei‹. Und dieser Bann trifft übrigens bis zum heutigen Tag jeden, der sich nicht gleichschalten läßt. Unsere Zeit ist allerdings so untheatralisch, daß sie das Theater des Bannens sich schenkt – und so den Vorgang unsichtbar macht.

Man kann ganz gewiß die jüdischen Inquisitoren nicht schwarz genug malen. Aber man muß, um der Gerechtigkeit willen, ihren christlichen Brüdern dieselbe Farbe schenken. Sie unterdrückten nicht nur die Juden, sondern ebenso auch Christen von nicht vorgeschriebener Schattierung. Es gab zwar ein Gesetz: daß das Bürgerrecht unabhängig sei vom religiösen Bekenntnis. Aber dies Gesetz stand nur auf dem Papier – was übrigens nicht ganz zu verachten ist; denn besser das Gute existiert wenigstens auf dem Papier als nicht einmal dort. Manche Zeitgenossen hielten recht wenig von der Toleranz der Niederlande. So dichtete ein kühner Buchdrucker:

»Nun sagt mir frank und frei, zur Ehre von Oranien: Was trennt die Inquisition von Rotterdam und Spanien?«

Das war nicht nur ein witziger Reim. Hinter diesem Reim stand viel Ungereimtes.

Da gab es zum Beispiel diesen Adriaan Koerbagh, der auf den Universitäten Utrecht und Leiden Medizin und Rechtswissenschaft studiert hatte – und sich dann das Verdienst erwarb, seine Muttersprache von den vielen lateinischen Rechtsausdrücken zu säubern. Er verlangte, daß ein volkstümliches Recht an die Stelle des Corpus juris gesetzt würde; und dachte überhaupt sehr laut. Dafür wurde ihm der rechte Daumen abgehauen und die Zunge mit einem glühenden Pfriemen durchstoßen. Dann wurde er ins sogenannte Rasphuis geworfen – einen Kerker, der von der Beschäftigung der Gefangenen mit Holzraspeln seinen Namen empfangen hatte. Wer mit seiner Arbeit nicht fertig wurde, kam in einen tiefen Kasten, in den soviel Wasser floß, daß der Gefangene nur durch unaufhörliches Pumpen sich vor dem Ertrinken schützen konnte.

Das Siebzehnte Jahrhundert war bisweilen schon sehr aufgeklärt. Der Bürgermeister von Amsterdam und der Finanzminister von Holland delektierten sich bereits an den radikalsten Gedanken. Aber es wurde noch ganz unaufgeklärt gestraft – wie dann erst wieder im Zwanzigsten Jahrhundert: von allen, welche (mit mehr oder weniger Philosophie) die Episode der Aufklärung für beendet erklärten.

In dieser Zeit, die nicht sehr rücksichtsvoll war, kam Spinoza, den einige Zeitgenossen und viele Spätere den ›fleischgewordenen Satanas‹ nannten, gerade noch mit einem blauen Auge davon.

Man kreuzigt in der Regel nur die Lauten. Adriaan Koerbagh hatte viel angegeben. Seine Bücher trompeteten seine Gedanken aus. Ja, er lebte mit einem Mädchen in wilder Ehe und hatte von ihr ein Kind. Dieser Spinoza aber lebte sehr leise und sehr wenig wild.

Kein Skandal lenkte die Augen auf ihn. Er trieb sich nicht mit Frauen herum, konkurrierte niemand nieder, schrieb nicht in der Landes-Sprache und stieg nicht zum Volk herab. Und wenn er auch die Anpassung der Wahrheit an die Menge forderte, damit sie die Wahrheit aufnehmen könne – so kam er selbst seiner Aufforderung in keiner Weise nach. Seine mathematisch-strengen Sätze in lateinischer Sprache hätten niemand wehe tun können außer ein paar Gelehrten – selbst, wenn er seine ›Ethik‹ veröffentlicht hätte. Und mit dem ›Politisch-Theologischen Traktat‹, der zu seinen Lebzeiten erschien, regte er kaum jemand auf – außer einigen Theologen, deren Gott durch sein Buch an Prestige verlor. Spinoza wurde nicht totgeschlagen, weil die Herren nicht zu fürchten brauchten, daß die Masse durch ihn klüger werden könne.

Man pflegte nur Heilande zu kreuzigen. Spinoza gehörte nicht zu dieser Rasse. Als er in seiner Jugend den ›Kurzgefaßten Traktat von Gott, dem Menschen und dessen Glück‹ für die Freunde niederschrieb, schloß er mit den Worten: »Da Euch die Beschaffenheit des Zeitalters, in welchem wir leben, nicht unbekannt ist, so will ich Euch innigst gebeten haben, ernste Sorge zu tragen hinsichtlich des Mitteilens dieser Dinge an andere.« Und als er dann mit seinem ›Theologisch-Politischen Traktat‹ an die Öffentlichkeit trat, nannte er weder sich als Verfasser noch seinen Freund als Verleger noch Amsterdam als Druckort; ein erdichteter Henricus Kuenrath aus Hamburg wurde als Drucker vorgeschoben. In späteren Ausgaben erschien dann die Schrift bald als chirurgisches Werk des Dr. Franciscus Henriquez de Villacorta, bald als eine Sammlung historischer Schriften des Daniel Heinsius. Das war bestimmt auch die übliche Vorsicht, und in Spinozas Siegelring stand recht programmatisch das Wort ›Vorsichtig‹. Aber die Vorsicht aller vorsichtigen Schriftsteller hat einen Feind: den Ehrgeiz. Spinoza dankte sein Leben vor allem dem Mangel an Ehrgeiz.

Er hatte nicht die Absicht, mit seinen Sätzen Geld zu verdienen. Deshalb brauchte er sie den Zeitgenossen nicht aufzudrängen; deshalb brauchte er die Leute derselben Branche nicht mit Getöse niederzukonkurrieren. Er wollte auch keine Ehren, nicht einmal Nachruhm; der anonyme Herausgeber seiner nachgelassenen ›Ethik‹ teilte ausdrücklich mit: daß der Autor ›nicht wünschte, daß seine Lehre nach ihm benannt würde‹. Spinoza schrie seine Philosophie nicht auf dem Markte aus. Er tat das Gegenteil: er versteckte sich in kleinen holländischen Dörfern – und hinter dem unpersönlichsten Stil.

Er versteckte sich – nicht seine Wahrheit. Bossuet sagte von Descartes: er sei in seinen Rücksichten gegen die Kirche ›bis zum Extrem‹ gegangen. Spinoza nahm solche Rücksichten nicht. Aber da die Wahrheit nie so provokant ist wie der Träger, der mit ihr glänzt – und da Spinoza nicht glänzte, verlockte er niemand zum Mord. Weil er sich selbst versteckte, konnten seine Worte recht offen sein.

Schließlich aber war es gar nicht mehr leicht, sich zu verstecken. Er war, nach alter Philosophen-Sitte, unverheiratet: wie vor ihm Platon und Epikur, wie seine Zeitgenossen Descartes und Leibniz, wie nach ihm Kant, Schopenhauer und Nietzsche. Er war also, gewissermaßen, von Natur einsam. Dann schlossen sich einige Freunde ihm an. Zuerst ist der Kreis recht klein gewesen. Spinoza schrieb in irgend einem abgelegenen Dorf seine Gedanken nieder, ein paar junge Menschen in Amsterdam setzten sich um einen Tisch, und einer, der gerade an der Reihe war, las die Briefe des fernen Meisters vor. Man suchte sich klarzumachen, was da niedergeschrieben war. Wenn man nicht ins Klare kommen konnte, fragte man zurück. Man bat um Belehrung; denn man wollte gerüstet sein, unter seiner ›Führung die Wahrheit gegen die Abergläubischen und Christen zu verteidigen, ja der ganzen Welt Trotz zu bieten‹. Die patriarchalischen Zeiten des Platon und des Epikur und des Jesus, da der Lehrer noch mit den Seinen lebte, hatten einer neuen Zeit Platz gemacht, in der man gemeinsam per Post philosophierte. Spinoza war eher ein Absender als ein Anführer.

Durch die Angriffe, die er sich trotz aller Vorsicht zuzog, wurde er dann eine öffentliche Figur – und schließlich sogar eine Sehenswürdigkeit für bessere Leute. Manch ein vornehmer Reisender, der Den Haag besuchte, empfand wohl wie der Altorfer Professor Johann Christian Sturm, der ›neugierig war, das exotische Tier zu sehen‹. Ebenso neugierig war zum Beispiel der französische Prinz Condé, als er an der Spitze der französischen Truppen in die Niederlande einrückte und sein Hauptquartier in Utrecht nahm. Er bat um Spinozas Besuch. Wahrscheinlich glaubte die holländische Diplomatie, daß man aus der internationalen Attraktion, die der kleine Jude ausübte, Kapital schlagen könne; so reiste er, mit holländischen und französischen Geleitbriefen versehen, ins feindliche Hauptquartier. Er traf zwar den Oberkommandierenden nicht mehr an; das holländische Volk aber sah in dieser Expedition nur die unpatriotischen Manipulationen eines berüchtigten Gottes-Leugners. So wäre der Philosoph doch fast umgekommen – nicht wegen seiner gotteslästerlichen Gedanken, sondern weil er schon so berühmt war, daß die Machthaber ihn diplomatisch einsetzten.

Vier Jahre vor seinem Tod suchte man ihn dann mit einem sehr ehrenvollen Angebot aus seinem Versteck herauszulocken und in Amt und Würden zu bringen. Ein Professor an der Universität Heidelberg und Kurfürstlich-Pfälzischer Rat schrieb im Auftrag des Durchlauchtigsten Kurfürsten von der Pfalz, seines gnädigen Herrn, an Spinoza einen Brief, der mit der Anrede ›Berühmter Herr!‹ begann. Dem berühmten Spinoza wurde ein Lehrstuhl der Philosophie an der berühmten Universität Heidelberg angeboten. »Sie werden nirgendwo anders einen Fürsten finden, der ausgezeichneten Männern, wozu er Sie rechnet, so gewogen ist. Sie werden für Ihre Philosophie die größte Freiheit genießen, da er überzeugt ist, daß Sie dieselbe nicht zur Störung der öffentlich geltenden Religion mißbrauchen werden.« Und der Heidelberger Professor fügte zum Schluß noch hinzu: Sie werden, »wenn Sie hierher kommen, ein eines Philosophen würdiges Leben mit Freuden genießen« – »wenn nicht sonst etwas wider unser Hoffen und Meinen sich ereignen sollte«. Spinoza antwortete im Stil der Zeit, mit einem tiefen Diener vor dem Durchlauchtigsten Kurfürsten von der Pfalz; konnte sich jedoch kein Bild davon machen, ›in welchen Schranken diese Freiheit, zu philosophieren, sich halten soll‹, ohne die öffentlich geltende Religion zu stören. »Spaltungen«, schrieb er, »entstehen hier nicht sowohl aus übertriebenem Religionseifer, als aus den mancherlei menschlichen Leidenschaften und dem Geist des Widerspruchs, mit dem man alles, auch wenn es richtig ausgedrückt ist, zu entstellen und verdammen pflegt. Da ich dies nun schon erfahren habe, obgleich ich ein einsames Leben für mich führe, so ist dies um so mehr zu fürchten, wenn ich zu dieser Würde emporgestiegen sein werde. Sie sehen, geehrter Herr, daß nicht die Aussicht auf ein größeres Glück mich schwankend macht, sondern die Liebe zur Ruhe, welche ich mir einigermaßen erhalten zu können glaube, wenn ich mich öffentlicher Vorträge enthalte.«

Spinoza hatte einst Nein gesagt, als ihm eine Rente angeboten wurde, falls er eins seiner Bücher Ludwig XIV. widmen würde. Und er sagte nun Nein, als ihn ein deutscher Fürst zum Philosophie-Professor machen wollte. Er sagte

Nein – weil er keinen Weg sah zwischen Gleichschaltung und Martyrium, sobald man sich auf die Straße begibt. Wenn man jedoch in seinem Zimmer einsam seine Gedanken formt und nicht als Matador in die Arena tritt – dann kann man vielleicht vollenden, was einem die Tuberkulose noch zu vollenden erlaubt.

Seine Gesellschaft hatte also keinen dringenden Grund, ihn auszurotten. Immerhin war, trotz seines artigen Lebenswandels, Grund genug da, ihm das Leben sauer zu machen. Seine Juden hatten damit begonnen. Und es war der Vorsitzende des Rabbinats-Kollegiums gewesen, der ihn dann, nach dem großen Bann, bei den Christen denunziert hatte. Sollten nicht auch die Christen beleidigt sein? – fragte dieser Vorsitzende. Der Kalvinismus, die offizielle Lehre des Holländischen Christentums, stellte das Alte Testament dem Neuen gleich; die Kritik am Alten Testament traf also nicht nur die Juden. Deshalb hatte man Spinoza, bevor noch eine Zeile von ihm gedruckt war, nicht nur aus dem jüdischen Amsterdam verbannt, sondern auch aus dem christlichen. Er hatte die Hauptstadt für eine Zeit verlassen müssen.

Und als er dann den ›Theologisch-Politischen Traktat‹ veröffentlichte – anonym, aber nicht unerkannt: wurde er ein ständiges Thema der christlichen Synoden. Die geistlichen Herren vereinigten sich, um die Obrigkeit zu bitten: »alle ketzerischen Bücher, insbesondere aber das schlechte und gotteslästerliche Buch, den ›Theologisch-Politischen Traktat‹, zu unterdrücken und zu verbieten«. Schließlich drang dann noch das Gerücht durch, daß er ›ein Buch über Gott und den Menschengeist vorbereitete, das noch viel gefährlicher‹ sei. Da schrieb ein Professor der Beredsamkeit zu Leiden an ein einflußreiches Mitglied des Magistrats zu Dordrecht: man müsse ›dafür sorgen, daß dieses Buch nicht veröffentlicht werde‹.

Spinoza wurde zwar nicht verbrannt, nicht einmal eingekerkert. Aber man legte einen Pest-Kordon um ihn – der ihn nur deshalb nicht so sehr einengte, weil er gar nicht herauswollte. Er lebte als Geächteter. Selbst wenn man einen so pompösen Namen hatte wie Herr Ehrenfried Walter, Graf von Tschirnhaus – mußte man von Spinoza als von einem ›gewissen Jemand‹ reden, um nicht den Anschein zu erwecken, man habe etwas mit ihm zu tun. Und wenn man gar im Rufe stand, sein Freund zu sein – schrieb man schon am besten gegen ihn, um sich gründlich zu reinigen. Der deutsche Philosoph Leibniz, wohlbestallter Kurfürstlicher Rat, redete Spinoza als ›sehr berühmten Naturforscher und sehr tiefen Philosophen‹ an, dessen ›beständiger Verehrer‹ er, Leibniz, sei. Andern gegenüber aber präsentierte er diesen Verehrten als einen ›berüchtigten Juden‹, der seine ›ungeheuerlichen Ansichten‹ in ›ein freches entsetzliches Buch‹ gebracht habe.

Spinoza hingegen sorgte sich darum, niemand zu kompromittieren – und suchte und fand den Weg zum Glücklichen Leben.

Glück in der Liebe zum Gedachten

Ein Jude (groß geworden unter Juden, die dem Schlimmsten entronnen waren) wird von den Juden verflucht, von den Christen belauert, von einer tödlichen Krankheit heimgesucht – und von der Frage gequält: wie muß man leben, um glücklich zu werden?

Man denkt etwas an Epikur, wenn man diesen Spinoza hört: dieselbe radikale und ganz unfanatische Aufsässigkeit gegen den Wahn der Zeit; und dieselbe Unschuld des Genießens und des Fröhlichseins. Er schrieb: »Ich suche das Leben nicht in Trauer und Seufzen, sondern in Friede, Freude und Heiterkeit zu verbringen.« Er schrieb auch: »Nur ein finsterer und trauriger Aberglaube verbietet, sich der Freude hinzugeben.« Zur Freude rechnete er durchaus nicht nur Bücher; auch Wohlgerüche, grünende Pflanzen, stattliche Kleidung, Musik, Kampfspiele, Theater ›und andere Ergötzlichkeiten‹.

Allerdings war er nicht ganz frei von der Jahrtausende alten Verketzerung der ›Sinnenlust‹. Sie umstricke die Seele, meinte er; sie verhindere einen, an etwas anderes zu denken. Außerdem folge auf den Genuß die größte Unlust; die Reue sei zum Beispiel eine der bitteren Früchte. Und dann gäbe es auch noch zahllose Beispiele dafür, daß die ›Sinnenlust‹ einen vorzeitigen Tod herbeiführe. Das hat Epikur nicht gesagt. Zwischen ihm und Spinoza lagen immerhin sechzehnhundert Jahre Christentum.

Er ist nicht zweiundsiebzig geworden wie der alte Grieche, nur vierundvierzig. Er hauste nicht in einem südlichen Garten mit Freunden, sondern in einem nördlichen Stübchen allein: ein einsamer, schwindsüchtiger Stubenhocker. Es ist nicht sehr schwer, ihn als Bettelmönch zu malen. Man hat seine Speisekarten gefunden; er lebte von Milchsuppen und Butter oder von Grütze mit Rosinen. Und wenn man die Kollegen des Siebzehnten Jahrhunderts neben ihn stellt – Larochefoucauld und Descartes und Leibniz und Hobbes und Locke –, dann lebte Spinoza geradezu in einer Tonne. In Wirklichkeit aber machte er einen so ungeheuren Anspruch auf Glück, daß er jede Einengung ablehnte. Deshalb nannte er dies Glück mit dem weitesten Namen: ›Gott‹.

Es gibt ein paar Seiten in seinem kühlen strengen Werk, wo er – ganz ohne den berühmten Panzer aus Mathematik, Logik und Zitaten aus der Heiligen Schrift – nackt heraustritt: ein enttäuschter Mensch, der sehnsüchtig ist nach Glück – und mitteilt, wie er die ersten Schritte machte, um auf den Glücks-Weg zu kommen. In der kurzen Einleitung zu dem ›Traktat über die Verbesserung des Menschenverstands‹ kann man seiner Philosophie ins Herz sehen. Was ist der Ursprung dieser gewaltigen wissenschaftlichen Veranstaltung, die wir sein System nennen? Er forschte danach: »ob es etwas gäbe, durch das ich, wenn ich es gefunden und erlangt, eine beständige und vollkommene Freude genießen könne«.

Spinoza entbehrte das Glück sehr, wie er uns mitteilte. Und schließlich hielt er dieses Entbehren nicht mehr aus. Da nahm er sich ›endlich‹ vor, nachzuforschen: wie komme ich zu dem, was mir als Glück vorschwebt – es läßt nichts zu wünschen übrig und hört nicht mehr auf? Dieser radikale Anspruch wird immer erst gestellt, wenn einer zu dem Resultat kommt, daß es auf die bisherige Weise nicht mehr weitergeht. ›Das Glück‹ ist nicht ein Problem, das traditionell überliefert wird; das eigene Leben wirft es stürmisch auf. Spinozas Leben warf es stürmisch auf.

Die ersten Worte seiner kargen Konfession lauten: »Nachdem die Erfahrung mich gelehrt hat, daß alles, was im gewöhnlichen Leben sich uns häufig bietet, eitel und wertlos ist...« So begann es fast immer. Die Worte ›eitel‹ und ›wertlos‹ sind recht blaß. Andere haben sie schon tausendmal gebraucht, bevor auch Spinoza sie brauchte. Aber hinter ihnen ist das Gefühl der totalen Leere und die Sehnsucht nach einer totalen Fülle. Woran erkennt man das? An der Größe des Grab-Denkmals, das er über der Leere errichtet hat, um sie zu decken.

Mit diesen unscheinbaren Worten verabschiedete er sich von einem Leben, an dem er mindestens mit seinen Wünschen teilgenommen haben muß: von ›Reichtum, Ehre und Sinnenlust‹. Diese drei konventionellen Ausdrücke stehen dafür, ›worum es sich im Leben am meisten handelt, und was die Menschen, wie ihre Taten zeigen, als höchstes Gut ansehen‹. Weshalb nahm er Abschied? Er war nicht Lustfeindlich. Er machte nicht schlecht, was so gut ist wie: Reichtum, Ehre und Sinnenlust. Er gab das nicht auf für ein jenseitiges Paradies und nicht für eine diesseitige Pflicht. Er gab es auf, weil seine Sehnsucht nach Glück so stark war, daß sie von diesem üblichen trüben Glücks-Gemisch nicht befriedigt werden konnte. Der Ehrsucht warf er zum Beispiel vor, daß ›wir, um sie zu befriedigen, unser Leben notwendig nach den Begriffen der Menschen richten müssen‹. Applaus ist herrlich; aber er wird einem vergällt von der Diktatur der Applaudierenden.

Niemand gibt jenes alltägliche Glück, Reichtum und Anerkennung, leicht auf – es sei denn auf dem Papier oder durch den Lautsprecher. Wer es geschmeckt hat, wer auch nur gesehen hat, wie es andern schmeckt, will davon. Auch Spinoza wußte zu schätzen, wonach alle Menschen so gierig sind. »Ich sah nämlich die Vorteile«, schrieb er, »die man durch Ehre und Reichtum erlangt.« Wenn es, nach seinem eigenen Zeugnis, so lange dauert, bis er sich endlich entschloß, das Streben nach diesem Glück aufzugeben, so lag sein Zögern an der hohen Schätzung dessen, was er dann endlich aufgab. Außerdem war es so ungewiß, was man dafür gewann; und ›auf den ersten Blick schien es nicht ratsam, für etwas noch Ungewisses das Gewisse aufzugeben‹. Dieses Zögern unterscheidet ihn von allen routinierten, professionellen Verächtern von Sinnenlust, Erfolg und Reichtum.

Schließlich blieb ihm dann noch nichts weiter übrig, als den festen Boden des erprobten, aber unzulänglichen Glücks auf gut Glück zu verlassen. »Ich sah nämlich«, schrieb er, »daß ich mich in der größten Gefahr befand und deshalb gezwungen war, ein wenn auch ungewisses Heilmittel mit aller Kraft zu suchen: wie ein Todkranker, der seinen gewissen Tod voraussieht, wenn nicht ein Heilmittel angewandt wird, nach diesem wenn auch ungewissen Mittel mit aller Kraft suchen muß; denn auf ihm beruht seine ganze Hoffnung.« Das Glück war nicht eine angenehme Zugabe für ihn, sondern der Ernst des Lebens. Ohne dieses Glück ist man ein ›Todkranker‹. Spinoza philosophierte über das Glück, um sich zu retten.

Als er sich nun seiner Glücklosigkeit bewußt wurde, gab er die Welt der Sinnenlust und des Reichtums – noch lange nicht auf. Und als er schließlich verzichtete, schweren Herzens, ging er auch nur einen halben Schritt aus ihr heraus; »denn obwohl ich es im Geist so klar erkannte, konnte ich doch nicht von mir abtun alle Habgier, Sinnenlust und Ehrsucht«. Er entschloß sich zwar, darüber nachzudenken, wie man sein Glück auf eine solidere Grundlage stellen könne – hielt sich aber den Rückweg noch offen, indem er zunächst einmal nur im Denken sich von dem bisherigen Leben abwandte. Um es ganz unphilosophisch zu sagen: er wollte, dem Sprichwort gemäß, das schmutzige Wasser nicht ausgießen, bis er sicher war, reines zu erhalten. Es muß eine Zeit in seinem Leben gegeben haben, wo Denken und Leben einander widersprachen – und er wußte es.

Das Nachdenken, das nun einsetzte, war von anderer Art als das Nachdenken über irgendein wissenschaftliches Problem, das einem vom Lehrer oder von einer Lektüre angehängt worden ist. Sein Leben hing ab von der Lösung. Er spricht ausdrücklich von sich selbst. Er beginnt immer wieder mit Ich – ein Wort, das sonst so selten in seinem Werk zu finden ist. Ich – war ›gezwungen, zu untersuchen, was für mich das Nützlichere wäre‹; nützlicher für die Erreichung eines glücklichen Lebens. Er war ein Epikuräer; denn sein Philosophieren entstammte der Sehnsucht nach Glück. Und er war so anspruchsvoll, daß er sich mit dem üblichen Glück nicht begnügte. Ein Zeitgenosse Spinozas, der Feldmarschall von Frankreich, St. Denis, Seigneur de St. Evremont, sah in Spinoza die vollendete Bescheidenheit. Es hat aber kaum ein Zweiter dem Leben so unbescheiden viel Glück abverlangt wie dieser Glück-Sucher Spinoza.

Was fand er beim Nachdenken? Zunächst fand er – wie viele Denkende vor ihm und nach ihm – die wohltätige, beglückende Wirkung des Denkens. Denken kann fortschieben, was einen drückt. Denken kann Schmerzen und Leiden mildern, indem es sie zur Beobachtung vor einen hinstellt – also: aus einem herausnimmt. Das Denken »gereichte mir zu großem Trost«, schrieb er; »denn ich sah, daß jene Übel nicht der Art waren, daß sie keinen Gegenmitteln weichen wollten«. Denken kann auch anästhesieren. Spinoza entdeckte, nicht als Erster, das Schmerz-stillende Mittel ›Denken‹.

Und er genoß die Befriedigung seines Gemüts durch das Denken so sehr, daß manche auf die Idee kamen: er habe auf diese Weise das gesuchte Glück gefunden. Das ist ein Irrtum. Friede ist noch nicht Glück. Man hat aus dem schmächtigen Juden mit dem länglichen, schmalen Gesicht etwas ganz Monumentales gemacht. Das lockige Haar und die langen schwarzen Augenbrauen haben sich verflüchtigt vor etwas Gewaltig-Sublimen mit dem Namen: der erdenferne Denker. Und von diesem Prachtstück gibt es dann noch eine handlichere Taschen-Ausgabe: der Bücherwurm.

Der Bücherwurm Spinoza verkroch sich bisweilen für drei Monate in seiner Zelle. Ging nicht an die frische Luft und sah gelblich aus wie gealtertes Papier. Und hockte da neben dem einzigen Schatz, der in diesen zwei ärmlichen Stübchen war: einem fichtenen Bücherschrank mit Werken in hebräischer, chaldäischer, griechischer, lateinischer, spanischer, italienischer, französischer und holländischer Sprache. Alle Gebiete des Wissens waren hier versammelt: Theologie, Philosophie und Philologie, Mathematik, Physik, Mechanik und Astronomie, Medizin, Staatswissenschaften und die Geschichte des Judentums. Weshalb dachte er über so viele Dinge so viel nach? Weil er ein Bücherwurm war? Weil er ein ›Denker‹ war?

Man kann aus verschiedenen Gründen nachdenken. Spinoza dachte nach, weil er es dringend nötig hatte. Erst die Philosophie, die er fand, machte es ihm möglich, zu leben und glücklich zu leben. Wir wissen das, weil er es ausdrücklich gesagt hat. Es sieht zwar ganz anders aus. Es sieht aus, als ob er beim Philosophieren ganz von sich abgesehen hätte. Sah er nicht überhaupt vom Individuellen ab? Redete er nicht vom menschlichen Leben: »wie wenn von Linien, Flächen und Körpern die Rede wäre«?

Er redete von sich – einer unglücklichen Kreatur, in der

die Ahnung von einem glücklichen Dasein ungemein lebendig war. Diese Ahnung bildete sein Glück. Er benutzte das Denken nicht als Opium. Und so sagte er zum Lobe seiner Philosophie noch mehr als: daß sie ›das Gemüt ganz friedlich stimmt‹. Sie stimmte sein Gemüt nicht nur friedlich – sondern auch glücklich. »Abgesehen davon«, heißt es bei ihm, »daß diese Lehre das Gemüt ganz friedlich stimmt, hat sie auch noch den Nutzen, daß sie uns lehrt, worin unser höchstes Glück oder unsere Glückseligkeit besteht.« Glück ist noch mehr als Seelen-Friede. Was war sein Glück?

Die drei Worte, in denen er es zur Schau stellte, sind hochberühmt geworden. Aber das Schicksal dieser berühmten, handlichen Philosophen-Prägungen ist: sie werden mit der Zeit eine feiertägliche Nichtigkeit. Man kennt die zu Formeln erstarrten Erhabenheiten schon zu lange, um ihnen noch Aufmerksamkeit zu schenken. Spinozas Glück steckt in solch einer Erhabenheit, die hochangesehen ist – und längst bis zur Unkenntlichkeit abgegriffen. Und so hat man den Leser zu warnen, bevor man die alte Formel ausspricht: denke nicht, daß du sie schon kennst! Die Formel des Spinoza-Glücks lautet: ›Liebe zu Gott‹ (amor dei). Was ist das für ein Gott? Was ist das für eine Liebe? Und was ist das für ein Glück, das von dieser Liebe zu diesem Gott hervorgebracht wird? Und ist dies Glück ›materiell‹ oder ›immateriell‹? – fragten in allen Jahrhunderten alle, die über Schul-Formeln nie hinauswachsen.

»Die Liebe zu einem ewigen und unendlichen Ding«, schrieb Spinoza, »nährt die Seele mit reiner Freude und ist frei von aller Unlust.« Dieses ›ewige und unendliche Ding‹ kann man nun deshalb nicht porträtieren, weil es keine Umrisse hat: es ist hier und dort; es ist heute und in Millionen Jahren; es ist Stein und Pflanze und Tier und Mensch. Es ist primitiv und zivilisiert. Es ist gut und böse. Mancher hat daraus gefolgert (zum Beispiel Voltaire): daß das Wort ›Gott‹ hier nur noch benutzt wird, um den dummen Leser nicht zu erschrecken und den ängstlichen Autor nicht zu kompromittieren. Und der große Skeptiker des Achtzehnten Jahrhunderts, Pierre Bayle, machte mit diesem ›Gott‹ Witze nach Herzenslust. Wenn man sage (so witzelte er), die Deutschen haben zehntausend Türken getötet, so bedeute das nach Spinoza – daß Gott, als Deutscher modifiziert, Gott, als Türken modifiziert, getötet habe . . .

Tatsächlich ist Spinozas ›Gott‹ nicht ein Substantiv, sondern ein Prädikat: alles ist göttlich. Aber, für welche Umfänglichkeit dies Wort ›Gott‹ nun auch stehen mag – wie kann man einen so umfänglichen Gott lieben? Und wie kann man durch eine solche Liebe glücklich werden? Man kann Ihn lieben: indem man sein Ich immer umfänglicher macht, sich also immer mehr Ihm nähert. Man kann Ihn lieben: indem man immer mehr von dem, was außerhalb liegt, an sein kleines Herz nimmt – und es so immer größer macht. Man kann Ihn lieben: indem man alle Distanzen, alle Fremdheiten zu überwinden sucht. Ist das möglich?

Es ist möglich im Denken, dachte der Denker. Denn im Denken geht man aus sich heraus und holt in sich herein; unter Denken ist hier natürlich auch Wahrnehmung und Empfindung und Phantasie verstanden. Im Denken mische ich mich mit Fremdem, mit dem Gedachten – und mache es mir vertraut. Das Intim-Werden mit dem, was ich in meiner Enge nicht bin, ist der Sinn dieses Denkens; das Denken ist nur das Vehikel zum Intim-Werden. Man wird intim mit Stern und Erde und Tier und Mensch – indem man sie denkt. Es ist nicht das Denken, sondern die Intimität, in die es einen mit Allem bringt: was Glück erzeugt. Es ist nicht die allen gemeinsame Vernunft, sondern der allen gemeinsame Drang zur Aufhebung der Schranke zwischen Wesen und Wesen: der in der ›Liebe zu Gott‹ einen Ausdruck gefunden hat. Im Sich-Öffnen liegt das Glück. Was war es, was Spinozas Glückseligkeit hervorbrachte? Die Ausweitung eines einsamen, dürftigen Juden in einer spärlichen holländischen Kammer – zum All.

Und weil diese Glückseligkeit allen Menschen möglich ist, war Spinoza so sehr darauf aus, andere mit seiner Philosophie anzustecken – andere mit seinem Glück anzustecken. »Es gehört zu meinem Glück«, gestand er, »daß viele andere Menschen dasselbe wie ich für wahr halten.« Dieser Wunsch wollte durchaus nicht: intellektuelle Übereinstimmung. Sondern in ihm war die Sehnsucht nach einem Zustand zwischen den Menschen, der, seiner Ansicht nach, aus einer solchen Übereinstimmung folgen würde. Und obwohl er ängstlich und zurückhaltend war in der Verbreitung seiner Lehre, hatte er dennoch den Trieb aller wahrhaft Glücklichen: alle glücklich zu machen. Zu diesem Zweck, meinte Spinoza, »muß man eine solche Gesellschaft bilden, wie sie erforderlich ist, damit möglichst viele Menschen so leicht und sicher wie möglich dahin gelangen«. Das war die Grundlage seiner Politik: die Gesellschaft, der Staat, die Nation, wie immer man sich ausdrücken mag, ist dazu da, dich und mich dem Glück entgegenzutragen. –

Man kann mit dieser ›Liebe zu Gott‹ sehr schnell in einen Himmel fliegen – aus dem man dann immer wieder als klägliche Kreatur herausfällt. Viele Mystiker haben diese Himmel-Fahrt beschrieben und den darauf folgenden Höllen-Sturz. Spinoza war kein Schwarmgeist. Er machte sich nicht einmal auf dem Papier mehr ›Liebe zu Gott‹ vor, als er fähig war. Und er, dieses kleine, schmächtige Stückchen Gott, liebte viele Teile von Gott ganz und gar nicht: zum Beispiel die große Menge. »Das gemeine Volk erregt Furcht«, heißt es, »wenn es nicht selbst Furcht empfindet.« Und im Vorwort zum ›Theologisch-politischen Traktat‹ steht: »Ich weiß, daß die Beharrlichkeit des Volks Halsstarrigkeit ist.« Würde man diese Sätze über das gemeine Volk nicht eher in dem Buch eines nihilistischen Demagogen suchen als in dem Buch mit dem Titel ›Ethik‹? Spinoza dachte nicht nur wie einer, der Gott liebt, sondern auch noch – wie ein vornehmer holländischer Bürger, dem das gemeine Volk peinlich war.

Der schmächtige, arme Mann war gewiß kein wohlbestallter, wohlbeleibter Holländer. Von dem kleinen Vermögen,
das sein Vater hinterlassen hatte, nahm er sich nur den
allerkleinsten Teil: ein Bett und einen Vorhang. Seinen Le-
bensunterhalt versuchte er als Optiker zu verdienen. Das
Schleifen von Gläsern für Brillen, Mikroskope und Tele-
skope war damals nicht irgendein Handwerk. Viele gelehrte
Männer betrieben es als Amateure, aus Interesse für Mathematik und Physik: der Philosoph Descartes zum Beispiel
und der Naturforscher Huygens und der gelehrte Bürgermeister von Amsterdam. Spinoza tat es für Geld; und der
feine Glasstaub verwüstete seine schwächliche Lunge. Er soll
ein ausgezeichneter Schleifer gewesen sein; man sagt auch,
seine Gläser wurden gern gekauft. Aber viel scheint ihm dies
Geschäft nicht eingebracht zu haben. Freunde unterstützten
ihn. Auch das machte ihn nicht reich. Alles, was er schließlich
hinterließ, war: ein Dukaten, etwas Kleingeld und etwas
Schulden. Mit dem gemeinen Volk verband ihn mindestens
die Armut.

Er hatte reiche Gönner. Doch war er ein sehr vorsichtiger Nehmer. Als der Freund de Vries ihm zweitausend
Gulden schenken wollte, lehnte er ab: er habe eine solche
Summe nicht nötig. Und als der Erbe de Vries ihm eine
Rente von Fünfhundert anbot, nahm der arme Optiker nur
Dreihundert an. Aber trotz seiner Unabhängigkeit von
Macht und Geld, war er eng verbunden mit jener holländischen Schicht, die Macht und Geld hatte: vor allem mit
seinem großen Gönner, dem Chef des Staats, dem Rats-
pensionär de Witt. Am 20. August 1672 wurde de Witt
von einem Volkshaufen aus dem Gefängnis, in das ihn die
Revolution gebracht hatte, auf die Straße gezerrt und er-
mordet. Die Mörder wurden von der Gegenpartei, der ora-
nischen, belohnt. Ein Priester vom Haag, Simon Simonides,
feierte den Mord als ›eine verdiente Strafe der göttlichen
Gerechtigkeit‹.

Spinoza stand auf der anderen Seite. Und nahm leidenschaftlich Partei. Er verfaßte einen Mauer-Anschlag, der die Bevölkerung des Haag ›die niedrigsten Barbaren‹ schimpfte. Und wenn Spinozas besonnener Hauswirt nicht die Veröffentlichung dieses Manifests in der Nacht nach der Blut-Tat verhindert hätte – dann wäre Spinoza vielleicht als anti-oranischer Propagandist ums Leben gekommen. Trotz seiner ›Liebe zu Gott‹ war er also ein sehr irdischer Parteigänger. Trotz der kühlen Ferne seiner Sätze war er leidenschaftlich mit dem Alltag verknüpft. Und diese Verknüpfung machte ihn recht unweise in der Beurteilung jener Schicht, die er verächtlich – das gemeine Volk nannte.

Noch weniger als mit dem gemeinen Volk fühlte er zum Beispiel mit den Tieren. Wir dürfen sie, äußerte er, »nach Gefallen benutzen und sie so behandeln, wie es uns am meisten dienlich ist. Törichter Aberglaube und weibliche Sentimentalität wäre es, dem zu widersprechen.« Obwohl er also theoretisch die ›Einheit‹ erkannt hatte, »die den Geist mit der gesamten Natur verbindet« – gab er für die Praxis Anweisungen, die dieser Erkenntnis recht sehr entgegen waren; und gab diese Anweisungen nicht schweren Herzens, sondern in unphilosophischer Unbekümmertheit. Darf man nicht aus dieser Inkonsequenz des Denkens und dieser Exklusivität des Lebens schließen, daß er vielleicht auch nicht vollkommen glücklich gewesen war?

Es klafft in diesem herrlichen Werk ein Riß, der schon in den Fragmenten des Epikur sichtbar gewesen ist. Ebenso wenig wie Epikur stellte Spinoza in Frage: daß die Menschheit seit ewig aus konkurrierenden Individuen besteht – und in alle Ewigkeit aus konkurrierenden Individuen bestehen wird. Und weil er das für eine ewige Wahrheit hielt, mußte er auch gutheißen: »daß jeder sich selber liebe« – daß jeder, was immer dasselbe meint, »seinen Nutzen suche«. Ja, er erklärte klipp und klar: daß »die Grundlage der Tugend eben das Streben nach Erhaltung des eigenen Seins ist, und daß das Glück darin besteht, daß der Mensch sein Sein zu erhalten vermag«. Ist das nicht genau das Gegenteil von ›Liebe zu Gott‹? So enthüllt sich, daß sein Werk zwei Zentren hat: sowohl die Liebe zu Gott als auch die Erhaltung des eigenen Seins. Ja, die Liebe zu Gott wird der Erhaltung des eigenen Seins schließlich untergeordnet. Die Nächsten-Liebe verwandelt sich – in eine nützliche Handlung. »Es gibt kein Einzelwesen im Umkreis der Natur«, heißt es in der ›Ethik‹, »das dem Menschen nützlicher ist als der Mensch.« Auf diese Weise verträgt sich die Sorge für sich selbst sehr gut mit der Sorge um den andern. Sie verträgt sich allerdings weniger gut mit der ›Liebe zu Gott‹, mit dem Augustinischen Gottes-Staat, mit einer Gesellschaft, die gegründet wäre auf den Idealen der Amerikanischen und Französischen und Russischen Revolution. Das Glück, das ›darin besteht, daß der Mensch sein Sein zu erhalten vermag‹ (seine Existenz als Konkurrent) – verträgt sich höchstens nur mit ein bißchen ›amor dei‹, mit ein bißen Glückseligkeit.

Und nur, falls Spinoza im Irrtum gewesen sein sollte – und das konkurrierende Individuum wird nicht in alle Ewigkeit das Atom der menschlichen Gesellschaft sein ... nur dann könnte vielleicht der Mensch zu einer Glückseligkeit kommen, wie sie Spinoza in seiner ›Liebe zu Gott‹ herrlich vorausgeahnt hat.

Ein Ahnherr der Glücklichen Gesellschaft

Nach dem frühen Tode des Philosophen erzählte man: er sei in sinnloser Raserei mit den Worten »Gott sei mir Sünder gnädig« aus dem Leben herausgestürzt.

Noch genauer wußte es eine Geschichte, die später sogar in Druck erschien. Ihr zufolge soll er auf den Wunsch zweier hochgestellter französischer Herren nach Paris gefahren sein. Als aber der französische Minister Pomponne, ein sehr frommer Mann, erfahren habe, daß dieser gottlose Spinoza angekommen sei, soll er gefürchtet haben: der werde ganz

Frankreich vergiften. So wollte er ihn arretieren lassen. Auf die Nachricht, daß man ihn in die Bastille werfen wolle, sei Spinoza dann Hals über Kopf in die Heimat zurückgejagt – als Franziskaner verkleidet. An den Aufregungen dieser Flucht sei er gestorben.

Im Achtzehnten Jahrhundert wurden Spinozas Werke nicht ein einziges Mal neu aufgelegt. Aber fromme und weniger fromme Legenden hielten die Erinnerung an ihn wach. So erschien das berüchtigte Pamphlet ›Von den drei großen Betrügern‹ – womit Herbert von Cherbury, Thomas Hobbes und Spinoza gemeint waren. »Möge der Letztgenannte«, hieß es da, »von der Krätze befallen werden! Aber wer ist er? Es ist Benedictus (der Gesegnete) Spinoza, der besser Maledictus (der Verfluchte) genannt würde, weil diese Erde, durch göttlichen Fluch mit Dornen (terra spinoza) gefüllt, keinen verfluchteren Menschen, keinen Menschen mit dornigeren Werken hervorgebracht hat.« Es gab eine Zeit, da hatte das Wort Spinoza auf einige ängstliche Menschen dieselbe Wirkung, die später Worte wie ›Jacobiner‹, ›Demokrat‹, ›Bolschewik‹ hatten.

Und dann wuchs noch jene andere Spinoza-Legende in die Breite – und sie lebt, bis zu diesem Tag: da ist er der lebensferne Denker gewesen, der in der Kühle mathematischer Deduktionen zu seinem Glück kam – frei von Leidenschaften, die in der Eis-Region von Voraussetzung, Behauptung und Schluß abgetötet worden seien. Und mancher Professor, der sich in ein kleines Problem verbissen hat und deshalb überall seinen Regenschirm stehen läßt und außerdem noch seiner Frau an ihren Geburtstag zu gratulieren vergißt – sieht in sich einen Abkömmling Spinozas. Der aber war gar nicht so versponnen und gar nicht so leidenschaftslos. Bisweilen packte ihn sogar die Wut – und er schrie: »Die Rabbiner sind wahnsinnig, die Bibel-Erklärer träumen, erdichten Falsches und verderben die Sprache der Bibel völlig.« Spinoza war kein Geist. Er hat wirklich gelebt.

Wenn man die beiden ehernen Monumente, die einen überlebensgroßen Unseligen und ein körperloses Geist-Gespenst darstellen, beiseite rückt – so findet man einen Menschen, der tatsächlich vierundvierzig Jahre geatmet und dies rätselhafte Glück ein gutes Stück enträtselt hat. Er ging, wenn auch nicht sehr konsequent, über die antike und mittelalterliche Vorstellung hinaus: der Einzelne könne in der irdischen Isolierung eines Ich (von 1 Meter 69 Höhe und 160 Pfund Schwere nebst einer inneren Szenerie aus Verwandtschaft und Freundschaft und dem lebenslänglichen Wunsch, Bürgermeister zu werden) glücklich werden. Spinoza glaubte nicht an solch ein lokales, vergängliches Glück; und damit leitete er die moderne Aera ein, die im Glück zum guten Teil ein politisches Problem sieht: das Problem der Glücklichen Gesellschaft.

Spinoza nähert sich diesem Glück – wenn auch nicht sehr nah. Es gab für ihn kein Glück auf Kosten Anderer. »Wer sich für glücklich hält«, schrieb er, »weil ihm das Schicksal heller lächelt als dem Andren, dem ist das wahre Glück noch gänzlich unbekannt.« Und mehr: es gab für ihn kein Glück – ohne die Verbundenheit mit den Mitmenschen in der Idee vom Glücklichen. Der glückliche Mensch aber ist der Mensch, der seine Isolierung sprengt. Spinoza war einer der großen Vorkämpfer der Toleranz; aber deshalb nicht gleichgültig gegen das Leben und die Ideen seiner Mitmenschen. »Es gehört zu meinem eigenen Glück«, schrieb er, »mir Mühe zu geben, daß viele andere Menschen dieselbe Erkenntnis haben wie ich selbst, und daß ihr Wissen und Begehren mit meinem Wissen und Begehren gänzlich übereinstimmen.« Spinoza war zu human, um tolerant bis zur Gleichgültigkeit – um ein Neutraler zu sein.

Er war nicht aus auf eine Gesellschaft von Rühr-mich-nicht-an, auf eine Gesellschaft von Neutralen. Er war vielmehr aus auf eine Menschen-Gesellschaft, die das Glück der Verbundenheit genoß. So forderte er, obwohl er nichts weniger als ein Demagoge war und eher noch ein volksfremder Gelehrter, dennoch, im Interesse seiner Propaganda des Glücks: »Man rede nach der Fassungskraft des Volkes.« Was aber soll man dem Volk in seiner Sprache sagen? Die Menschen mögen ›nichts für sich begehren, was sie nicht auch für die übrigen Menschen wünschten‹. Das ist Spinozas Formulierung des kategorischen Imperativs gewesen, ein Jahrhundert vor Kant. Nur, daß Spinoza das Glück des Mit-Mensch-seins erlebte – das Kant versagt war.

Spinoza ist weniger der Ahnherr der bürgerlichen Gesellschaft, in welcher die Menschen-Atome gezwungen sind, einander als juristische Personen zu respektieren. Und mehr der Ahnherr jener St. Simon und Robert Owen, welche die politisch-ökonomischen Probleme auf dem Wege zur Glücklichen Gesellschaft zu lösen suchten.

X.

Der glückliche Sozialist

Aus der Geschichte der Glücklichen Gesellschaft

Im Jahre 1824 erschien in England ein Buch mit dem Titel: ›Untersuchung der Prinzipien für eine Verteilung des Reichtums, wie sie dem Glück des Menschen am dienlichsten ist‹.

Epikur und Seneca und Augustin hätten sich über diese seltsame Fassung ihrer uralten Frage höchst verwundert. Der Weise, der über das Glück Auskunft gibt, ist offenbar eine Rechnungs-Kammer geworden. Sein Publikum ist nicht der Einzelne in einem Garten bei Athen und Mailand oder in einem römischen Vortrags-Saal – sondern ein anonymes Abstractum. Und das Glück hat nichts mehr zu tun mit Lust und Angst – sehr viel aber mit einer rätselhaften Administration. Der Glückliche wurde zu Beginn des Neunzehnten Jahrhunderts in den Hintergrund gedrängt von der Glücklichen Gesellschaft.

Die Historie dieser Glücklichen Gesellschaft ist lang – voll von glänzenden Gestalten und den aufregendsten Abenteuern. Ihre literarische Geschichte läßt sich zurückverfolgen – bis zum Propheten Jesajah, der verhieß: »Die Wölfe werden bei den Lämmern wohnen und die Pardel bei den Böcken liegen. Ein kleiner Knabe wird Kälber und junge Löwen und Mastvieh miteinander treiben.« Die Sätze gehören zu den frühesten Beschreibungen der ›Klassenlosen Gesellschaft‹.

Wie sehr sich auch zwischen dem ›Marxisten‹ Jesajah und dem ›Propheten‹ Karl Marx die Entwürfe gewandelt haben: sie alle erkannten die Welt ringsum, ihre offenen und geheimen Kriege, ihre offenen und geheimen Bürgerkriege nicht als selbstverständlich an; und was sie dagegen vorschlugen, waren nie nur kleine Korrekturen. Sie stellten immer einige fundamentale Vorstellungen ihrer Kultur rücksichtslos in Frage. So sagte im Zweiten Jahrhundert nach Christi Geburt ein gewisser Epiphanes: lächerlich sei das Wort des jüdischen Gesetzgebers ›Du sollst nicht begehren!‹ Der Weg zum Glück liege im Aufheben des Entbehrens – nicht in der Aufforderung an die Entbehrenden: begehret nicht! – Epiphanes ahnte die Glückliche Gesellschaft.

Alle ihre Verkünder verband die Gewißheit, daß die Menschheit nicht nach einem Wink Gottes oder einem Gesetz der Natur in alle Ewigkeit denselben Trott weiterzutrotten habe, in dem sie sich in den uns bekannten Jahrtausenden vorwärts bewegte. Was sie hingegen erheblich voneinander scheidet, sind vor allem die Antworten auf zwei Fragen gewesen. Erstens: wieviel von der heutigen Misere wird auch noch im Paradies sein? Es gab sehr konservative – Utopisten! Und Zweitens: wer kann die Umwälzung zustande bringen? Wer kann die Menschheit von diesem traurigen Tag hinüber führen in das glückliche Dasein? Es gab aristokratische und proletarische Utopisten.

Es waren vor allem diese zwei Fragen, vor denen man auseinanderging. Da war Platon: einer der radikalsten Umstürzler, wenn man seinen Entwurf einer Glücklichen Gesellschaft vergleicht mit jeder historisch bekannten. In seinem Staat haben die, welche alle Macht in Händen halten, keinen Privat-Besitz und keine Freiheit – im Gegensatz zu den Untertanen: so ein Staat hat noch nie existiert; die Verknüpfung von Macht und Verzicht widerspricht allem, was je eine Psychologie über den Menschen gelehrt hat. Aber trotz dieser Radikalität ist Platon höchst konservativ darin gewesen, daß er die Natur für eine Produzentin von Kasten hielt: von Bauern und Soldaten und Philosophen. Und diese Anhänglichkeit an seine Gegenwart, die wirklich ›von Natur‹ Bürger und Sklaven hervorbrachte, zwang ihn zur Konstruktion eines Paradieses, das nur unter den Maschinen-Gewehren der Weisen funktionieren konnte. Weshalb Bertrand Russell sich im Jahre 1945 zu dem etwas un-philosophischen Vorsatz hinreißen ließ: ihn mit so wenig Ehrerbietung zu behandeln, als wäre es ein zeitgenössischer englischer oder amerikanischer – Advokat des totalitären Staats.

Die Propagandisten der Glücklichen Gesellschaft pflegten nie mit allen Vorurteilen auf einmal zu brechen; nur mit einem Teil, mit einem anderen wiederum nicht. Auch der Engländer Thomas Morus mischte in eine sehr kühne Vision die rückständigsten Vorstellungen. So glaubte er, daß auch im Paradies die Einehe sowohl notwendig als auch unna-türlich sein werde. In seiner Glücklichen Gemeinschaft herrscht deshalb das wenig Glück verheißende Gesetz: »Wer vor der Ehe, Mann oder Weib, verbotener Lust gefröhnt, wird streng bestraft und die Ehe ihm verboten, es sei denn, daß der Fürst Gnade für Recht ergehen läßt. Die Utopier bestrafen den Fehltritt darum so streng, weil sie fürchten, daß wenige eine Verbindung eingehen würden, die sie für ihr ganzes Leben an eine Person fesselt und manche Lasten mit sich bringt, wenn nicht eine strenge Verhinderung aller unsteten Verbindungen stattfände.« Um aber diese unglück-liche Ehe wenigstens ein bißchen paradiesischer zu gestal-ten, befolgen die Mitglieder seiner Glücklichen Gesellschaft bei der Wahl ihrer Gatten das folgende Verfahren: »Vor Eingehung der Ehe zeigt eine ehrwürdige Matrone die Braut, sei sie Jungfrau oder Witwe, nackt dem Bräutigam, und dann ein gesetzter Mann den Bräutigam nackt der Braut.« Der Erzähler, der für das Land der Glücklichen Gesellschaft beschreibt, fügt hinzu: »Wir lachten darüber und verurteilten das als anstößig. Sie aber wunderten sich über die Narrheiten aller anderen Nationen. Wenn ein Mann ein Pferd kauft (sagten sie), wo es sich doch nur um eine Geldsumme handelt, so ist er so vorsichtig, es genau zu untersuchen und den Sattel und das Geschirr abzunehmen, um zu sehen, ob nicht etwa ein Geschwür darunter verbor-gen sei. Bei der Wahl einer Gattin aber, von der Glück oder

Unglück des ganzen Lebens abhängt, gehen die Leute aufs Geratewohl vor und binden sich an die, ohne mehr von ihr gesehen zu haben, als eine Handbreit vom Gesicht.« Noch die hervorragendsten Architekten der Schlösser, die im Monde liegen, kamen nicht einmal in Gedanken los von dem Menschen ihrer Zeit. Nicht das Utopische der Utopien wirkt so verstaubt – sondern ihr heimlicher Konformismus.

Je mehr Glück man erwartete, je größer die Kluft zwischen der Gegenwart und der Glücklichen Gesellschaft zu sein schien, um so weniger malte man die glückliche Zukunft im Detail aus; denn malen kann man nur mit gegenwärtigen Farben, nicht mit künftigen. So gibt es neben der negativen Theologie, die Gott zeichnet in dem, was er nicht ist, die negative Utopie, die das Paradies zeichnete in dem, was es nicht ist: der ›Übermensch‹ und die ›Klassenlose Gesellschaft‹ sind solche utopischen Negationen gewesen. Es gibt in Marx' Werk kein positives Pendant zur Negation: keine Antizipation nach der Art des Platon oder des Morus. Und das Positive, was Nietzsche über den ›Übermenschen‹ gesagt hat, war bildlich gemeint und wörtlich genommen – und verdeckt so bis zu diesem Tage seine Wahrheit.

Die Glücklichen Gesellschaften unterscheiden sich also darin: wieviel von dem gegenwärtigen Elend sie noch in ihrem Himmel-Reich mitschleppen. Und scheiden sich (zweitens) vor der Frage: wer diesen Welt-Zustand beenden und die Aera des Glücks herbeiführen wird. Plato antwortete: die Herrschenden – nachdem sie weise und gut geworden sind. An dem ›Nachdem‹ scheiterte es bisher. Marx antwortete: das siegreiche Proletariat – nachdem es gerecht geworden ist. Eigentlich sagte er es nicht genau so; vielmehr setzte er stillschweigend voraus, daß ein zur Herrschaft gekommenes Proletariat nicht mehr unterdrückt wird und nicht mehr unterdrücken wird.

Dieses Voraussetzung erwies sich als ebenso problematisch wie das platonische Nachdem.

Die Sehnsucht nach einer Glücklichen Gesellschaft erschöpfte sich nicht nur in Büchern. Nur selten sind Utopien nichts als Literatur gewesen – Schwärmereien, Phantastereien, Spielereien.

Sie sind meist auch Vorschläge gewesen, Aufforderungen, Manifeste – Hetzschriften, die zum Paradiese hetzten. Ja, sie waren oft nur die Begleit-Musiken: etwa wenn die Katharer oder die Brüder vom Freien Geist oder die Taboriten oder die Lollharden oder die Wiedertäufer oder die Levellers sich anschickten, den Alltag der Weltgeschichte mit Getöse zu verlassen. Ein solcher utopischer Ausbruch lebte auch einmal in den Worten ›Liberté, Égalité, Fraternité‹ – obwohl diese Worte später klangen wie drei Kompagnons einer berühmten soliden Firma. Das gegenwärtige Elend eines großen Worts sagt nichts gegen seine erhabene Herkunft.

In allen großen Revolutionen war die Utopie, die Phantasie von einer Glücklichen Gesellschaft, immer die stärkste Kraft. Die Dynamik dieser Revolutionen war eine Mischung aus zwei einander fremden, ja feindlichen Impulsen: einem historisch bedingten Kampf um die Macht; und dem überhistorischen, uralten, immer noch nicht gewonnenen Kampf fürs Glück. Beide Kämpfe wurden bisweilen von denselben Personen ausgefochten; daher die Zweideutigkeit so vieler Revolutionäre. Im Kampf um die Macht wollten die Herrschenden weiter herrschen; und die Beherrschten (erstens) nicht beherrscht werden und (zweitens) selber herrschen. Aber diese künftigen Unterdrücker sind – unbeschadet ihrer späteren Karriere – immer auch die natürlichen Träger der Sehnsucht nach der Glücklichen Gesellschaft gewesen; denn: wer leidet, ist am Glück dringender interessiert, als wer nicht leidet.

Man kann deshalb diese Liberté, Égalité, Fraternité nicht als Verworrenheit oder Heuchelei oder Redeschmuck wegschieben – nur weil Freiheits- und Gleichheits- und Brüderlichkeits-Enthusiasten zuerst nicht recht denkklar waren, dann abgefeimte Schwindler wurden und schließlich gar öde Festredner. Jede Revolution ist nur soviel wert gewesen, wie sie die Sehnsucht nach Glück genährt hat; im übrigen trat immer nur eine moderne Brutalität an Stelle einer veralteten. Es ist ein Aberglaube, daß das Bürgertum schöner war als der Feudalismus; oder der Sozialismus schöner ist als der Liberalismus.

Ist die Glückliche Gesellschaft noch nie verwirklicht worden? Im alten Griechenland gab es die Gemeinde der Pythagoräer und im alten Palästina die Gemeinde der Essäer und durch alle Jahrhunderte in Asien und Europa klösterliche Gemeinschaften: glückliche örtliche Bünde, die sich als kleine Anomalien sanft einordneten in die rauhere Welt rundum. Man hatte nichts von ihnen zu befürchten und tat ihnen deshalb nichts zu Leide. Lokale Paradiese sind immer möglich gewesen und werden immer möglich sein. Wenn ein reicher Mann die Mittel gibt, wenn ein starker Mann seine Hand darüber hält, wenn die bindende Idee, die bindende Leidenschaft stark genug ist: weshalb sollte ein kleines Paradies nicht eine Weile blühen – mitten in der altbekannten Hölle? Allerdings: ändern begrenzte Paradiese das Schicksal der Paradieslosigkeit?

Es gab also schon viele, durch natürliche Affinität gebundene, im Verborgenen blühende Glückliche Gesellschaften; die meisten sind nicht verzeichnet im Buch der Geschichte. Manche Ehe, manche Familie, manche Freundschaft der Vergangenheit und der Gegenwart stellt solch ein Miniatur-Paradies dar. Aber die universalen, in Gedanken ausgeheckten, die bestehende Welt herausfordernden Paradiese hatten noch nie eine Chance. Weshalb nicht? Es wurde immer alles gegen sie aufgeboten. Dionys I. ließ Platon auf dem Markt zu Eleusis als Sklaven verkaufen. Und Dionys II. warf den Propagandisten der Glücklichen Gesellschaft, obwohl sein Glück recht bescheiden war, den syrakusanischen Söldnern zum Fraß vor. In modernen Zeiten verfuhr man mit Propagandisten des Glücks weniger großartig. Man drosselte sie ohne viel Aufhebens ab: blutiger oder unblutiger, je nach der Mode der Zeit.

Es war zu allen Zeiten immer das Schwerste, sich eine Welt vorzustellen, in der die bekannten Gesetze der menschlichen Seele aufgehoben sind. Man hat, seit Dädalus, viel Phantasie gehabt für eine Welt von fliegenden Menschen-Körpern und wenig für eine Welt von Menschen, die einander nicht bekämpfen. Alle, die sich eingelebt hatten, alle, die zu müde waren und zu träg und zu eng, um das Gegebene nicht als selbstverständlich zu nehmen, sagten von der Darstellung vom Glück immer wieder: unmöglich! Und zu jedem Unmöglichen gab es jederzeit auch eine Metaphysik.

Sie war manchmal gröber und manchmal eleganter. Sie kam immer darauf hinaus: daß der Schöpfer saubere und schmutzigere, reichere und ärmere, kultiviertere und rohere Geschöpfe hervorbringe; weshalb, nach göttlichem Ratschluß, von einer Glücklichen Gesellschaft keine Rede sein könne. In früheren Zeiten wurde diese Lehre viel frecher und farbiger verkündet als heute. Der Züricher Chorherr Felix Hemmerlin beschrieb in einer Schrift ›De Nobilitate‹ in der ersten Hälfte des Fünfzehnten Jahrhunderts den Bauern folgendermaßen: »Nicht wie ein Mensch, sondern wie ein scheußliches, halb lächerliches, halb furchtbares Gespenst tritt er dem Adel entgegen. Ein Mensch mit bergartig gekrümmtem und gebuckeltem Rücken, mit schmutzigem, verzogenem Antlitz, tölpisch dreinschauend wie ein Esel, die Stirn von Runzeln durchfurcht, mit struppigem Bart, graubuschigem, verfilztem Haar, Triefaugen unter den borstigen Brauen, mit einem mächtigen Kropf; sein unförmlicher, rauher, grindiger, dicht behaarter Leib ruht auf ungefügen Gliedern; die spärliche und unreinliche Kleidung läßt seine mißfarbige und tierische Brust unbedeckt.« Wie aber ist eine Glückliche Gesellschaft möglich, wenn neben den feinen Adligen solche Menschen-Exemplare zur Welt kommen? Ist es nicht der Schöpfer selbst, der die Glückliche Gesellschaft unmöglich macht?

In einer späteren Epoche beschrieb man den Arbeiter, wie hier der Bauer beschrieben worden war: als ein natürliches Ungeheuer. Und in allen Zeiten beschrieb man so diejenigen, die der furchtbare Druck ihrer Gesellschaft zu Spottbildern des Menschen verkrüppelt hatte. Alle diese Beschreibungen sind korrekt. Nur war man nie ganz korrekt darin, daß man Gott oder der Natur zuschrieb, was der Mensch vollbrachte. Der Mensch aber ist der Kompagnon der Natur in der Produktion von Menschen; und aufs Ganze gesehen, ein sehr elender Fabrikant in dieser Branche.

Das war die große Einsicht des Neunzehnten Jahrhunderts. Und einer ihrer leidenschaftlichsten Verkünder, der englische Fabrikant Robert Owen, erklärte: »Ich hatte in vollem Ernst das größte Experiment ins Werk zu setzen, das je irgendwann unternommen worden ist, um die Menschen-Rasse glücklich zu machen.« Das Neunzehnte Jahrhundert war das Heroen-Zeitalter unserer Aera.

Sozialismus: ein Weg zum Glück

Der Sozialismus, der zu Beginn des Neunzehnten Jahrhunderts entstand, ist das (bisher) letzte Glied in der Reihe jener Bilder und Experimente, die eine Glückliche Gesellschaft zu entwerfen und zu bauen suchten.

Der Sozialismus ist die jüngste Utopie – die den Vierten Stand, die Maschine und die Massen-Kultur in Betracht zieht. Er ist wissenschaftlicher, als jede Glückliche Gesellschaft vor ihm war, weil er die Gesellschaft, die er ändern will, besser kennt – als irgend ein Utopist zuvor seine Gesellschaft kannte. Wie die Astronomen weniger spekulierten und mehr Instrumente bauten als die Astrologen zuvor – so spekulierte St. Simon (zum Beispiel) weniger als Morus und erforschte eingehender das Gebilde, das er ändern wollte.

Und dieser Sozialismus ist nicht nur wissenschaftlicher als

die Utopien vor ihm; er ist auch utopischer – und das ist kein Widerspruch. Die Wissenschaften des Achtzehnten und Neunzehnten Jahrhunderts lösten das Gegebene auf in Gewordenes, in einem vorher unbekannten Ausmaß. So riefen nicht mehr soviel eherne, unverrückbare Tatsachen dem utopischen Willen ihr Unmöglich zu. Der Sozialismus ist zugleich die wissenschaftlichste und utopischste aller bisherigen Utopien; insofern ist das Wort ›utopischer Sozialismus‹ so etwas wie – sehr nasses Wasser.

Allerdings sieht man diese erlauchte Herkunft dem, was heute ›Sozialismus‹ genannt zu werden pflegt, nicht mehr so recht an. Die technischen Details des Weges traten in den Vordergrund – und verdeckten immer mehr: worauf das eigentlich hinaus will. Ja, es ist fraglich, wieweit jener uralte Enthusiasmus, der den Sozialismus in die Welt setzte, noch in den Sozialisierungen unserer Tage lebt – den durchgeführten wie den geplanten. Der Sozialismus ist eine kleine Zweckmäßigkeit oder Unzweckmäßigkeit geworden. Daneben strahlt das Wort noch immer sein ursprüngliches Glück aus. So wurde dieser Sozialismus einer der größten Herde moderner Denk-Verwirrung.

Die Entwirrung wäre nicht schwer, wenn genug Menschen Interesse daran hätten. Vergleiche den Sozialismus mit einem Hammer. Man kann mit einem Hammer einen Nagel einschlagen – und einen Mann totschlagen; der Hammer hat keinen unableitbaren Wert – sondern einen Nutzen, der zu messen ist an seiner Leistung. Ebenso hat der Sozialismus im Sinne des Planens-für-Gruppen keinen absoluten Wert. Man kann mit dem Hammer einen Meuchelmord begehen – und mit der Verstaatlichung der Produktionsmittel eine Unterdrückung verstärken. Alles kommt auf den Willen des Hammer-Besitzers und des sozialisierenden Staates an. An sich ist Hämmern noch nicht morden – und planen noch nicht unterdrücken ... ebensowenig wie das Gegenteil.

Jedes Werkzeug, das vielem dienen kann, ist vieldeutig. Der Sozialismus, der heute vor allem als Technik umstritten wird, ist – das vergißt man – in allererster Linie ein Ziel: eine Glücks-Lehre – die Lehre, daß das Glück nur zu erreichen ist durch Solidarität zwischen Mensch und Mensch; und daß diese Solidarität nicht zu erreichen ist ohne die Änderung fundamentaler Institutionen. Wie das am besten zu bewerkstelligen ist, das ist eine technische Frage. Aber nicht diese (im Interesse des Sozialismus ausgearbeiteten) Techniken geben dem Sozialismus einen Sinn – sondern: sie erhalten von ihm einen Sinn. Planen ist noch nicht Sozialismus. Einmischung in eine Sphäre, die bisher als privat galt, ist noch nicht Sozialismus. Deshalb ist es ebenso falsch, die alte preußische Armee als Sozialismus zu bezeichnen (was Spengler tat) wie die Trusts als Sozialismus zu bezeichnen (was Hayek tat) wie Platon als autoritären Sozialisten zu bezeichnen (was der englische Philosoph Russell tat). Man könnte ebenso gut einen Mann, der eine Frau aus dem Feuer herausschleppt, ohne daß sie ihn darum gebeten hat, einen Entführer nennen.

Nicht das Planen macht den Sozialismus. Nicht das Ausschalten von Freiheiten macht den Sozialismus. Keine einzelne Technik, die von Sozialisten angewandt worden ist, macht den Sozialismus. Jede Technik unterliegt der Frage: ist sie wirklich die brauchbarste? Was macht den Sozialismus? Was unterliegt nicht der Frage nach der Brauchbarkeit? Der Wille zum Glück, wie er von den ersten Sozialisten – von Robert Owen in England, von St. Simon in Frankreich, von den deutschen Dichtern Georg Büchner und Heinrich Heine ausgesprochen worden ist. Der russische Revolutionär Bakunin schrieb: der Sozialismus ›liebt das Leben und will es genießen‹. Das Motto, das der deutsche Handwerker Weitling über sein Buch ›Garantien der Harmonie und Freiheit‹ setzte, hieß: »Frei wollen wir werden wie die Vögel des Himmels; sorglos in heiteren Zügen durchs Leben ziehen wie sie.« Diese Kalender-Sprüchlein sagen mehr über den Sozialismus aus als die Lehre vom ›Mehrwert‹ – und die Korrektheit oder Unzulänglichkeit dieser

Lehre berührt den Sozialismus nicht; obwohl ohne jene nüchterne Sezierung der kapitalistischen Gesellschaft, die das Neunzehnte Jahrhundert vornahm, der Sozialismus nichts wäre als ein Häuflein von Überschwenglichkeiten. Sozialismus ist (seinem Ideal nach) die strenge Analyse der gegenwärtigen Gesellschaft – zum Zwecke ihrer Verwandlung in eine Glückliche Gesellschaft.

Die Wissenschaft von der Gesellschaft, die am Anfang des Neunzehnten Jahrhunderts aus dem Willen zum Glück entstand, erhielt den Namen Soziologie. Von dieser ursprünglichen Soziologie zweigten dann bald zwei spätere Soziologien ab: eine Wissenschaft von der Gesellschaft im Dienste der Bekämpfung des Sozialismus; und eine Wissenschaft von der Gesellschaft im Dienste von nichts – in dem Sinne, wie es im Dienste von nichts ist, wenn ich es unternehme, die Fasern der Holzplatte meines Schreibtisches zu zählen.

Was nun die von der Soziologie genährten Utopisten von ihren Vorgängern trennt, ist ihre bessere wissenschaftliche Ausrüstung für eine Erkenntnis dessen, was geändert werden soll; und ihre bessere technische Ausrüstung für die Errichtung dessen, was erbaut werden soll. Was aber die Sozialisten des beginnenden Neunzehnten Jahrhunderts trennt von vielen späteren – ist ihre innigere Verbindung mit dem Mutter-Schoß, der Glücks-Lehre.

Als Marx und Engels schrieben, hatten sie schon heftig zu kämpfen gegen jene bourgeoisen ›Utopisten‹, die nichts waren als sentimentale Schönredner; deshalb drückten sie ihren Willen zum Glück nur sehr verschämt aus: zum Beispiel in ihrem Enthusiasmus für den Dichter Heinrich Heine, der das Wort Glück noch unbekümmert auszusprechen wagte, weil er kein Marxist war, sondern ein St. Simonist.

Viele Marxisten wurden dann aus verschämten Utopisten – unverschämte Realisten. –

In einer kleinen Schrift ›Rede über das Glück‹, die im ersten Drittel des Neunzehnten Jahrhunderts erschien, ist der ursprüngliche Sinn des Sozialismus noch unverfälscht: der Weg zum Glück des Einzelnen geht durch eine radikale Änderung der Gesellschaft.

Der Autor dieser ›Rede‹, John Gray, war ein Utopist, kein Reformer; er war nicht nur auf irgend eine Verbesserung aus. Er gab seinen Lesern zu bedenken: »was sie sind und was sie sein könnten«. Für dieses ›Sein könnte‹ gibt es nie einen Präzedenz-Fall; und John Gray war sich bewußt: von 100 Personen denken 99 in der Kategorie des ›Präzedenz-Falls‹. Er aber war aus auf eine Menschheit, die es noch nie gegeben hat. Das ist das Merkmal der Utopisten. Ein Utopist ist ein Mann, der zu wollen wagt, was noch keinen Präzedenz-Fall gehabt hat.

Der Sozialist Gray erkannte nun – wie jeder Planer einer Glücklichen Gesellschaft vor ihm: daß Glück entweder total ist oder gar nicht; daß nicht einer glücklich sein kann inmitten es allgemeinen Unglücks. Und versuchte im Jahre 1824, diese alte Einsicht den ›höheren Ständen‹ Englands beizubringen. Das klingt zunächst nach nichts als der altbekannten Moralisiererei. Man soll sich aber nicht vor Wahrheiten fürchten, weil sie in die Hände der Festredner gefallen sind. Man soll sie lieber diesen Händen entreißen.

Und das tat der Autor der ›Rede über das Glück‹. Er fragte, im Jahre 1824: haben die ›höheren Stände‹ – die Vierfünftel erhalten – alles, was sie wünschen? Und antwortete: »Wir fürchten: nein. Sie müssen unter Umständen leben, von denen schon jeder einzelne die Möglichkeit des Glücks ausschließen würde.« Diese nicht sehr klare Antwort führte er dann folgendermaßen aus: »Sie haben Nahrung, Kleidung und Wohnung, das ist richtig. Aber wie? Genügt es ihnen, daß ihre Kleider von der besten Art auf die beste Weise angefertigt sind? Nein! Gewohnheit hat sie zum Werkzeug der Prahlerei und des Wetteifers gemacht.« Und er schloß: »So zeigt sich wenig Glück unter den höheren Ständen; ihre Bestrebungen beseitigen seine Daseinsmöglichkeit, indem sie kalte Förmlichkeit, äußeren Prunk und kleinliche Nebenbuhlerschaft an die Stelle inniger Herzlichkeit, innerer Befriedigung und vernünftigen Vergnügens setzen.«

Nun ist die Glücklosigkeit der Reichen eine uralte, recht abgespielte Melodie. Sie wird benutzt als Wiegen-Lied, um den Neid der Armen einzuschläfern. Aber so benutzt John Gray sie nicht. Er sagt nicht: auch die armen Reichen sind also unglücklich – ein Beweis dafür, wie unwichtig es ist, ob man auf der Sonnen-Seite lebt oder im Schatten. Das sagt der Sozialismus nicht.

Dagegen fordert er: »Offenbar sind also die Einrichtungen der Gesellschaft jämmerlich ungeeignet für den Zweck, den sie verfolgen. Ihre Absicht ist: das Glück des Menschen zu steigern; ihre Folge: sein dauerndes Elend.« Der Sozialismus folgert also: nicht einmal die, welche alles haben, sind glücklich; so muß etwas Durchgreifenderes geschehen, um sowohl die ›höheren Stände‹ als auch die Niederen glücklich zu machen. Daß selbst die ›höheren Stände‹ nicht glücklich sind, ist ein Argument mehr gegen die bisherige Routine im menschlichen Zusammenleben.

Ob nun der Plan einer solchen radikalen Veränderung wirklich mehr ist als irgend eine Schwärmerei, hängt von zwei Dingen ab: erstens, ob das Übel erkannt wird, welches schuld daran ist, daß der Mensch, voll Sehnsucht nach Glück, nicht glücklich wird; und zweitens, ob dieses Übel innerhalb des Bereichs menschlichen Manipulierens liegt – das heißt, ob es unter Kontrolle gebracht werden kann.

Gray stellte nun folgende Diagnose. Es muß immer zwei Grenzen geben für das Einkommen eines Landes: die Erschöpfung der Produktions-Kräfte und die Befriedigung der Wünsche. Unglücklicherweise aber haben wir darüber hinaus noch eine dritte, künstliche errichtet: ›die Konkurrenz‹.

Sozialismus ist die Einsicht, daß ›die Konkurrenz‹ der Ursprung aller jener Übel ist, die nicht in einer unabänderlichen Natur ihre Wurzel haben. So lehrte ›die Rede über das Glück‹: »daß die Teilung der menschlichen Interessen in der Beschäftigung des Kapitals und in der Verteilung ihres Arbeitsprodukts die Ursache aller Armut und aller Not ist«. Und prophezeite: »daß die Einheit der Interessen alle Armut beseitigen werde mit ihren zehntausend Folgen, die zusammen dem Menschengeschlecht alles rauben, was das Leben lebenswert macht«. Unter den zehntausend Folgen führt er auch die Furcht an – gegen die alle Epikuräer aller Jahrhunderte zu Felde gezogen sind; es werden die Reichen nicht minder als die Armen ›von ständiger Furcht gequält‹, ›von ihren Konkurrenten überflügelt zu werden‹. Freiheit von Furcht ist: Freiheit von Konkurrenz. –

In seinen besten Tagen ist der Sozialismus nicht nur eine Reihe von Lohnfragen gewesen, sondern der leidenschaftliche Wille zu einem Experiment. Die Hypothese des Experimentators lautete: der Krankheits-Erreger, der ein glückliches Leben bisher verhindert hat, ist ›die Konkurrenz‹. »Beseitigt ihn und, wenn die Welt dann widerstrebt, glücklich zu sein, scheltet die menschliche Natur!« Aber man belaste diese menschliche Natur nicht schon vor dem Versuch! Denn solange das Gesetz der Konkurrenz regiert, »ist es ebenso klug, Glück – als die Blüte des Fichtenzapfens auf einem Schneefeld zu erwarten«.

Der Sozialismus war in seiner großen Zeit nicht ein Aberglaube – sondern der Enthusiasmus für ein klar umschriebenes Glücks-Experiment. Der englische Fabrikant Robert Owen unternahm es.

Robert Owen

> *Alle Wesen, die Bewußtsein haben,*
> *sind geschaffen worden,*
> *nach Glück zu streben.*

Seine Jugend fiel in das letzte Viertel des Achtzehnten Jahrhunderts.

Er stammte von armen Bauern aus Wales. Sehr jung mußte er in die Lehre. Der Lehrling hatte in aller Herrgottsfrühe aufzustehn, um mit dem schwierigen Unternehmen der Toilette fertig zu werden. Der Friseur puderte ihn, schmierte sein Haar mit Pomade ein, drehte ihm eine Locke nach links, eine Locke nach rechts und fabrizierte schließlich im Genick ein steifes Schwänzchen. Dann kamen die ersten Kunden. Wenn die letzten gingen, nachts um elf, hatte er noch drei Stunden lang in Ordnung zu bringen, was die Kundschaft des Tages in Unordnung gebracht hatte. Er diente von der Pike auf.

Er lernte Menschen aus allen Schichten kennen. Er bediente sowohl die Feudal-Aristokratie als auch die reichgewordenen Fabrikanten; und obwohl er bald einer der Ihren wurde, stellte er, zeit seines Lebens, die untergehenden Feudalen über die, welche sie besiegt hatten. Er wurde einer der ersten englischen Schriftsteller, der die industrielle Revolution, in der er groß wurde, in ihrem ganzen Umfang begriff.

Er wurde sehr schnell einer der ersten Baumwoll-Fabrikanten des Landes. Und hätte es in seinem siebenundachtzigjährigen Leben ganz gewiß mit Leichtigkeit zu einer Firma bringen können, die noch heute seinem Namen Popularität verliehe. Doch hatte er nicht die rechten Grundsätze für solch eine Karriere. Er war erst Anfang Dreißig, Fabrikherr im Schottischen New Lanark – da wollte er schon nicht mehr nur erfolgreich sein. Er war ganz gewiß ein tüchtiger Geschäftsmann; auch er wollte aus seinem Betrieb etwas herauswirtschaften. Aber er wollte noch mehr. Was war dieses Mehr? Er war aus (erstens) auf ein glücklicheres New Lanark. Und (zweitens) auch noch auf eine glücklichere Menschheit.

Der junge Friedrich Engels hat dann (einige Jahrzehnte später) glänzend beschrieben, welche Verwüstungen die industrielle Umwälzung in England hervorbrachte. Der Fabrikant Robert Owen war der Erste, der diese Wüste nicht mit freundlichen Redensarten wegzublenden suchte. Er kümmerte sich nicht nur um die Herstellung der Baumwolle – sondern auch noch um die Hersteller. Dann ging er sogar noch einen Schritt weiter und fragte: wer oder was brachte diesen elenden Hersteller hervor? wer oder was brachte den Fabrikarbeiter in die unmenschliche Situation, in der er heute lebt? Und antwortet: nicht Gott und nicht die Natur, sondern die menschliche Gesellschaft. Auf dem Wege zum Glück traf er auf einen mächtigen Produzenten des Unglücks: die Gesellschaft.

Was hatte er an der menschlichen Gesellschaft auszusetzen? Als Robert Owen noch ein kleiner Junge gewesen war, hatten einmal einige Freunde seiner Eltern miteinander gewettet: Robert könne besser schreiben als sein zwei Jahre älterer Bruder Johann. Da veranstaltete man einen Wettbewerb zwischen den beiden Jungens – und gab Robert den Preis. Von diesem Tage an war der Bruder ihm nicht mehr so gewogen wie zuvor.

Der erwachsene Robert Owen nahm sich diese Geschichte nicht nur zu Herzen. Er nahm sie sich auch noch zu Kopfe. Er nahm sie zum Anlaß, die Wurzel des Hasses, des Neides, des Hochmuts bloßzulegen. Alle Übel, fand er, stammen daher: daß im Wettbewerb einer auf den andern gehetzt wird. Unter diesem System – in einer Gesellschaft, die mit ihrer Konkurrenz täglich Tausende von Feinden produziert – kann Glück nicht blühen. Das ist die Einsicht seines Lebens gewesen.

Und er stellte gegen diese verkehrte, grausame, Elend erzeugende Gesellschaft, welche individuelles Interesse gegen individuelles Interesse setzt, nationales Interesse gegen Nationales – die Harmonie zwischen den Individuen und den Gruppen, die allein Glück zu erzeugen vermag.

Ist das nicht wieder nur der altbekannte, liebe, ohnmächtige Idealismus? Ist das nicht wieder nur der altbekannte, langweilig gewordene Gegensatz von frommem Wunsch und böser Wirklichkeit? Owen interessierte sich nicht nur für das schöne Ideal, sondern ebenso für die häßliche Wirklichkeit. Und hielt diese Häßlichkeit zwar für häßlich – aber durchaus nicht für hoffnungslos. Man hat Owen ›einen Mann mit einer einzigen Idee‹ genannt. Diese Idee legte er nieder in kleinen Sätzchen wie: der Mensch ist ›das Kind von Natur und Gesellschaft‹; ›die Natur verlieh ihm seine Eigenschaften, die Gesellschaft gab ihm die Richtung‹. Ist das eine so mächtige Idee? Sie hat ungeheure Konsequenzen.

Der Mensch ist nicht ›von Natur‹ so, wie er ist. Zum Beispiel: wovon einer überzeugt ist, das hing nicht von ihm ab; das hing ab von dem stärksten Druck, der durch seine Gesellschaft auf ihn ausgeübt wurde. Es ist die menschliche Agentur – nicht die Natur, die Gefühle und Ideen produziert. Es ist die menschliche Agentur, die aus dem Menschen einen mehr oder weniger isolierten Wolf gemacht hat; denn ›die Natur des Menschen ist von der Wurzel her gut‹. Die anerzogene Wolfs-Natur aber läßt ihn nicht zu dem Glück kommen, dessen er von Natur fähig ist.

Der Mensch, den die ›Gesellschaft‹ produziert, kann nur glücklich werden, wenn man seinen Fabrikanten, die Gesellschaft, glücklich macht. Man zerstöre den Wettbewerb. Und setze an seine Stelle eine Gesellschaft von Menschen, die miteinander arbeiten – nicht gegeneinander. Robert Owen fand seine Sendung darin, statt Baumwolle diese Glückliche Gesellschaft herzustellen.

Sehr viele waren gegen ihn – aus sehr vielen Gründen Man könnte aus seinen Feinden eine Typologie aller Gegner der Glücklichen Gesellschaft schaffen. Zunächst waren gegen ihn seine Kompagnons im New Lanarker Geschäft. Sie meinten: eine Fabrik sei zum Geldverdienen da – nicht zur Produktion von Glück für rachitische Kinder. Dann waren viele seiner Arbeiter gegen ihn: erstens, weil sie Schotten waren, und ihm, dem Engländer, nicht trauten; und außerdem vermuteten sie hinter den Wohltaten eines Kapitalisten nichts Gutes. Dann war auch Karoline gegen ihn, seine Frau: je weiter er vorwärts ging, um so mehr beschwerte sie sich, daß seine Liebe zur Menschheit seiner Familie alle Liebe entziehe. (Frau Tolstoi sagte hundert Jahre später dasselbe.) Dann waren alle Herren gegen ihn: teils weil er sie unmittelbar schädigte durch Einbringung von Gesetzen, die ihnen unbequem waren; teils paßte ihnen die ganze Richtung nicht. Der politische Schriftsteller Friedrich Gentz, Metternichs Sekretär, den Owen einmal in Frankfurt traf, sagte recht deutlich: »Wir wollen nicht, daß die Massen reich und unabhängig werden. Wie könnten wir sie dann regieren?«

Dasselbe sagten viele Geistliche – und die Anhänger von Malthus, nur viel feiner. Die Frommen meinten: der Mensch hat nicht das Recht, Gott zu korrigieren; wen der Herr des Himmels und der Erden als ungebildeten Arbeiter für ein kurzes Leben geschaffen habe, dem dürfe nicht einmal ein Fabrik-Herr ein anderes Leben bescheren. Und die Malthusianer verkündeten (scheinbar wissenschaftlich) dasselbe: da die Erde nur eine bestimmte Anzahl von Menschen ernähren könne, sei Krieg und Armut eine wohltätige Einrichtung der himmlischen Ökonomie. Will sich der törichte Fabrikant Owen gegen solch ein weises Wirtschafts-Gesetz empören?

Dann waren auch noch die Liberalen da. Sie schrieben Artikel mit der Überschrift: »Lassen Sie uns in Ruhe, Herr Owen!« – Auf englisch: "Let us alone, Mr. Owen." Das reimte sich im Englischen, obwohl es ganz ungereimtes Zeug war. Sie schrieben höhnisch: er hält die Menschen für entwurzelte Pflanzen, die nach Jahrtausenden wieder Wurzeln schlagen sollen. Sie schrien: er will England zum Gefängnis machen! Der eleganteste Angreifer war Macaulay. Er nannte Owen ›jenen alten öden Burschen, der den Tänzern nicht ihr Vergnügen läßt‹. Aber – wo Macaulay einen Tanz sah, da sah Owen einen Totentanz.

Mit so vielen Gegnern wurde der aufsässige Fabrik-Besitzer eine internationale Berühmtheit. Könige und Kirchen sandten Abgesandte in seine Muster-Siedlung New Lanark: teils um ihr Interesse für philanthropische Institutionen zu bekunden – teils, um ein bißchen zu spionieren; vielleicht kann man ihm doch was am Zeuge flicken. Auch kamen viele nur so aus Neugierde angereist: Diplomaten, Bankiers und Roman-Schriftsteller. Der prominenteste Sympathisierer war der Duke of Kent.

In dem Jahr, in dem Englands gefährlichster Feind, Napoleon, bei Leipzig geschlagen wurde, brachte Owen sein Buch ›Eine neue Deutung der menschlichen Gesellschaft oder Essays über die Bildung des Charakters‹ heraus. Es propagierte drei Ideen, die durchaus nicht neu waren – aber vom Leben dieses leidenschaftlichen Mannes nun neues Leben empfingen: erstens, daß es auf dem bisherigen Wege nicht weitergehe; zweitens, daß die Gesellschaft etwas ganz anderes sein könne als (im besten Fall) ein Kontrakt zwischen Egoisten; und drittens: daß das einzige Ziel der menschlichen Kultur das Glück sei. Er ergänzte den antiken und christlichen Epikuräismus durch die Einsicht, daß das Glück des Einzelnen abhängig ist vom Glück seiner Gesellschaft.

Diese Lehre verbreitete er mit allen Mitteln. Wenn die Londoner Zeitungen seine Vorträge ausführlich wiedergegeben hatten, kaufte er dreißigtausend Exemplare und schickte sie an Hunderte von Geistlichen, an alle Mitglieder des Ober- und Unterhauses, an Minister, Bankiers und andere Prominente. Die Behörden beschwerten sich schließlich: Herr Owen habe wieder einmal soviel Zeitungen abgeschickt, daß alle Postwagen des Königreichs erst zwanzig Minuten nach ihrer offiziellen Abfahrts-Zeit London verlassen konnten. Wahrscheinlich beschwerten sich auch viele Empfänger – zum Beispiel wegen der Rechnung, die ihnen hier vorgelegt wurde. Owen hatte nämlich berechnet: die elende Basis der Gesellschafts-Pyramide habe eine Fläche von 31 mal 56, während die glänzende Spitze (die königliche Familie plus dem House of Peers plus den übrigen weltlichen und geistlichen Herren) nur die Winzigkeit eines $3/16$ ausmache.

Von seinem Buch schickte er vierzig Vorzugs-Exemplare an alle europäischen Souveräne und ihre wichtigsten Minister. John Quincy Adams, damals amerikanischer Gesandter in London, nahm ein Exemplar für jeden Gouverneur nach Amerika mit. Ein Offizier, der auf dem Wege nach Elba war, bat um ein Exemplar für den einsamen Napoleon. Alle Kaiser und Könige und Präsidenten und Minister und noch viele andere Obere wußten von ihm. Zwischen 1815 und 1825 schrieben sich fast 20 000 in das Gäste-Buch von New Lanark, seiner Muster-Fabrik, ein – darunter auch der spätere Zar Nikolaus. Aber jener Owen, der inmitten der bürgerlichen Ruhe aufgestört war vom wachsenden Industrie-Proletariat, hatte keine Beziehung zu der sich bildenden Arbeiter-Klasse.

Er war kein Arbeiter-Führer! Und er war kein bürgerlicher Schwärmer! Was war er? Man kann ihn nur erkennen, wenn man große religiöse Figuren der Frühzeit neben ihn stellt: nicht jene Gläubigen, die bibelfest waren, sondern jene viel weniger Festen, die aus dem Gleis der geschichtlichen Kontinuität herauszuspringen suchten. Buddha und Jesus waren keine frommen Kultur-Förderer; sie haben sich keine Verdienste erworben um Kunst und Wissenschaft – wie die Nachfolger, die später aus ihnen Kunst und Wissenschaft machten. Sie waren eher Anzeichen, folgenlose Anzeichen: daß es mit der Menschheit vielleicht einmal in eine ganz andere Richtung gehen wird. Auch Owen ist solch ein Anzeichen gewesen.

Diese Nebeneinanderstellung wird manchem sehr arg sein. Das ist begreiflich. Wir wissen von einem Menschen des Neunzehnten Jahrhunderts viel mehr Details als von einem Menschen vor zwei- bis dreitausend Jahren. Von den Ur-alten ist uns nicht viel mehr berichtet als ihr denkwürdiger, extravaganter Sprung aus dem Alltag heraus; von dem Modernen kennen wir außerdem noch alle seine tausend faden Äußerungen und Verrichtungen. Das ist der Grund, weshalb uns die, welche weit entrückt sind in der Zeit, soviel gigantischer erscheinen. So wird mancher Leser unangenehm berührt sein von dem Vergleich eines englischen Fabrik-Herrn im Abend-Anzug mit jenen Erlauchten im Phantasie-

Kostüm, die unter dem Titel Religions-Stifter soviel ehrwürdige Patina angesetzt haben. Diese ehrwürdigen Übermenschen der Vergangenheit sind aber wahrscheinlich nur Stilisierungen auf monumental, welche die Zeit mit der Zeit an ihren Geschöpfen vornimmt.

Man vergesse deshalb für einen Moment, daß Robert Owen auch gute Geschäfte machte, die Presse eifrig benutzte, Kinder hatte – und am Ende seines Lebens noch so geistlos wurde, daß er an Geister glaubte. Und erinnere sich nur daran, daß er mit einem großen Ernst und der Leidenschaft seines Lebens aus dem historischen Schienen-Weg herauszuspringen und die Menschheit in eine neue Richtung zu reißen suchte. In den Jahren, in denen England alle seine Aktivitäten und Gedanken gegen den fürchterlich bedrohlichen Napoleon richtete – wendete Owen alle seine Aktivitäten und Gedanken gegen die bisherige menschliche Gesellschaft: wie sie sich von der Vertreibung aus dem Paradies bis herunter zu Georg III. entfaltet hatte.

Und stellte fest, am ersten Januar 1816, in einer Ansprache an die Einwohner von New Lanark, anläßlich der Eröffnung eines Instituts für Charakterbildung: »Ich weiß nicht, welche Ideen dieser und jener mit dem Begriff ›Tausendjähriges Reich‹ verbinden mag. Aber ich weiß, daß man eine Gesellschaft bilden kann, in der es kein Verbrechen gibt und keine Armut; die Gesundheit der Menschen wird wesentlich besser sein, es gibt nur wenig Leid – wenn überhaupt, Vernunft und Glück sind ins Hundertfache gewachsen.«

Hinter diesen Sätzen war nicht nur irgend ein festlicher Anlaß, bei dem schon mancher manches Überschwengliche geäußert hat. Hinter diesen Sätzen war nicht ein flüchtiger Rausch, sondern eine lebenslängliche Treue. Hinter diesen Sätzen stand ein Mann, der für seinen Enthusiasmus eine glänzende Position opferte – und bald darauf versuchte, diese Sätze wirklich zu machen; denn er verließ sich nicht auf den Fortschritt der anonymen Geschichte. Und er ließ sich auch von der Forderung: ›Sofort!‹ nicht abbringen, nachdem er gescheitert war. Noch im Jahre 1857, im letzten Jahr seines langen, an Enttäuschungen reichen Lebens, bekannte er: »Nun, an der Schwelle meines sechsundachtzigsten Jahrs, nach einem Leben voll von mächtigen und ungewöhnlichen Erfahrungen mit allen Klassen, Konfessionen und Rassen in vielen Ländern, stelle ich fest (gemäß der klarsten Überzeugung, die sich mir aufgezwungen hat): alle die ärmlichen Reformen, von dieser oder jener politischen oder religiösen Partei angeregt, sind nicht nur wertlos, sind vielmehr elende Hindernisse auf dem Wege zur sofortigen Erreichung des Guten, der Weisheit und des Glücks für Alle. Denn die Reformen kommen nie zur radikalen Änderung in Theorie und Praxis, kommen nie zu einer kompromißlosen Praxis, die im Großen und Kleinen mit der Theorie übereinstimmt.«

Dieser Wille zum Herausspringen aus der Bahn der geschichtlichen Monotonie gab ihm das ungeheure Missions-Bewußtsein, das wir sowohl von Irren als auch von Propheten kennen. Durch mich als menschlichen Mittler, verkündete er, wird die neue Existenz ins Dasein kommen. Er nannte den neuen Zustand der Dinge bald das Tausendjährige Reich, bald den Menschheits-Bund, in dem alle glücklich sein werden. Und er war entschlossen, für die Errichtung der Glücklichen Gesellschaft ›zu siegen oder zu sterben‹.

Der Ankündigung: er werde das mächtigste Experiment unternehmen, das je in irgend einem Teil der Welt für das Glück der Menschheit unternommen worden ist – folgten zwei Taten; die erste war die Vorbereitung der größeren zweiten. Zunächst schleuderte er der Gesellschaft, in der er ein hochangesehenes Mitglied war, den Fehde-Handschuh hin; dann errichtete er, mitten in der realen Welt, die er für glücklos hielt, eine ebenso reale Welt, die bestimmt war, die Glückliche Gesellschaft in Fleisch und Blut vorzuführen.

Es war ein Hochsommer-Tag des Jahres 1817, an dem

der Engländer Owen etwas Ähnliches tat – wie Buddha, als er Haus und Hof und Weib und Kind verließ. Der Fabrikant kommt uns nicht ganz so wunderbar vor, er war mehr bürgerliches Neunzehntes Jahrhundert. Aber mit Recht sah er sein Leben lang auf diesen Tag zurück als auf den Tag der Entscheidung.

Er war damals, wie er vielleicht etwas übertreibend sagte: der populärste Mann der zivilisierten Welt. Auf jeden Fall war er ein geachteter Besitzer, in engster Beziehung zur feudalen und bürgerlichen Aristokratie – und eine öffentliche Figur, die von sich nicht nur viel Redens, sondern auch viel Schreiens gemacht hatte.

Dieser vielbewunderte und vielbeschriene Owen stellte sich an jenem August-Mittag aufs Podium des größten Saals der City of London Tavern und eröffnete den Zuhörern: »Freunde! Man hat Euch bisher nicht sehen lassen, was Glück wirklich ist.« Es mußte etwas Fürchterliches sein, was er nun offenbaren wollte; denn er fügte hinzu: es ließe ihn kalt, was für Folgen die kommende Enthüllung für sein Leben haben werde. Im Saal war Toten-Stille, die Stille aufgeregter Erwartung. Und noch nach vierzig Jahren fühlte der alte Owen die Bereitschaft zum Martyrium, die in jener Stunde in ihm lebte.

Wer ist der Tyrann, der den Menschen abhält, zu erfahren: was Glück wirklich ist? Die organisierte Religion! Sie ist immer die üppigste Quelle der Feindschaft zwischen den Individuen und den Völkern gewesen. Es sind die Priester gewesen, die den menschlichen Fähigkeiten eine falsche Richtung gaben und so den Fortschritt auf dem Wege zum Glück verhinderten. Diese überlebensgroße Stilisierung der Priester war gute alte Aufklärer-Tradition.

Owen ging nicht ahnungslos gegen diesen mächtigen Feind vor. Er kannte die Verzweigtheit seiner Beziehungen. Er wußte auch, wie wenig Menschen geneigt sind, davon abzugehen, was ihnen einmal in der Schule beigebracht worden ist. Er kannte die Stärke seines Gegners und ging deshalb mit vollem Bewußtsein allein zu dieser Attacke. Niemand sollte in sein gefährliches Unternehmen verwickelt werden.

Man hat dem erfolgreichen Industriellen diesen Angriff nie verziehn. Aber im ersten Viertel des Neunzehnten Jahrhunderts wurde ein wohlhabender und beliebter englischer Kaufmann wegen solcher Ketzereien nicht mehr verbrannt. Und sein Pathos klingt manchem Leser heute vielleicht nur deshalb so lächerlich, weil kein Scheiterhaufen es nachträglich legitimiert hat. Und vielleicht auch deshalb, weil wir heute das, was er damals als Wurzel des Übels ansah, mehr als Symptom denn als Ursache deuten.

Welche große Einsicht haben die Kirchen verheimlicht? Daß der Mensch nicht Ein Mal geschaffen wird, sondern Zwei Mal? Der Mensch wird erst von Gott oder der Natur geschaffen – und dann noch einmal von seiner Gesellschaft. Sprache, Religion, Gewohnheit werden ihm von der Gesellschaft aufoktroyiert. Es liegt nicht an der Natur des Menschen, sondern an seiner Gesellschaft, daß er nicht zum Glück kommt.

Am 21. August 1817 erklärte Owen: man hat mit Hilfe der Religionen aus dem Menschen ein schwaches, dummes Tier gemacht; einen wütenden Bigotten oder einen elenden Hypokrit. Und schwor, er, Robert Owen, werde dies Unglück wenden. »Und besäße ich zehntausend Leben, und hätte ich für jedes Leben einen schmerzhaften Tod zu sterben, ich würde sie gern hingeben, jenen Moloch zu vernichten, der in jeder Generation Geist und Glück von tausend Millionen meiner armen Mitmenschen frißt.«

Aber er wäre heute nur einer der vielen Besiegten auf diesem Felde, wenn es dabei geblieben wäre. Er ging einen Schritt weiter: Er gründete die Glückliche Gesellschaft.

> *Das einzige Ziel dieser Gemeinschaft ist:*
> *allen ihren Mitgliedern das größte Maß*
> *von Glück zu schenken, es ihnen zu sichern*
> *und es ihren Kindern und Kindeskindern*
> *zu übermitteln.*
>
> New Harmony Gazette, 1826

Das ist die große Frage hinter allen Plänen von der Glücklichen Gesellschaft gewesen: wie kann man das ganz Neue, das noch nie Dagewesene – wie kann man das zwischen Mensch und Mensch in eine Welt bringen, in der immer nur die Methode der kleinen Verbesserungen angewandt worden ist?

Die berühmteste Antwort ist Platons Vorschlag gewesen: die Kaiser und die Könige und die Präsidenten und die Tyrannen – oder wie die Herrschenden gerade hießen, sollen Philosophen werden oder den Philosophen gehorchen: auf daß Weisheit und Macht eins würden. Die zweitberühmteste Antwort gab Marx: die Unterdrückten sollen die Gefüge der unglücklichen Gesellschaft zerbrechen – und die glückliche Ordnung erzwingen. Die drittberühmteste Antwort gab Tolstoi: der Einzelne soll allen Macht-Institutionen (wie Staat und Kirche) seine Mitarbeit versagen und mit seinem beispielgebenden Verhalten die Mitmenschen anstecken; mit den Macht-Gefügen wird dann alles dahinschwinden, was dem Glück im Wege steht.

Der Engländer Robert Owen versuchte in der ersten Hälfte des Neunzehnten Jahrhunderts einen Weg zur Glücklichen Gesellschaft, der (etwa) zwischen dem Weg des Plato und dem des Karl Marx lag. Im Zeitalter des Experiments experimentierte er; errichtete er ein Laboratorium zur Herstellung einer Glücklichen Gesellschaft – auf Grund seiner Einsicht in die feindlichen Kräfte, welche das Aufblühen dieses Glücks bisher verhindert hatten. Dies Experiment hatte noch etwas von dem Rationalismus des

Achtzehnten – und schon etwas von dem Technizismus des Neunzehnten und Zwanzigsten Jahrhunderts. Es war auf dem Wege, der vom unrealistischen Idealismus zum un-idealistischen Realismus führte.

Owen verlegte sein Laboratorium nach Amerika, nachdem er in der schottischen Muster-Fabrik New Lanark trotz allen Aufsehens doch nicht recht vorwärts gekommen war. Sein Vertrauen zur Alten Welt war nach allem, was er durchgemacht hatte, höchst gering. Er hielt ihre Gewohn-heiten und Vor-Urteile einem Versuch, wie er ihn vorhatte, für abträglich. In Amerika aber sah er (wie mancher seiner Zeitgenossen: von dem französischen Offizier Lafayette bis zum deutschen Romantiker Lenau) jungfräulichen Boden: »Die Wiege der zukünftigen Freiheit«. Owen gehörte, was Amerika betraf, durchaus nicht zu den ärgsten Illusio-nisten Europas; er war eher der Ansicht, daß nicht einmal die Amerikaner so recht das Neue verstanden, das sich auf ihrem Boden vorbereitete. Er, Owen, verstand es. Und war sicher, daß nirgendwoanders wie hier sein Experiment eine Chance haben würde.

Am fünfundzwanzigsten Februar 1825 (und dann noch einmal am siebzehnten März) setzte er dem Präsidenten der Vereinigten Staaten, John Quincy Adams, den Mitglie-dern seines Kabinetts, den Angehörigen des Kongresses und einigen amerikanischen Richtern auseinander: in welcher Absicht er die neue Welt betreten habe. Er wolle ›ein Reich des Friedens und der menschlichen Solidarität‹ gründen, wie es noch nie dagewesen sei. Und er beendete seine An-sprache, indem er die fleißigste und beanlagteste aller Nationen (wie er sich ausdrückte) einlud, dies neue Reich so-fort zu etablieren. Die glückliche Zukunft des Menschenge-schlechts sollte im Staate Indiana liegen, am Ufer des Flus-ses Wabash, einem Nebenfluß des Ohio. Er taufte diese glückliche Siedlung auf den Namen New Harmony. Man-cher Amerikaner fragte sofort: wer wird in diesen Pferch gehen – in der Aera der unbegrenzten Möglichkeiten für das Individuum? Und mancher Amerikaner antwortete sofort: nur ein Faulpelz.

Es kamen in den ersten Monaten etwa Tausend an: Leute von verschiedener Herkunft, Leute mit verschiedener Absicht. Es kamen gelehrte Philanthropen. Es kamen Schwärmer, welche begeistert waren für die Glückliche Gesellschaft und noch begeisterter für den Idealisten Owen. Es kamen sehr viele Abenteurer, die das Leben an der Grenze der Kultur – oder auch nur das Abenteuerliche dieser Veranstaltung reizte. Es kamen vor allem sehr viele Arme.

In der Eröffnungs-Rede, am siebenundzwanzigsten April 1825, verkündete Owen: ich bin in dies Land gekommen, um eine neue, glückliche Menschheit zu schaffen. Ich will das System der Ahnungslosigkeit und der bewußten Selbstsucht umformen in ein System des Wissens und der Verbundenheit. Ich werde die vielen Interessen in ein einziges Interesse zusammenschmelzen und alle Ursachen für den Kampf zwischen den Einzelnen entfernen. Trotz dieses Überschwangs der Rede ging der Überschwengliche dann recht vorsichtig vor. Er wollte zunächst nur ›ein Haus auf halbem Wege‹ bauen. In ihm sollten die Pioniere ins Paradies trainiert werden, drei Jahre lang. Dann erst sollte ›der Bund der Gleichen‹ entstehen.

Zunächst einmal machte er also viele bittere Kompromisse. Farbige wurden in diese Glücks-Siedlung nicht zugelassen – obwohl die Ausmerzung der Rassen-Vorurteile ein Hauptpunkt war. Dagegen wurde Whisky zugelassen, obwohl Owen ihn sehr gerne verboten hätte. Und da man vorerst noch auf eine Reihe von Leuten angewiesen war, die auf das Prinzip der gleichen Rationen nicht eingehen wollten, bekam jeder soviel Geld, wie er machen konnte – also ungefähr ebensoviel, wie in den weniger glücklichen Gesellschaften. Die Zeitung der Siedlung setzte über ihre erste Nummer das recht kleinlaute Motto: »Können wir auch nicht die verschiedenen Köpfe in Harmonie bringen, so laßt uns doch eines Herzens sein.« Diese Trennung von

Hirn und Herz war nicht gerade glückverheißend. Aber das galt ja alles nur vorläufig, nur für drei Jahre. Und schon dieses Vorläufige, dieses ›Haus auf halbem Wege‹, wurde ein Toll-Haus.

Platon hatte so etwas nur den Philosophen zuzumuten gewagt. Owen hingegen kam offenbar nicht auf den Gedanken: daß, wenn man Seile zwischen den Giebeln der Häuser spannte und die Leute unvorbereitet über sie jagte – daß sich dann selbstverständlich alle das Genick brächen, mit Ausnahme der Seil-Tänzer. Er mußte schwer büßen, daß er die Möglichkeit, die im Menschen steckt, verwechselte mit der Wirklichkeit, die er ist.

Wie sah diese Wirklichkeit aus? Zum Beispiel so! Im Mai 1825 verließen Herr Thomas Pears und Frau Sarah mit sieben Kindern ihr Heim in Pittsburg, Pennsylvania, um die Glückliche Gesellschaft mitaufzubauen; das Jüngste war ein Jahr alt, das Älteste achtzehn. Die Pears schrieben viele Briefe heim: vor allem an Onkel und Tante Bakewell.

Schon im ersten Brief vom Juni ist viel mehr Sehnsucht nach der unglücklichen Gesellschaft, die sie verlassen haben, als Begeisterung für die Glückliche Gesellschaft, die sie nun zur Welt bringen sollen. Man ist voll Hoffnung – mit zusammengebissenen Zähnen.

Im Juli kommt eine Antwort von Pittsburg in New Harmony an. Von weitem bewundert man sehr, was in der Nähe gar nicht so wunderbar aussieht. Auch gründete man in Pittsburg einen Verein, der Owens Ideen propagieren sollte. Aber ganz naiv war man auch in Pittsburg nicht – und stellte die Frage aller Fragen: arbeiten die Einzelnen bei Euch ebenso gut, als ob sie es für ihre eigene Tasche täten?

Man kann nicht sagen, daß die Welt damals mit derselben Spannung auf Owen und New Harmony blickte – wie sie (zwölf Jahre zuvor) auf Napoleon und Leipzig geblickt hatte. Es wird wahrscheinlich nicht allzuviel Zeitgenossen gegeben haben, die fühlten: daß von dem Experiment am Flüßchen Wabash das nächste Jahrtausend abhängt. Einige

Menschen jedoch fühlten so. Jedenfalls empfingen in Pittsburg die Bakewells und ihr Kreis Nachrichten aus New Harmony in einer Aufregung – als wäre (um ihre eigenen Worte zu gebrauchen) Post vom Jupiter oder Saturn angekommen. Sie ahnten, daß das Glück, das in New Harmony geboren werden sollte, nicht von der bisher bekannten Welt war.

Allerdings zeigten die Nachrichten, die aus New Harmony einliefen, eine allzubekannte Welt. Von Glück konnte gar keine Rede sein. Die Farmer hielten sich für die Krone der Schöpfung. Die Jungen sahen nicht ein, weshalb sie nicht in allem den Älteren gleichgestellt wurden. Die Außenstehenden (schrieben die Pears recht bitter) haben es leicht, begeistert zu sein; sie sehen nur den schönen Anstrich. Trotzdem, fügten sie hinzu, haben auch wir noch Hoffnung. Robert Owen war noch einmal nach England gefahren. Sobald er wieder zurück sein wird, muß sich alles zum Guten wenden. Allerdings wird es viel länger dauern, als wir annahmen. Und im übrigen – als Antwort auf Eure Anfrage: die Leute arbeiten nicht so gut, als wenn sie für ihren eigenen Nutzen arbeiteten.

Frau Pears war nicht so ausgeglichen wie ihr Mann, der eine sehr kühle Bilanz zog. Sie schrieb an ihre Tante klipp und klar: ich bin verzweifelt! gut, daß ihr nicht mit uns gekommen seid! nichts hier entschädigt für das, was wir dort verlassen haben! Schließlich wird es auch Herrn Pears immer deutlicher. Wir sollten hier, schreibt er, in einer neuen Welt sein. Aber die meisten haben erst den Alten Adam abzulegen. Skandale sind an der Tagesordnung. Außerdem leben wir hier unter einer Aristokratie. Was nicht zu ändern ist, bis Herr Owen zurückkommt.

Das ist noch viel zu milde ausgedrückt, fügt Frau Pears hinzu. Man lebt nicht unter einer Aristokratie, sondern unter einem Despotismus. Man ist ein Sklave. Bei der geringsten Weigerung wird einem mit dem Rausschmiß gedroht. Wie bedaure ich, daß ich Pittsburg verlassen habe!

Sollte es mir ja noch einmal vergönnt sein, in die zivilisierte Welt zurückzukehren – so werde ich mich vor solchen Dummheiten schwer hüten.

Im November ist Frau Pears soweit, daß sie rast: »Ich bin außerhalb der Menschheit!« Ich bin ein Vogel im Käfig! Ihre Briefe werden immer mehr die Hilfeschreie einer Gefangenen. Gewiß, sie hat auch schon etwas Solidarität mit den Schicksals-Genossen entwickelt. Sie verteidigt ihre Siedlung gegen den schlechten Ruf, den man in der Nachbarschaft genießt. Aber ihre Feindseligkeit richtet sich sogar – gegen die offizielle Verkürzung der Unterröcke.

Da kam Owen von England zurück. Er brachte mit sich Herrn McClure, den ›Vater der Amerikanischen Geologie‹, den Gründer der Akademie für Naturwissenschaften in Philadelphia. McClure ist auch der Erste gewesen, der Pestalozzis Ideen nach Amerika verpflanzte; er war ein Philanthrop, der jedes Kind zum Schuhmacher ausbilden – und das Ich, wie er sagte, im Ozean von Gesellschaftlichkeit ertränken wollte. Owen brachte auch Thomas Say mit, den ›Vater der Amerikanischen Zoologie‹; und Lesueur, der zuerst die Fische der Großen Seen klassifizierte. Was brachte er noch mit? Sich selbst.

Die Leute in Pittsburg, die bei seiner Durchreise Vorträge von ihm gehört hatten, waren guten Mutes. Sie bedauerten zwar – erschüttert von den lauten Klagen der Frau Pears: daß sie ihren Freunden zu diesem Experiment geraten hätten. Aber wie sie nun jetzt Herrn Owen sahen und hörten, zweifelten sie nicht daran: daß es nunmehr mit New Harmony aufwärts gehen werde.

Noch bevor Owen in New Harmony eintraf, häuften sich die Nachrichten über den ermutigenden Eindruck, den er bei seinem kurzen Aufenthalt in Pittsburg gemacht hatte. Man erfuhr, daß er in der zuversichtlichsten Stimmung sei; ja, daß alle die peinlichen Dinge, die sich in seiner Abwesenheit ereignet hätten, von Nutzen sein werden für die Zukunft der Glücks-Siedlung. Allerdings fand selbst Onkel

Bakewell im fernen Pittsburg ein Haar an dem ganzen Unternehmen. Man habe ihm erzählt: ein guter New Harmonist müsse auch ein guter Skeptiker sein. Aber gehöre nicht gerade Sozialismus und Christentum innig zusammen?

Solange Owen noch nicht zurückgekehrt war, fühlte selbst die kleinmütige Frau Pears: er wird vielleicht doch noch alles glücklich wenden. Nun ist er da – und sie kann nicht einmal ruhig mitanhören, was er da schwätzt. Er aber kümmert sich nicht um die Stimmung unter den Seinen. Er hatte der Vorbereitung einer Glückseligen Gesellschaft drei Jahre widmen wollen. Nun ist noch nicht ein Drittel der Zeit verstrichen, er ist lange abwesend gewesen und eben erst nach New Harmony zurückgekommen – da bringt er bereits die Konstitution des ›Bundes der Gleichen‹ durch. Artikel II der Verfassung lautet: »Alle Mitglieder sind als eine einzige Familie anzusehen. Niemand ist wegen seiner Beschäftigung höher oder geringer zu achten als ein Anderer. Es soll möglichst gleiches Essen, gleiche Kleidung und gleiche Erziehung für alle geben, entsprechend ihrem Alter; alle sollen in ähnlichen Häusern wohnen und dieselben Bequemlichkeiten genießen.«

Am 4. Juli 1826 wurde dann die ›Erklärung der Geistigen Unabhängigkeit‹ erlassen. Mit ihr trat die Welt in das Jahr Eins A.M.I. ein – auf Deutsch: in das Jahr Eins nach der Geburt der Unabhängigkeit des Denkens. Frau Pears aber konnte beim besten Willen nicht nach diesem Kalender leben. Sie konnte dies Gesindel um sie herum nicht für Ihresgleichen halten. Aus tiefster Not schrie sie: »Nur im Grab kann ich noch Hoffnung auf Ruhe sehen.« Käme es allein auf diese Welt an, klagte sie, so hätte sie nur einen einzigen Wunsch: daß Owen ihr einen Kopf-Schuß verabfolge.

Zwei Monate nach Eröffnung des ›Bundes der Gleichen‹ besuchte der Großherzog von Sachsen-Weimar-Eisenach, Karl Bernhard, New Harmony. Ihm fiel auf: daß bei gesellschaftlichen Zusammenkünften die Sprößlinge der oberen

Schichten zusammensaßen; daß junge Mädchen Tänzer ablehnten, die gesellschaftlich nicht ebenbürtig waren. Die Klassen-Vorurteile waren in voller Blüte. Da gab es zum Beispiel eine junge Dame, eine Virginia aus Philadelphia, die sich aus unglücklicher Liebe hierhergeflüchtet hatte. Eines Tages spielte sie gerade Klavier und sang dazu, als man sie, in Gegenwart ihrer vielen Kavaliere, daran erinnerte, daß sie die Kühe zu melken habe. Sie brach in Tränen aus und verfluchte den ganzen ›Bund der Gleichen‹ – und speziell seine Gleichheit. Alle Berichte über die große Familie ›New Harmony‹ stimmten darin überein, daß sich hier nichts weniger als eine Familie gebildet hatte.

Es ist dann vor allem Owens radikale Haltung zur Religion gewesen, welche den ›Bund der Gleichen‹ in Parteien spaltete. Viele der Seinen waren durchaus nicht religionsfeindlich; und wurden noch von außen aufgehetzt. Da schrieb (zum Beispiel) eine Frau Benjamin Page aus Allegheny Town einen zornigen Brief an unsere Frau Pears. Kann man überhaupt, fragte die fromme Dame, glücklich sein in dieser ewig sich verändernden, kranken, sterbenden Welt? Frau Page war gar nicht interessiert daran: wie weit die New Harmonisten glücklich waren oder nicht – und sehr daran, ob sie den Sabbath heiligten.

Ein Teil der Glücklichen Gesellschaft wollte zwar auf das zeitliche Glück nicht verzichten – aber auch nicht auf die ewige Glückseligkeit. So spaltete sich die erste Gruppe ab: ein religiöser ›Bund der Gleichen‹. Und das war erst der Beginn. Bald darauf rückten die von englischer Herkunft dichter zueinander – und bildeten einen englischblütigen ›Bund der Gleichen‹. Und so ging es weiter. Im Nu waren vier Gruppen da. Zwei Monate später waren es bereits zehn. Der Individualismus, Separatismus, Isolationismus siegten. Die Ungleichheit siegte. Die Kräfte, die (nach Owen) das Glück nicht aufkommen ließen, siegten. An einem Mai-Sonntag des Jahres 1827 hielt Robert Owen seine Abschieds-Rede.

223

Er hatte bei diesem Experiment einen guten Teil seines Vermögens eingebüßt – aber weder seinen Glauben an die Glückliche Gesellschaft (und das war gut) noch seine Naivität (und das war weniger gut). Bald nach dem Zusammenbruch von New Harmony stand er in Unterhandlungen mit der Republik Mexico, enthusiastisch wie immer. Sein Enthusiasmus war ansteckend; und seine Anhänger hatten, wie sie schrieben, die Gewißheit: daß sein Lorbeer noch grünen werde, wenn die großen Eroberer und Betrüger längst vergessen sind.

Das Glücks-Experiment war fehlgeschlagen. Aus fehlgeschlagenen Experimenten kann man immer zwei Folgerungen ziehen: entweder, die Behauptung, die experimentell erwiesen werden sollte, stimmt nicht; oder, der Experimentator hat das Experiment schlecht durchgeführt – der Fehlschlag besagt nichts. So sagen die Einen: nachdem Plato Schiffbruch erlitten hat, nachdem Owen Schiffbruch erlitten hat, ist also erwiesen, daß der Mensch nicht geschaffen ist, in einer Glücklichen Gesellschaft glücklich zu werden. Die Andern aber sagen: sowohl Plato als auch Owen als auch viele zwischen ihnen und nach ihnen waren nur zu plumpe Experimentatoren. Es lag an ihnen und nicht an der sogenannten Natur des Menschen, daß das Experiment mißglückte; es ist aber ihr Verdienst, die Reihe der notwendigen Experimente um ein Stück vorwärts gebracht zu haben. Wer überlegt, wieviel Versuche nötig waren, um diese oder jene neue Erfindung in die Welt zu bringen, wird nicht sofort aus den paar mißglückten Versuchen mit der Glücklichen Gesellschaft allzu pessimistische Folgerungen ziehen.

Es ist der Kardinal-Fehler des Experimentators Owen gewesen, daß er nicht ahnte, wie hart es zu allen Zeiten für eine Frau Pears ist, von einem Tag zum anderen nicht dasselbe Leben zu führen, das sie noch kurz zuvor in Pittsburg geführt hat. Es bedarf eines gewaltigen Menschenfängers, um Frau Pears und alle ihre Schicksalsgenossen in ein ungewohntes Leben hineinzutrösten; denn das Abgehen von den ältesten, eingefleischtesten Gewohnheiten bringt zunächst kein Glück – und viel Schmerz. Es bedarf eines gewaltigen Menschenfängers, allen Frau Pears in diesem Land oder in einem anderen zum Beispiel den Satz verständlich zu machen: »Individualität ist dem Glück des Menschen abträglich.« Denn: obwohl dieser Satz eine große Wahrheit birgt, ist er zunächst einmal grundfalsch. Man kann auf ihn nicht zu bauen beginnen. Man kann höchstens zu ihm verführen – auf daß der wider Willen zu ihm Hingeführte eines Tages die Wahrheit erfährt, die auch in diesem Satze steckt.

Die Menschenfänger, die wir aus der Geschichte kennen, waren meist Demagogen: sie legten die Menschen hinein. Owen hatte nicht die Gabe des Menschenfangs, die fast nur den Schlechten zuzufallen scheint. Er hatte wohl nicht einmal eine Ahnung davon, wieviel es bei einem solchen Unternehmen gerade auf diese Gabe ankommt. Sonst wäre er kaum – kurz nach der Gründung von New Harmony – nach England zurückgefahren. Als ob man die noch nie dagewesene Glückliche Gesellschaft ins Leben rufen kann – indem man einem Haufen von Menschen ein paar gute Prinzipien zurückläßt.

Übrigens war man sich über das wesentlichste Versäumnis des Glücks-Produzenten Owen schon unter den Seinen völlig klar. Am achtundzwanzigsten März 1827, in einem Leitartikel der New Harmony-Gazette, der von seinen Söhnen stammte, wurde ihm vorgeworfen: er habe die antisozialen Triebe in solch einem wahllos zusammengebrachten Haufen unterschätzt – und überschätzt die Attraktion des Ideals. Owen überschätzte mit seinem Zeitalter, das man das Zeitalter der Aufklärung nennt, die Macht von Einsichten und Vorsätzen – und unterschätzte die Macht der Gewohnheit, die Schwerkraft der Tradition. Man kann noch nicht etwas leben – nur weil man es möchte. Man muß es auch können. Dies Können wird nur zu einem geringen Teil produziert von Vernunft und gutem Willen. Es ist abhängig von der Vitalität, von den Nerven, von den Instinkten, von den Trieben – wie immer man die seelische (angeborene und fabrizierte) Wirklichkeit benennen will.

Amerika ist nicht jungfräulich gewesen, als Owen sein Laboratorium dort errichtete. Wie konnte er da erwarten, die Damen und Herren Pears in Bausteine der Glücklichen Gesellschaft zu verwandeln – nur durch die Mitteilung an sie: sie seien von Natur aus nicht selbstsüchtig und möchten sich, gefälligst, danach benehmen! Dieser enorme Anspruch legte den armen Menschen, so wie sie nun einmal in Pittsburg und woanders geworden waren, eine Last auf, die nicht einmal ein Leo Tolstoi zu tragen imstande war.

Owen war ein einfältiger Apostel – auf einem Wege zum Glück, der noch längst nicht als ungangbar erwiesen ist. Er machte die Menschen, die er als Erstlinge des Glücks erkoren hatte, besonders unglücklich. Aber er hat die Zeitgenossen und die Nachkommen bereichert um einen ansteckenden Enthusiasmus für das Glück – und um die große Erfahrung: daß der Mensch, ins Paradies der guten Prinzipien versetzt so wie er ist, nicht paradiesisch – sondern nur unglücklich wird. –

Der Größte unter denen, welche ihre Folgerungen zogen aus dieser Lektion, hieß: Leo Tolstoi. Er lehnte den Umweg über die Glückliche Gesellschaft ab. Der antike Epikuräismus, der schon in Augustinus christlich werden wollte, fand in Tolstoi seine christlichste Ausprägung: den Glücklichen Heiland. Der Glückliche Heiland, das geheime Bild, das die Erhabensten des Neunzehnten Jahrhunderts beseligte – von Hölderlin bis zu Nietzsche –, war die leuchtende Gestalt des Glücks, der Tolstoi nach-lebte.

XI.

Leo Tolstoi,
der Nachfolger des Glücklichen
Heiland

Das Grab Leo Tolstois liegt in einem kleinen Gehölz, nicht weit von dem Gut Yasnaya Polyana. Hohe Stämme stehen um einen kleinen Erd-Hügel. Für den, der nicht eingeweiht ist in das Geheimnis dieser Stätte, unterscheidet sie sich in nichts von vielen ähnlichen. Doch hat es mit ihr eine besondere Bewandtnis – die in innigster Beziehung steht zu dem Toten, der hier liegt; und zu dem Glück, das ganz fürchterlich in ihm rumorte.

Zwei Jahre vor seinem Tod diktierte er einem Sekretär: man bringe meinen Leichnam in einem hölzernen Sarg nach Zakaz, gegenüber der Bergschlucht – an den Ort, wo der ›Grüne Stock‹ liegt. Dort lege man mich ohne Zeremonien in die Erde! ... Bei Erwähnung des ›Grünen Stocks‹ (berichtet der Sekretär) füllten Tränen seine Augen.

Dort, wo Tolstoi beigesetzt wurde, im Jahr 1910, war, etwa fünfundsiebzig Jahre zuvor, von dem jungen Leo und seinen Brüdern ein grüner Stock eingebuddelt worden. Am Ende seines Lebens ist es dann nicht sein Wunsch gewesen, in geweihter Erde zu liegen. Nicht einmal, in heimatlicher Erde zu liegen. Sondern neben dem ›Grünen Stock‹ zu liegen. Er ist zuerst ein grüner Stock gewesen – und dann das Symbol seines Daseins. Was hat er an ihm gehabt? Die Sehnsucht, die sein Leben bewegte: seinen Traum vom Glück.

Bruder Nikolai hatte, als sie Knaben waren, die ganze Geschichte aufgebracht. Er sei im Besitze eines außerordentlichen Geheimnisses: er wüßte, wie alle Menschen glücklich gemacht werden könnten. Würde das Geheimnis ein-

227

mal offenbar, dann bräche das Goldene Zeitalter an: ein Leben ohne Krankheit und Not – und bis zum Rand gefüllt mit Liebe.

Die Tolstoi-Kinder spielten diese paradiesische Zukunft schon etwas voraus. Stühle, mit Tüchern behängt, waren ihr Himmel. Unter seinem Schutz kauerten die Kleinen dicht beieinander, in brüderlichem Enthusiasmus vereint. Wie aber das glückselige Zusammenkauern der ganzen Menschheit ins Werk gesetzt werden könnte – das wurde niedergeschrieben auf einem grünen Stock und als Geheimnis aufbewahrt im Gehölz von Zakaz, gegenüber der Bergschlucht. Dort, wo sich dann, ein langes Leben später, der zweiundachtzigjährige Tolstoi für die Ewigkeit betten ließ. Denn er wußte keinen besseren Nachbarn für eine so lange Zeit als den geheimen Glücks-Plan.

Was hatte Nikolai dem grünen Stock anvertraut? Wie kann man sich und die Welt glücklich machen? Dieselben Zeichen, die sie dem Holz einritzten, sind eingegraben dem Leben Tolstois. Er sehnte sich ein Leben lang nach dem herzlichen Knäul, welches die Tolstoi-Jungen gebildet hatten unter dem Himmels-Zelt aus Kinderstuben-Mobiliar. Und wollte das Menschengeschlecht in solch eine glückselige Nähe verwandeln.

Begabt fürs Glücklichsein

Es gibt Menschen, die nicht nur das Notwendige sehen, das Lebenswichtige, das, was zu sehen sie trainiert sind. Es ist noch ein Überschuß da. Sie sehen Ungewöhnliches, Unnützes. Diese Nutzlosigkeit, die keine Maschine treibt, dieses freie Sehen, Hören, Riechen, Denken, das Künstler und Philosophen macht, verwandelt das Vegetieren in Leben, führt das Nahrung-suchende, sich verteidigende Wesen heraus aus der engen Szenerie, in die es eingesperrt ist von seinen nützlich-engen Sinnes- und Denk-Werkzeugen.

Es gibt auch ein gleichgeschaltetes Glück, wie es eine gleichgeschaltete Vernunft gibt. Das Große Los und die Kleine Helena sind solche Konventionen des Glücklichseins. Gleich Begabungen des Auges und des Ohrs, die nicht einzusperren sind in eine Farben- und Ton-Ordnung, gibt es auch Talente fürs Glücklichsein. Sie haben die Fähigkeit, aus ungewöhnlich vielen und auch aus ungewöhnlichen Gründen glücklich zu sein. Sie haben auch die Fähigkeit, besonders viel Glück zu entdecken. Und es ist ihnen schließlich noch gegeben, ihr Glück in einer seltenen Inbrunst zu erleben. Diese Gabe wurde Leo Tolstoi in einem ungemeinen Maße zuteil. Seine viel berühmteren Tragödien haben das nur verdeckt.

Die Gabe, überall Szenen des Glücks zu sehen und von ihnen glücklich bewegt zu werden, zeigte sich sehr früh. Er war ein Knabe. Es war ein sommerliches Picknick in einem reizenden kleinen Flecken, unweit des väterlichen Guts. Dieses winzige Ereignis haftete in seiner Erinnerung als ein leuchtendes Gemälde der Daseinslust. Die Kutscher stehen in der Kühle der Bäume. Lichter und Schatten sprenkeln ihre Gesichter – liebe, lustige, glückliche Gesichter. Die Kuh-Hirtin Matryona rennt in einem schäbigen Kleid herbei und versichert: sie habe so lange gewartet und sei nun froh, daß man endlich da sei. Ich glaubte nicht nur (fährt er im autobiographischen Berichte fort), ich konnte gar nicht anders als glauben, daß die ganze Welt glücklich ist: die Tante, die Hunde, die Hennen, die Hähne und die Bauern-Kinder; und außerdem auch noch die Pferde, die Kälber, die Fische im Teich und die Vögel im Wipfel der Bäume ... Eines so ausgedehnten Glücks war er fähig.

Als Kadett machte er im Kaukasus die Bekanntschaft eines Greises, der ebenso unschuldig glücklich war, ebenso ahnungslos glücklich wie diese Kutscher und diese Fische – obwohl der Alte es noch außerdem philosophisch guthieß. Leo und sein Bruder Nikolai waren in der Hütte eines achtzigjährigen Epischka einquartiert. Das war ein wohl-proportionierter Gigant mit buschigem, rotem Bart: ein gewaltiger Jäger und Trinker vor dem Herrn. Er hatte eine ganz urwüchsige Lebens-Weisheit; denn es ist nicht anzunehmen, daß er jemals etwas von Epikur und seinem Garten gehört hatte. Der Mann war ganz sicher: daß Gott alles geschaffen habe, um den Menschen eine Freude zu machen; daß man kein Glück abzubüßen habe in der Hölle; daß vielmehr alles endet mit ein bißchen Gras über einem Hügelchen. Diese Weisheit, recht rustikal abgewandelt, war ganz nach dem Herzen des jungen Leo.

Vom Natur-Glück

Sein Epikuräismus empfing den besonderen Ton von einem Glück, das Epikur wohl noch nicht so selig empfunden hatte – jedenfalls ist nichts davon in den Fragmenten, die wir geerbt haben. Der frostige Name dieses Glücks, der viel wärmer, farbiger, duftender, sinnlicher zu sein verdient, heißt: Natur-Glück. Tolstoi sagte von dieser beglückenden Natur einmal: er habe die physische Empfindung, als flössen ihre Schönheiten durch die Augen in seine Seele. Das ist ein sehr ausschweifendes Bild, welches viele erotischen und religiösen Assoziationen aufruft: vom Empfangen des Liebes-Ergusses bis zum Empfangen des Blut-Ergusses im Wein-Kelch.

Es hat aber dieses Natur-Glück nichts zu tun mit dem sentimentalen Hang zu einem hochherrschaftlichen stillen Park, fernab von der mörderischen City. Die Natur, die Tolstoi beseligte, war nicht das bekannte Weib, das den blutigen Krieger nach der Schlacht am schneeweißen Busen friedlich schnarchen läßt. Tolstois Natur war ein sehr individuelles Geschöpf, das ihn in vielen sehr individuellen Gebärden zu Ekstasen hinriß. Wie man plötzlich gepackt werden kann von der Bewegung einer Frau, von dem Ton

eines Kindes: so wurde Tolstoi gepackt von einer ganz ein-
maligen, in einer bestimmten Stunde sich ereignenden Le-
bens-Äußerung jenes Wesens, das wir nur deshalb abstrakt
Natur benennen, weil wir es, völlig zu Unrecht, noch nicht
mit tausend Eigennamen getauft haben.

Er aber antwortete nicht als poetischer Großstädter, der
das Nicht-Lärmende und Nicht-Stinkende ›Natur‹ nennt,
sondern als Schönheits-trunkener Liebhaber. Ihre Reize erregten in ihm oft genug ›den Wunsch, zu lieben‹. Ich
empfinde sogar (schrieb er einmal in solch einer Faszination)
Liebe für mich. Ich ›bin glücklich, auf der Welt zu
sein. Ich möchte ewig leben‹. Dieser üppige Wunsch aber
ist das Äußerste, zu dem es die Daseinslust bringen kann;
denn er ist etwas ganz Anderes als die kärgliche Angst vor
dem Tod.

Die Natur schenkte ihm nicht Frieden – sondern Lust.

Vom Familien-Glück

Wer im Glück ist, denkt ihm nicht nach. Wer mit dem
Unglück vertrauter ist als mit dem Glück, redet von ihm,
wie einer, dem Zunge und Gaumen verbrannt sind, vom
Wein redet: nämlich vom Löschen des Brands, von einer
himmlischen Befriedung. Es war die enorme Spannung zwischen Tolstois gewaltiger Glücks-Potenz und seiner ebenso
gewaltigen Anfälligkeit für alle die Ungeheuer, die dieses
Glück gefährdeten – welche das Problem des Glücks immer
wieder elementar hervortrieb.

Zunächst litt er sehr an persönlichen Leiden. Zum Beispiel daran, daß er häßlich war. Es scheint eine Zeit in
seiner Jugend gegeben zu haben, wo es sein Traum vom
Glück war, eines Morgens mit einem hübschen Gesichtchen
aufzuwachen – und die breite Nase, die dicken Lippen,
die kleinen grauen Augen, das wuselige Haar los zu sein.
Aber das war noch nicht der größte Kummer.

Da war ein größerer, verursacht von dem alteingesessenen, hochberühmten Erzfeind menschlichen Glücks: dem Gedanken an den Tod. Die herrschende Furcht ist die Furcht vor der größten und unabwendbarsten Gefahr: dem Tod. Wir wären völlig andere Wesen, wenn uns nicht gewiß wäre: daß wir in absehbarer Zeit sterben müssen. Manche werden früher von diesem Wissen durchdrungen – und manche später. Manche vergessen häufiger – und manche weniger oft. Und alle besitzen Mittel gegen die Furcht vor dem Tod: schwache, stärkere, ganz starke. Tolstoi war nicht der Erste, der sich gegen diesen unerträglichen Störenfried zur Wehr setzte. Und nahm aus dem Arsenal eine der bewährtesten Waffen: er dachte energisch weg. Denke nicht an morgen! Mache Dir diesen Tag schön! Das war sein erstes Feldgeschrei gegen Gedanken an den Tod. Er machte sich den Tag schön. Er dachte nicht an die Schule morgen. Er machte keine Schularbeiten. Er lag drei Tage auf seinem Bett, las in einem spannenden Roman, knabberte Honig-Kuchen – und war sehr glücklich. Der Gedanke an den Tod, verbunden mit dem Gedanken an das Glück, ist das stärkste Dynamit, das vom Dasein produziert wird. Es ist die tiefste Wurzel aller Revolutionen.

Tolstois Leben wurde zunächst einmal für drei Tage gründlich revolutioniert – und dann ein Leben lang beunruhigt; viel mehr als vom Zar und der griechisch-orthodoxen Kirche, die es gewiß schon stark beunruhigten. Aber dieses schlichte In-den-Tag-Hineinleben, wie es der Grieche Aristipp einst gelehrt hatte, konnte von dem Schüler Tolstoi nur drei Tage durchgeführt werden.

Dann suchte er sich ein Leben zu zimmern, von dem der Gedanke an den Tod ausgesperrt war. Dem Glück, das in dieser Verzweiflung leuchtend vor ihm auftauchte, gab er den Namen ›Familien-Glück‹. Der Dreißigjährige schrieb eine Kurz-Geschichte unter diesem Titel. Er sollte der Titel eines Jahrzehnts seines Lebens werden. Das Glück, das ihn für eine Weile sowohl seine breite Nase als auch den Tod vergessen ließ, hatte die Gestalt einer Frau und vieler Kinder.

Frauen machten ihn sehr glücklich, seitdem er ein Mann war. Er war ein ungezügelter Hengst – und ebenso durstig nach schützender, hegender Liebe. Er genoß unermeßlich das Ausströmen seiner Potenz – und ebenso beglückt den himmlischen Frieden im Einander-gut-sein. Ihn erschütterte glücklich das Befriedigt-werden, mehr aber noch das Befriedet-werden. Als die Brüder den jungen Leo zum erstenmal zu einer Frau führten, tat er es – und stand dann (nach seinem Bericht) weinend an ihrem Bett. Das waren schon dieselben Tränen, die, kurz vor seinem Tod, dem ›Grünen Stock‹ flossen. Nichts rührte ihn so mächtig an wie das Zergehen der Grenzen zwischen Mensch und Mensch. Nichts brachte ihm soviel Seligkeit.

Es war immer nur ein Episoden-Glück gewesen, welches Frauen ihm beschert hatten. Das schmerzte ihn sehr. In seiner Vorstellung von Familien-Glück war auch der Wunsch nach einer nicht rückgängig zu machenden Liebes-Verschmelzung. In dem gewaltigen Jubel, der seiner Heirat folgte (aufbewahrt in Tagebüchern, Briefen und dem Roman ›Krieg und Frieden‹) hört man auch den Triumph eines Menschen, der sich endlich aus seiner Vereinzelung herausgerettet hat. Ich bin nie so glücklich gewesen, seit dem Tage meiner Geburt! Ich bin vierunddreißig Jahre alt geworden – und habe nicht geahnt, daß man so glücklich sein kann! Was war geschehen? Sophie Bers ist nicht die Erste gewesen, für die er entbrannt war. Aber sie war die Erste, für die er entschlossen war, den Leo Tolstoi zu verabschieden, um als ein umfassenderes Wesen, als Familie, weiter zu existieren. Und ist man noch häßlich, wenn man nicht mehr als Einzelner existiert? Und gibt es noch einen Tod, wenn man nicht mehr als Einzelner existiert? ›Die Liebe hindert den Tod‹ – das war der zentrale Gedanke des sterbenden Fürsten Andrei (›Krieg und Frieden‹).

Die Welt kennt die Tragödie der Tolstois: das Zusammengeschmiedetsein eines Mannes, der durchaus ein Heiliger werden wollte, mit einer Frau, die durchaus die irdischen Interessen ihrer größer und größer werdenden Familie wahrnehmen wollte. Doch die Publizität, welche diese Tragödie erhalten hat, verdeckt zu Unrecht das zehnjährige Glück des Familien-Vaters. Noch nach zehnjähriger Ehe schrieb er: es sei wenig zu berichten; denn glückliche Menschen lebten geschichtslos. Und in hundert Tagebuch-Eintragungen und brieflichen Moment-Aufnahmen ist das Glück dieser glücklichen Häuslichkeiten festgehalten: ein Alltags-Glück, das Tolstoi vielleicht so außerordentlich genoß, weil er nie ganz vergaß, wovor es ihn schützte.

Es war das Klima dieses behaglich-glücklichen Alltags, in dem sein Glück-spendender Roman ›Krieg und Frieden‹ heranreifte. Dies Werk strömt die unbändige Daseins-Lust aus, die Tolstoi beseelte. Und es könnte über diesem Roman ein Satz aus dem Jahre 1872 stehen: »Das große Glück besteht in einer außerordentlich glücklichen Familie.« Wann starb das große Glück?

Man kann ganz sicher sagen: in seinem sechsten Jahr ist er so groß gewesen, in seinem zehnten so groß und in seinem sechzehnten um soviel größer. Man versucht seelisches Wachstum genau so präzis zu registrieren. Man spricht von Wandlungen eines Menschen – von Perioden, die einander abzulösen scheinen wie Schildwachen. Es gibt aber ein viel angemesseneres Bild für die Geschichte eines Tolstoi: ein musikalischer Strom, der ein, zwei, drei Themen an die Oberfläche wirft, unterirdisch werden und abgewandelt wieder an die Oberfläche kommen läßt.

An der Oberfläche (und ein bißchen darunter) war Tolstoi zwischen Fünfunddreißig und Fünfundvierzig ein glücklicher Großgrundbesitzer mit einem geliebten Weib, einer Schar von Kindern, die ihm Spaß machten, Verwandten, Freunden, Sklaven, Pferden und Äckern. Er pflügte, schrieb, liebte, baute, kaufte, machte Geld und noch lieber und mit Vorliebe Dummheiten zum Zeitvertreib. Er hatte Erfolg als

Landwirt, Veranstalter von Gesellschafts-Spielen und Schriftsteller. Aber auf dem Boden dieser Behaglichkeit schwelte jener unheimliche, nichts verheimlichende Satz, den der Dreißigjährige am Totenbett seines geliebten Bruders Nikolai niedergeschrieben hatte: »Was hat es für einen Wert, sich ein Ziel zu setzen, wenn doch nichts übrig bleibt von dem, was einmal Nikolai Nikolajewitsch Tolstoi gewesen ist?« Er war ein sehr angesehener Edelmann mit Weib und Kind und Knecht und Vieh und Weltruhm. Doch konnte diese ganze Herrlichkeit den kleinen Brand, der in jenem kleinen Satz fortglühte – vielleicht für eine Weile niederhalten, aber nicht ersticken.

Als er etwas über Vierzig war, lernte er eine Philosophie kennen, die sehr dazu beitrug, den winzigen Brand wieder anzufachen und das ganze Familien-Glück in Flammen zu setzen. Die Lehre stammte von einem Deutschen, der erst im letzten Jahrzehnt seines langen Lebens entdeckt worden war, und nun schon seit 15 Jahren die Geister faszinierte. Er hieß Schopenhauer. Nie vorher, schrieb Tolstoi im Sommer 1869, habe ich soviel geistiges Glück genossen; Schopenhauer ist der größte Genius der Menschheit.

Sie hatten gar keine Ähnlichkeit miteinander: der à la baisse lebende deutsche Kleinbürger, der in einem Winkel seines Vaterlandes sich böse verkrochen hatte und der Welt seine Stacheln entgegenstreckte – und der vitale russische Graf, der bald stürmisch, bald demütig-sehnsüchtig war nach der Vermählung mit dem Rest der Menschheit. Aber Schopenhauers Zentral-Gedanke sprach Tolstois tiefste Erfahrung aus: als Eroberer wird der Mensch nie glücklich werden; als Herr von Tier und Mensch, als Vogt über sich selbst wird der Mensch nie ins Paradies eingehen. Dessen war auch Tolstoi gewiß. Denn er war Herr über Tier und Mensch, hatte sich selbst in Gewalt, spielte eine erste Rolle in der Menschen-Truppe, für die er agierte – und kam nicht zum Glück.

Zu jener Zeit teilte er die Menschen in vier Gruppen ein – nach der Art, wie sie mit ihrem Leben fertig wurden. In Gruppe Eins siedelte er die Ahnungslosen an, die sich schläfrig durchs Leben hindurchleben ließen. Hierher rechnete er (am Ende der feudalen Aera Rußlands) die meisten Frauen, sehr viele junge Menschen und alle Stupiden. Der Gruppe Zwei gab er den Namen ›Epikuräer‹ – in jenem absprechenden Sinn, den das Wort seit einem Jahrtausend hatte. Er dachte dabei vor allem an die Jeunesse dorée des russischen Adels, den er sehr gut kannte. Das lebte herrlich und in Freuden, fraß, soff, hurte, hatte seinen Dünkel – und rannte blind Alter, Krankheit und Tod entgegen.

Auch er hatte zu ihnen gehört. Selbst der Dünkel ist ihm nicht fremd gewesen. Als er ein junger Offizier war, fuhr einmal ein Herr an ihm vorbei, der keine Handschuhe an hatte. Tolstoi bemerkte zu seinem Bruder: der Mensch ist sicher ein Bandit! Weshalb? fragte Nikolai. Weil er keine Handschuhe trägt, antwortete Tolstoi. Er kannte diese hochnäsig-lustigen Müßiggänger mit seiner Kaste; sie waren blaues Blut von seinem blauen Blut.

Er aber konnte dies Leben aus Gier und Wichtigtuerei nicht mehr ertragen. Welcher andere Weg war offen? Nach vielen schmerzhaften Experimenten kam er zu dem Resultat: nur die radikale Verneinung aller geltenden Werte. Schopenhauer hatte in seinen Bildern vom Philosophen, vom Künstler, vom Heiligen, solch einen erhabenen Verneiner geschildert – nachdem Buddha ihn, lange zuvor, vor-gelebt hatte. Aber zu dieser Gruppe Drei, zu den glücklich-heiligen Weisen, durfte sich Tolstoi nicht rechnen. Er reihte sich vielmehr ein unter Gruppe Vier: unter die Schar der Schwachen, welche zwar die Wahrheit gesehen haben, welche wissen, was not tut, welche erkannt haben, daß ein Leben, wie Tolstoi es führte, nie glücklich sein wird – welche aber nicht die Kraft haben, ihr Leben zu ändern ihrem besseren Wissen gemäß. Von dem Augenblick an, wo ihm das klar wurde, sah er das Glück in der Eintracht von Einsicht und Existenz. Sein höllisches Unglück bestand darin, daß er nicht lebte – wie er aus tiefstem Glücks-Verlangen zu leben wünschte.

Denn er lebte nach wie vor und noch vierzig weitere Jahre als der Herr Graf, der eine große Familie standesgemäß durchs Leben steuert. Er machte von dem Grafen-Titel keinen Gebrauch mehr, er verzichtete auf seinen Besitz zugunsten seiner Familie, er entäußerte sich der Rechte an seinen Büchern. Er war ununterbrochen dabei, aufzubrechen – und trat auf der Stelle. Er wußte ganz genau, wohin er wollte. Das Glück, das ihn lockte, hatte einen ebenso klaren Umriß wie das Glück seiner Kaste, welches er unvergeßlich exakt in seinen Romanen gezeichnet hatte. Er wollte dasein, ohne zu knechten und ohne beteiligt zu sein an der Knechtung. Der Gedanke an ein solches Dasein wärmte sein Herz. Ein solches Dasein wäre sein Glück gewesen.

Er suchte sich ihm zu nähern. Die Familie, erkannte er, ist ein Hindernis. Es ist ein und dieselbe Familie gewesen, über die er zuerst so glücklich – und dann so tief unglücklich war. Sie ist zuerst das Paradies gewesen, in das sich der ich-besessene, verhurte, vor seinem Tod zitternde Nihilist gerettet hatte. Diese Funktion hatte sie nicht mehr. Weshalb nicht?

Am fünften Mai 1881 notierte der dreiundfünfzigjährige Tolstoi in sein Tagebuch: »Die Familie ist Fleisch.« Sie ist nicht die Erlösung des Einzelnen aus seiner Einzelheit. Sie ist ein noch umfänglicheres, noch wilder wucherndes Raubtier-Ich. Sie ist nicht eine Auflösung, sondern eine Akkumulation von Gier. Sie hatte ihn nicht von sich befreit, sondern in einen noch umfassenderen Egoismus eingekerkert. Sein Familien-Glück hatte sich nicht nur in eine unglückliche Familie verwandelt – sondern in eine furchtbare Enttäuschung über die Natur der Familie. Er ließ seine Familie

entgelten, daß die Familie ›Fleisch‹ ist – und nicht ein Vehikel in den Himmel. Die Seinen aber ließen ihn entgelten,
daß er nur ein ohnmächtiger Christus war. Im Jahre 1895,
im siebenundsechzigsten Jahr seines Lebens und im dreiund-
dreißigsten Jahre ihrer Ehe, schrieb Frau Tolstoi in ihr
Tagebuch: »Alles, was er predigt, um die Menschen glücklich
zu machen, kompliziert unser Leben so sehr, daß es mir
schwerer und schwerer wird, zu leben. Infolge seiner vege-
tarischen Kost brauchen wir zwei Köche und zwei verschiedene Essen zu gleicher Zeit, mehr Ausgaben und mehr
Arbeit für die Angestellten.« Tolstoi verließ nicht Haus und
Hof und Weib und Kind. Aber das Glück, das ihn lockte,
lag in dieser Richtung. Er ließ alles oder fast alles beim
Alten – und wurde seiner Familie gründlich untreu. Er
machte einen Kompromiß mit seinem neuen Glück.

Diese Untreue bestand zum Beispiel in seiner Leidenschaft
für die Dorf-Jugend von Yasnaya Polyana – und wurde
von den Seinen auch so angesehen. Wenn sich ein Herr,
der es doch nicht nötig hat, weniger um seine reinlichen
Sprößlinge kümmert als um die dreckige Brut seiner Leib-
eigenen, so ist das eine gewaltige Untreue und ein schweres
Vergehen gegen die Familien-Moral. Tolstoi aber bekannte:
er habe nie vorher ein solches Glück erlebt, wie unter diesen
verwahrlosten Geschöpfen, denen er, der weltberühmte
Schriftsteller und wohlhabende Rittergutsbesitzer, das ABC
beibrachte. Was war das eigentlich für ein Glück?

An der Schul-Türe standen die Worte: »Tritt ein, wenn
Du willst, geh fort, wenn Du willst.« Es hätten daneben
auch noch andere Gesetze dieses Schulkinder-Himmels stehen können. Du brauchst keine Schularbeiten zu machen!
Du brauchst Dich nicht an das zu erinnern, was Du gestern
gelernt hast! Du wirst nie bestraft werden! Du sollst heute
Dein Vergnügen am Lernen haben, wie Du es gestern gehabt hast! Da man hier Menschen erzog mit dem aus-
drücklichen Ziel: sie glücklich zu machen – durfte der Er-
ziehungsweg kein Leidens-Weg sein.

Wahrscheinlich ist Tolstoi, der kleine wilde Bauern in die Geheimnisse des Lesens, Schreibens und Rechnens einführte, einer der glücklichsten Schulmeister aller Zeiten gewesen. Noch Jahrzehnte später, 1904, schrieb er: »Die lichteste Zeit meines Lebens verdanke ich nicht der Liebe zu einer Frau, sondern der Liebe zum Volk, besonders der Liebe zu Kindern.« Er zeichnete die Stunden, die er mit kleinen russischen Barbaren verbracht hatte, als seine glücklichsten aus. Hier hatte er, wie er sagte, sein Kloster gefunden, seine Kirche, seine Erlösung. Und sein Glück war offenbar so ansteckend gewesen, daß noch ein halbes Jahrhundert später einer seiner damaligen Rangen, ein Fedka, versicherte: »Die Erinnerung an jene glücklichen, lichtesten Tage meines Lebens ist mir nicht verlorengegangen und wird mir nicht verlorengehen.«

Was für eine Art Glück ist das eigentlich gewesen, das dort in jenen dörflichen Klassenzimmern entstand? Wie einst das Familien-Glück für ihn ein Himmel war, in den er sich geflüchtet hatte aus seinem Eingesperrtsein in Ich-Besessenheit und Todes-Angst — so war nun dieses glückliche Zusammenleben mit dem kleinen Volk der Himmel, in den er sich geflüchtet hatte aus seinem Eingesperrtsein in den Familien-Gang. Er war nicht glücklich gewesen, solange er die Interessen des Leo Tolstoi besorgt hatte. Er war nicht glücklich gewesen, solange er die Interessen der Firma ›Familie Tolstoi‹ besorgt hatte. Er war aber ganz unermeßlich glücklich, als er eine Horde aus kleinen Fedjas und Dimitris und Nikolaus' die ersten Schritte zum Menschen-Dasein führen konnte. Da fühlte er, daß ein breiter Atem durch ihn hindurchging, der viel mächtiger und viel beglückender war als alles, was die Lunge dieses verängstigten Leo Tolstoi je vorher hatte produzieren können.

Es ist die billigste aller Redensarten, daß der Dienst am Mitmenschen glücklich macht. Sie ist billig wie jede falsche Münze; und so leicht erkennbar, daß niemand sich mehr die Mühe macht, die ursprüngliche gewaltige Wahrheit herauszufinden, die immer noch in der abgebrauchten Phrase ist. Der großplakatierte ›Dienst am Menschen‹ ist ganz gewiß die Fahne, welche ein trauriges Schicksal bunt und fröhlich erscheinen lassen soll. Kann aber auch der Anschluß an den breiten Strom des Lebens sein; und das ist für einen Einzelnen, der auf dem Trockenen sitzt, ein unendliches Glück.

Im Jahre 1892, im dreiundsechzigsten Jahr Leo Tolstois, brach in einigen Bezirken des Russischen Reichs eine furchtbare Hungersnot aus. Tolstoi fuhr ins Hunger-Gebiet, organisierte öffentliche Speisungen, brachte Geld zusammen, brachte Hilfskräfte zusammen, mobilisierte Europa und Amerika. Er schuf 246 Küchen, ernährte täglich 13 000 und gab in 124 Sonder-Küchen täglich 3000 Kindern zu essen. Er war kein Komitee-Vorsitzender, sondern ein fröhlicher Pionier, der eine Rettungs-Expedition in die Gefahren-Zone leitete.

Damals, als er mit diesen Arbeiten überbürdet war, schrieb er: diese Tage des Helfens seien seine glücklichsten. Die Seligkeit des Produzierens, von der soviele Produktive soviel zu berichten wissen – diese produktive Seligkeit scheint Tolstoi vor allem im Helfen gefunden zu haben: ob er nun ABC-Schützen beim unbeholfenen Zielen half oder hungernden Bauern, satt zu werden. Er war noch nicht so abgegliedert vom Leben der Menschheit, daß er sie über die winzige Szene, die ihm überlassen war, vergessen hatte. Es überkam ihn ein mächtiges Wohlgefühl, wenn ihr Leben durch ihn hindurchging. Er war wahrscheinlich einer der wenigen Menschen unserer Epoche, für den das Wort ›Menschheit‹ mehr war als ein abgegriffener Gattungs-Begriff, welchen jeder gebildete Zeitgenosse sich zu verbieten hat. So durfte er immer wieder dieses kleine Sätzchen abwandeln, das nicht jedem erlaubt ist: »Du mußt für andere leben, um ewig glücklich zu sein.« Das ist aber etwas ganz anderes als das abgekürzte: »Du mußt für andere leben.«

Tolstoi war kein ideologischer Feldwebel, dem es um die Disziplin zu tun war, die eine schlechte Ordnung zusammenhält. Er wollte nicht, daß der Einzelne sich opfere – sondern daß er zu seinem Glück komme. Und fand dies Glück (wie Spinoza vor ihm) im Weiter-werden, in der Niederlegung aller Wälle zwischen dem Leo und den anderen Leos, Iwans und Peters. Er gebrauchte einmal dieses Bild: »Der beste Weg, wirkliches Glück im Leben zu erlangen, ist der: geh aus Dir hinaus, ohne jede Bedachtsamkeit nach allen Seiten, wie eine Spinne; webe ein solides Gewebe aus dem Stoff Liebe und fange darin alles, was Du triffst: ein altes Weib, ein Kind, ein Mädchen oder einen Polizisten.«

So ein Liebes-Gewebe hatte Spinoza aus Begriffen gewoben. So ein Liebes-Gewebe wob der Roman-Schriftsteller Tolstoi aus Figuren. Das Glück, das Spinoza ›amor intellectualis Dei‹ genannt hatte, nannte Tolstoi, ›das spirituelle Glück der Liebe‹. Aber da war ein entscheidender Unterschied zwischen den Beiden – und es mag Menschen geben, die Tolstoi die Krone reichen. Er fand sein Glück nicht in seiner Ausweitung zur erzählten Welt, wie Spinoza sein Glück in seiner Ausweitung zur verbegrifflichten Welt gefunden hatte. Für eine Weile ging er selig unter in dem erdichteten Krieg Napoleons gegen Rußland – und in den vielen russischen Schicksalen, die er an sein Dichter-Herz nahm. Da gab es keine Sonder-Existenz Leo Tolstoi. Sein Leben war für eine Weile sehr breit geworden. Aber diese Liebe, diese Liebes-Vereinigung zwischen dem Dichter und seinem Geschöpf war ihm zu wenig. In dem poetischen Gespinst kann man nicht ein einziges Altes Weib fangen, welches den zu engen Lebens-Raum verbreiterte. Er transzendierte die poetische Welt in der Richtung zum Realen – und nahm lebende Menschen an sein Dichter-Herz.

Aber auch das machte die liebende Spinne nicht wirklich glücklich. Für eine Weile fing sie Dorf-Rangen. Für eine Weile war sie ein guter Samariter, der eine ganze Provinz in sein Liebes-Netz zog – und sehr viel Glück empfing. Für eine Weile. Aber man kann die Einzelhaft, in der man lebt, auf solche Weise nie länger als für eine Weile verlassen.

Alle seine Annäherungen ans Glück waren denn auch immer wieder Entfernungen vom Glück.

Weder Marx noch Bayreuth

Er hatte immer wieder von allen glücklichen Exkursionen – von der erdichteten Natascha wie von den realeren Schulkindern und dem Kreuzzug für die Darbenden in der Provinz Twer – zurückzukehren in das enge, ärmliche Verlies Leo Tolstois und war hier sehr unglücklich.

Denn da war er wieder der Besitzer und Polizei-Chef des Land-Bezirks Yasnaya Polyana; daneben das Männchen zu einer Henne, welche über die Interessen ihrer Brut sehr eifersüchtig wachte; und schließlich auch noch der (wenn auch unfreiwillige) Komplice einer Ordnung, deren Repräsentanten Alexander II. und Alexander III. und Nikolaus II. waren. Dies Doppel-Leben zu enden für ein mildefröhliches Menschsein, war für ihn, bis zur letzten Stunde seines Lebens, der Inbegriff des Glücks – seines unerreichbaren Glücks.

Es ist wenig gesagt, wenn man diesem Glück das Beiwort ›Christlich‹ gibt, obwohl es nicht falsch ist. Er selbst bestimmte dies ›Christlich‹ deutlich genug, etwa in der Tagebuch-Eintragung vom 4. April 1855: »Die Religion Christi – doch gereinigt von allen Dogmen und mysteriösen Zutaten, nicht ein Versprechen kommender Seligkeit, sondern die Verwirklichung des Glücks auf Erden.« Ihm schwebte ein ›materialistisches Evangelium‹ vor, ›ein Leben Christi, des Materialisten‹. Diese Deutung des Wortes ›Christlich‹ unterlag in seinem Leben keinem Wandel. Fast vierzig Jahre später beschrieb er das von Daseins-Glück blühende Christentum folgendermaßen: »Diese Welt ist nicht ein Witz und auch nicht ein Tal der Prüfung oder eine Durchgangs-Station zu einer besseren, ewigen Welt. Nein, diese Welt ist eine von jenen schönen, fröhlichen Ewigkeiten, die wir schöner und fröhlicher machen können und machen müssen, für unsere Zeitgenossen und für unsere Nachkommen.« Der christliche Epikuräismus (von Augustinus bis zu Nietzsche und Tolstoi) dieser Himmel auf Erden, dieses Jenseits, das diesseits blüht (wobei Himmel und Jenseits nicht zu leicht genommen werden dürfen) – diese irdische Transzendenz ist vielleicht die letzte Gestalt, die das Glück bisher unter uns angenommen hat.

Tolstoi war darauf aus, diesen epikuräischen Christ nachzuleben – vor-zuleben. Er war aus auf eine Imitatio Christi, auf die Nachfolge des Glücklichen Christus: und sich und seine Mitmenschen mit dem Glück dieses fröhlichen Anarchisten anzustecken. Es war Tolstoi nicht genug, sein Vorbild in Büchern zu preisen. Auch wollte er nicht ein Christ in einsamer Zelle sein; er kannten kein einsames Glück. Er wollte mitten unter den Menschen Ihm folgen – um als Glücklicher sie zur Nachfolge des Glücklichen zu bewegen.

Der Glückliche Christus war kein Gott. Der Gottes-Sohn war ihm ebenso fremd wie die epikuräische Götter-Gesellschaft. Adams Fall, die Trinität und die Erlösung bedeuteten ihm nichts. Auch war dieser Glückliche Christus weder ein Märtyrer noch der feurige Klassenkämpfer, der in jenen Tagen aufkam. Sein geliebtes Vorbild war der milde, fröhlich-erhabene Wanderer, der die Berg-Predigt nicht allein gepredigt – sondern selbstverständlich gelebt hatte. Während er, Leo Tolstoi, aus tiefster Überzeugung lehrte: liebe Deine Feinde – und dennoch zuließ, daß seine Bauern ins Gefängnis geworfen wurden, weil sie etwas Brennholz von seinem Überfluß genommen hatten. Über diese Kluft zwischen ihm und dem stillen Glück seines Glücklichen kam der ohnmächtige Christus des Jahres 1900 nicht hinweg. Und es mag Menschen geben, welche dies

Nicht-Hinwegkommen für etwas noch Gewaltigeres halten als sein hinreißendes Schriftsteller-Talent.

Er bewunderte den russischen Bauern, der still und friedlich sein Tagewerk tat – und still und friedlich sich hinlegte zur letzten Ruhe. Er bewunderte jenen Bauern in der Provinz Twer – ein Männchen mit einem dünnen, schmutzig-farbenen Bart und einer fettigen, schwarzen Jacke aus Schafs-Pelz. Der hatte ähnliche Gedanken wie er – und lebte ihnen auch noch nach. Diese Syntayews füllten Tolstoi mit Freude – und noch viel mehr mit Schmerz. Weshalb nur verharrte er, der so genau wußte, wie er glücklich werden konnte – in dieser Entfernung vom Glück?

Er versuchte loszukommen. Jahrzehntelang versuchte er loszukommen. Es sah bisweilen ganz ungeheuer lächerlich aus. Er war nicht lächerlich wie Don Quichote. Tolstoi lebte nicht in der Vergangenheit, er lebte nur zu sehr voraus – und konnte sich nicht einholen. Sein war die Lächerlichkeit eines Christus, der es von den Landsknechten nicht erreichen kann, ein Kreuz aufgebürdet zu bekommen – und diese schmerzhafte Bürde so dringend brauchte, um überhaupt erst einmal ein Christus zu werden.

Tolstoi kam nicht zu seinem Kreuz, obwohl er sich sehr anstrengte. Er verweigerte den Zivil-Behörden den Gehorsam; er lehnte es ab, als Geschworener mitzuwirken am ›Recht‹ einer ungerechten Ordnung. Er denunzierte sich beim Justiz-Minister und beim Innen-Minister, welche Leute in Haft hielten, die Tolstois Propaganda-Broschüren gegen den Dienst im Heere verbreitet hatten. Ich, der Verfasser (schrieb er, schrie er), bin mehr schuldig als die, welche meine Schriften nur in Umlauf setzen. Nehmt mich! Sperrt mich ein! Aber man sperrte ihn nicht ein.

Vielleicht wäre Pilatus auch vorsichtiger gewesen, wenn er die Folgen vorausgesehen hätte. Der Zar sah voraus. Er lebte nicht umsonst im Jahrhundert des historischen Sinns. Er war zu vorausschauend, um aus dem weltberühmten Dichter einen weltberühmten Märtyrer zu machen. Er war,

ohne daß er es ahnte, der erfolgreichste Feind des Glücks-
suchers Leo Tolstoi. Der Zar verhinderte ihn, zu seinem
Glück zu kommen: zur Harmonie zwischen seiner Sehnsucht
und seinem Schicksal. Christus wäre derselbe glücklich Ein-
stimmige gewesen – ohne den blutigen Ausgang. Tolstoi
war zu schwach, um ohne Kreuz glücklich zu werden. Und
das Kreuz wurde ihm nicht gewährt.

Auch die Kirche wich ihm zunächst aus. Er untergrub
ihre Fundamente – etwa, wenn er das Gebet für einen
Aberglauben erklärte. Man solle (lehrte er) nur für Dinge
beten, die man selbst zustandebringen kann. Er schrieb fast
so provokant wie sein Zeitgenosse Nietzsche: »Ich fürchte
alles, was den Namen ›Christ‹ trägt.« Die Kirche fürchtete
alles, was den Namen Tolstoi trug. Schließlich wußte sie
sich nicht zu helfen und exkommunizierte ihn. Aber sie
verbrannte ihn nicht. Sie buhlte um ihn. Sie versuchte, bis
zum letzten Tag seines Lebens, den mächtigen Mann zurück-
zubringen in den Schoß der Mutter Kirche. Auch sie half
ihm nicht, zu tun, was von sich aus zu tun er nicht fähig
war: Haus und Hof und Weib und Kind zu verlassen und
als glücklicher Anarchist frei zu sein.

So wurde dies die erhaben-lächerliche Legende Tolstois:
er machte in der Blüte seines Lebens erfolglos Schuhe, statt
erfolgreiche Romane zu schreiben. Sein Leben ist umwittert
von Komik. Aber sie ist vielleicht ergreifender als das
schlichte Pathos seiner Ahnen Buddha und Christus, weil
wir im Unvollendeten zu Hause sind.

Da er nicht glücklich werden konnte – war es ihm versagt, ein Vorbild des Glücks zu werden.

Aber da war der Zar, allen sichtbar – von Geburt bestimmt, voran zu schreiten. Wie, wenn er ›von der Höhe
des Throns‹ dem weiten Russischen Reich und der noch
weiteren Menschen-Welt ein Beispiel gäbe! Wie, wenn er
das Gesetz Christi erfüllte! Es war der alte Traum: daß
ein Mächtiger seine Macht einsetze, um Gerechtigkeit und
Glück auf Erden zu gründen. Plato hatte das im Vierten

Jahrhundert vor Christus von seinem Zeitgenossen Dionys, dem Tyrannen von Syrakus, erwartet. Tolstoi erwartete es im Jahre 1881 vom Zaren Alexander III.

Am ersten März 1881 hatten russische Terroristen Alexander II. in seinem Wagen in die Luft gesprengt. Er war kein Schreckens-Zar gewesen, er hatte die Sklaven-Befreiung durchgeführt. Die zaristische Autokratie hatte er aber nicht beseitigt. Da suchte man nachzuholen, was er versäumt hatte. Ganz ohne Erfolg. Sechs von den Attentätern wurden gefangen, unter ihnen eine Frau. Sie wurden zum Tode verurteilt.

Tolstoi war leidenschaftlich gegen den Terror. Er war ebenso leidenschaftlich gegen jenen legaleren Terror, der nun sechs Menschen aufhängen wollte. Und er war nicht nur gegen die Exekution; er fühlte sich mitverantwortlich für sie. Er fühlte sich verpflichtet, dem Henker in den Arm zu fallen. Und tat es mit einem Brief an den neuen Zaren.

Dieser Brief, von dem nur der Entwurf aufbewahrt ist, fing so an: ich, ein unbedeutender, unbefugter, schwacher und elender Mensch, wende mich in einem Brief an den Russischen Kaiser und gebe ihm den Rat, wie er handeln soll in dieser höchst verwickelten und schwierigen Lage... Dann gab Tolstoi Alexander III. den ganz schlichten und gar nicht neuen Rat: »Liebe Deine Feinde!« Und konnte mindestens ein unwiderlegbares Argument für diesen Ratschlag anführen. Die anderen beiden Methoden, mit seinen Feinden fertig zu werden, seien: Konzessionen – oder grausame Unterdrückung. Beide hätten sich nicht bewährt. Es bleibe also nichts übrig als christliches Verzeihen.

Monarch! Wenn Du das tust, die Verurteilten zu Dir rufst, ihnen Geld gibst, sie irgendwo nach Amerika schickst und ein Manifest erläßt, das mit den Worten beginnt: »Liebet Eure Feinde« – Monarch! ich weiß nicht, wie andere das aufnehmen würden. Aber ich, ein armer Untertan, würde Dein Hund sein, Dein Sklave. Ich würde dann vor Zärtlichkeit weinen – wie ich jetzt jedesmal, wenn ich Deinen Namen höre, weinen muß. Aber was sage ich: daß ich nicht weiß, wie andere reagieren würden. Ich bin sicher, daß bei solchen Worten Güte und Liebe wie ein Strom sich über Rußland ergössen ... Der Zar sagte nicht: »Liebet Eure Feinde«, ließ die Mörder seines Vaters aufhängen – und ging weiter vorwärts auf dem Wege, der 1905 zum Japanischen Krieg führte, 1914 zum Weltkrieg und 1917 zum Untergang seiner Dynastie.

Tolstoi konnte also weder Christus sein noch Christusse schaffen. Aber kein Gegensatz zu Staat und Kirche trieb ihn ins Lager der Gewalt. Keine Glückliche Gesellschaft – auf dem Wege der Gewalt! Er erkannte an, wieviel ihn mit Sozialisten und Marxisten verband; mit Marx zum Beispiel die Hoffnung auf das Eingehen des Staates. »Sozialismus ist unbewußtes Christentum«, heißt es bei Tolstoi. Er gehörte noch zu denen, die um die Geburt sowohl des Christentums als auch des Sozialismus aus dem Willen zum Glück wußten.

Aber ganz und gar mißfiel ihm die Diktatur des Proletariats; er lehnte jede Diktatur unqualifiziert ab. Und sagte dem Marxismus voraus: »Selbst wenn das eintritt, was Marx prophezeit, so wird nur dies die Folge sein: der Despotismus wird sich fortpflanzen. Jetzt regieren die Kapitalisten, dann werden die Direktoren die Arbeiterklasse regieren.« Und im Tagebuch von 1898 heißt es: »Sozialisten werden nie die Armut ausrotten und die Ungerechtigkeit, die in der Ungleichheit der Anlagen liegt.«

Er glaubte nicht an Planung und Organisierung der Glücklichen Gesellschaft. Er glaubte an die leise Revolution des Einzelnen. Leiste keinen Eid! Zahle keine Steuern! Diene nicht in der Armee! Wehre Dich nicht, wenn man Dich verfolgt! Jeder scheide sich vom Übel – aber unorganisiert! Nur durch die Imitatio des Anarchisten Christus kann die Glückliche Gesellschaft entstehen. Obgleich er selbst nicht die Kraft zu dieser Imitatio hatte, ließ er sich dennoch nicht verleiten, von einer gewalttätigen Administration das Glück zu erwarten.

Hart stritt er mit denen, die das Paradies gewaltsam zu stürmen hofften. Einer von ihnen, der nach Sibirien verbannte Revolutionär S. J. Muntyanov, antwortete ihm einmal: »Es ist schwer, Leo Nikolajewitsch, mich umzuschaffen. Dieser Sozialismus ist mein Glaube und mein Gott. Kein Zweifel, Sie wollen auf dasselbe hinaus wie wir. Aber Ihre Taktik ist die Liebe, während wir, wie Sie sich ausdrücken, Gewalt anwenden.« – Inzwischen, siebenunddreißig Jahre nach dieser Korrespondenz, hat sowohl die Taktik der Liebe als auch die Taktik der Gewalt neue Mißerfolge zu verzeichnen gehabt. Was aber gegen Tolstois Appelle: lebe nach den Worten der Berg-Predigt! am meisten spricht, ist – daß er selbst, der Begnadetste unter seinen Zeitgenossen, dazu nicht imstande war.

Wer soll da eine Chance haben auf diesem Weg zum Glück?

Tolstoi lehnte ebenso heftig wie die Diktatur des Proletariats einen anderen Weg zum Glück ab, der gerade in seinen Tagen so glänzend illuminiert war wie nie zuvor: die Diktatur des Schönen Scheins. Und es ist vielleicht der aufregendste Zug in der Geschichte seines Glücklichseins: daß der größte Romancier des Jahrhunderts, der Millionen Roman-Leser mit Glück füllte, selbst nicht glücklich werden konnte in seiner weiten Welt aus Schönem Schein; ja, daß er diesen Schönen Schein als häßlichen Betrug wütend haßte – weil er ihn nicht erlöste. Tolstoi war nicht nur ein Künstler wider Willen. Er war in unserer Epoche der erbittertste Feind der Künstler-Existenz.

Die Pragmatisten sagen seufzend: wieviel gute Romane mehr hätte er schreiben können, wenn er sich nicht auf Fragen wie: »Was sollen wir tun?« eingelassen hätte. Und sie haben recht – falls es richtig ist: daß jeder zu vollbringen hat, was er am besten kann; denn Tolstoi war ein hervorragender Erzähler und sehr schwach in der Analyse der Zeit-Problematik. Nur wissen die Pragmatisten – gleichgültig gegen das lebende Wesen und nur besorgt um das glänzende Warenlager – nichts von der Sehnsucht, vom Glück und vom Heil dieses Mannes. Und wenn sie von ihnen wissen, so halten sie diese sogenannten privaten Dinge für störende Faktoren beim Herstellen des Produkts. Er aber wurde seiner großen künstlerischen Leistungen nicht froh – weil sie ihm nicht genug leisteten.

Es hat in seinem Leben eine Zeit gegeben, wo er schrieb: »Ein Künstler hat nicht das Ziel, eine Frage unwidersprechlich zu lösen, sondern einen zu zwingen, das Leben zu lieben in allen seinen ›Äußerungen‹.« Damals erklärte er: er würde nicht zwei Stunden an einen Roman wenden, um seine Einstellung zu sozialen Fragen darzulegen – selbst wenn er sie lösen könnte. Dagegen würde er sein ganzes Leben und seine ganze Kraft hergeben, um einen Roman zu schreiben, der noch in zwanzig Jahren bei denen, die heute Kinder sind, Lachen und Weinen und Verliebtheit ins Leben hervorriefe... So glücklich-verliebt war er einmal gewesen. So sehr hatte er einmal sein Glück gefunden – in der Darstellung des Glücks.

Es gab in der Zweiten Hälfte des Neunzehnten Jahrhunderts einen Künstler, der den Weg zum Glück mit Hilfe des Schönen Scheins wirklich zu Ende schritt. Das ist Richard Wagner gewesen. Auch er fand (wie Tolstoi), daß es nicht genug ist, für ein paar flüchtige Stunden den Mann von der Straße auf einer glücklichen Flucht in irgendein Phantasie-Reich zu entführen. Aber er dankte deshalb nicht ab als Künstler. Er ging in die diametral entgegengesetzte Richtung: er errichtete eine sehr radikale Diktatur des Schönen Scheins – mitten in Bismarcks Reich der gar nicht schönen Wirklichkeit. In Deutschland, genauer: in Bayern, genauer: in Bayreuth wurde der Schöne Schein ganz irdisch. Bayreuth war nicht eine Stätte für besonders gute Wagner-Aufführungen – sondern eine Oase des Glücks in der Wüste der Kasernen und Fabriken. Richard Wagner war ganz gewiß auch (in den Kategorien der Arbeitsteilung) ein Musiker, ein Dichter, ein Philosoph, ein Sozialreformer und manches andere dazu. Aber alles dieses war er nur auch. Vor allem war er der Gründer einer Glücklichen Gesellschaft. Bayreuth war ein anderes New Harmony, ein New Harmony mit anderen Mitteln, mit einem anderen Heils-Apparat. Der Heils-Apparat von New Harmony war eine Konstitution. Der Heils-Apparat von Bayreuth war das Gesamt-Kunstwerk. Gemeinsam war ihnen nicht nur, daß beide sehr schnell scheiterten – sondern daß beide den Alltag wegzudrängen suchten.

Dabei war Bayreuth (selbst der Idee nach) nicht ganz so radikal. Bayreuth machte nicht den Anspruch, mehr zu sein als ein Eiland des Glücks in einer Flut von Glücklosigkeit. War aber doch mehr als eine Utopie. Bayreuth war wirklich auf der Landkarte. An jenem kleinen Flecken, der Bayreuth hieß, blendete der Schöne Schein mit den brennendsten Farben den unerträglich grauen Alltag weg, übertönte der Schöne Schein mit unwiderstehlich-herrischen Harmonien die monotone Disharmonie des Alltags. Bayreuth war (der Idee nach) das sinnlichste Kloster, das ein gewalttätiger Künstler, einbrechend mit seiner Kunst in das fremde Reich der Wirklichkeit, in eine höchst greifbare Einöde hineingestellt hat. Jene artistischen Veranstaltungen der Renaissance, die das Leben mit Wasserspielen und ähnlichen Scherzen verschönerten, sind, verglichen mit Bayreuth, nur harmlose gesellschaftliche Arabesken gewesen. Sie waren nie die Negierung des realen Lebens – das sie vielmehr festlich dekorierten.

Bayreuth war das Unternehmen eines diktatorischen Poeten: mit Poesie – die Realität in Zeit und Raum zu verdrängen. Doch gerade dieser mächtigste Versuch zeigte ein für allemal: man kann sich nicht in Opern glücklich absperren, auch nicht in Mythen – auch nicht in mythologischen Opern. Man kann sich nicht in einer Schöpfung des Geistes abriegeln vor dem Unglück des Daseins; selbst dann

nicht, wenn diese·Schöpfung von allen Künsten üppig ge-
speist wird. Bismarcks Reich war stärker als Wagners ›Ge-
samtkunstwerk‹. Ja, Wagners lautes, buntes, geistreiches
Gespinst war zum guten Teil nur ein farbiger Abglanz des
Reichs. Siegfried verlor den Kampf gegen das Gold; denn
er war ein Kind dieses Goldes, und zwar ein besonders
freches. Die ästhetisch-philosophische Erlösung ist wie ein
Aufstieg im Flugzeug: die Erde diktiert dennoch die Gesetze.

Tolstois Weg führte nicht nach Bayreuth – zur Diktatur
des Schönen Scheins. Er war Bayreuths größtes lebendes
Gegen-Prinzip. Er beschimpfte den Schönen Schein als Zeitvertreib für wohlhabende Müßiggänger. »Kunst ist eine Lüge«, schrieb er sehr früh, lange vor seinen großen Werken;
»ich kann nicht länger in einer Lüge leben.« Und zur Zeit
der ›Anna Karenina‹ hieß es: »Ich kann mich nicht
losreißen von lebenden Wesen, um mir über eingebil-
dete den Kopf zu zerbrechen.« Und während Wagner mit
Siegfried und Parzifal den deutschen Spießer wegblendete
(da er ihn nicht ausrotten konnte) – waren Tolstoi die
Rangen der Umgegend wichtiger als der Fürst Kutusow
und die Prinzessin Marja und der mystische Freimaurer
Pierre. Er verachtete noch das Beste, was er geschrieben
hatte (ebenso wie den ›Hamlet‹ und Beethovens ›Neunte‹)
als schlechte Kunst, als Gaumen-Kitzel für verwöhnte Para-
siten.

Schon die Zeitgenossen haben das nicht ertragen, haben
leidenschaftlich Stellung genommen für den verehrten Autor
von ›Krieg und Frieden‹ – gegen den Bilderstürmer, gegen den Schuster Tolstoi. Allen voran Turgenjew. Seinen
letzten Brief an Tolstoi schrieb er vom Totenbett, im Juni
1883. Lieber Tolstoi! Ich kann nicht wieder gesund werden;
»es hat keinen Sinn, sich das einzureden . . . Ich schreibe vor
allem an Sie – um Ihnen zu sagen, wie glücklich ich bin,
daß ich Ihr Zeitgenosse sein durfte. Ich schreibe Ihnen aber
auch, um eine letzte aufrichtige Bitte an Sie zu richten.

Mein Freund! Kehren Sie zur Schriftstellerei zurück! Diese Gabe haben Sie erhalten von dem, von welchem auch alles andere kommt! Ach, wie wäre ich glücklich, könnte ich denken, daß mein Appell Erfolg hat.«

Er hatte keinen Erfolg. Tolstoi verglich die, welche seine künstlerische Begabung bewunderten, mit den Bewunderern einer alten französischen Hure, die immer wieder darauf zurückkommen: »Ach, wie göttlich Du Deine Chansons brachtest und Deine Röcke in die Höhe zu werfen wußtest.« Er hatte andere Sorgen als eine Roman-Schreiberei, die ihm seine Sorgen nicht nehmen konnte.

Die Kunst, seine mächtige Kunst war ohnmächtig gegen das, was ihn plagte. Tolstoi gestand sich ein, was Wagner sich zu verheimlichen suchte: daß die blutig-graue Welt zu fest gegründet ist, um von Schopenhauerscher Philosophie, aufgelöst in einen Katarakt von Harmonien, weggeschwemmt zu werden. Tolstoi haßte die Kunst, seine eigene mächtige Kunst, weil sie den Künstler und seine Gemeinde ablenke von dem, was not tut.

Mein Freund! Kehre zurück zur Literatur! Zwei Monate nach diesem Appell war Turgenjew gestorben. Tolstoi lebte dann noch fast dreißig Jahre, ohne, von gelegentlichen Eskapaden abgesehen, zur Turgenjewschen Literatur zurückzukehren.

In diesen dreißig Jahren war er angestrengt her hinter dem mühelosen Glück, das der Glückliche Anarchist in der Bergpredigt gelehrt hatte. Und weil der unselige Jünger es nicht in sich bringen konnte, ließ er sich für die Ewigkeit neben den ›Grünen Stock‹ legen. Das war die äußerste Nähe, die ihm vergönnt war. –

Einer seiner Zeitgenossen hat in seinem Testament feierlich niedergelegt: »Tolstoi schenkte mir das Glück.« Die großen Glücks-Spender sahen alle nicht sehr glücklich aus. Wie nur konnten sie da eine Wirkung haben, die gar nicht zu stimmen scheint zu ihren sorgen-durchfurchten Gesichtern? Ja, die großen Glücks-Spender brachten denen, die ihnen folgten, oft unermeßliches Unglück. Da der Zar und seine Polizei sich nicht an den russischen Heiland herantrauten, suchte man ihn in seinen Anhängern zu treffen. Und es half ihnen wenig, daß ihr Tolstoi ihnen ins Gefängnis schrieb: er wäre glücklich, wenn er an ihrer Stelle sitzen dürfte. Sie wurden aufgerieben in jungen Jahren – und er wurde uralt auf seinem Gut.

Wie also machte er sie glücklich? Er, der Unselige, brachte den Hoffnungslosen die Frohe Botschaft: daß die menschliche Kraft, das Glück zu wollen, noch nicht aufgezehrt ist. Tolstoi machte den Seinen Mut zum Glücklichsein.

Es bedarf allerdings mehr als des Muts. Man muß es auch können. Vor dieser ersehnten Kunst des Glücklichseins sind alle bisherigen Gedanken, die es vordachten, und alle bisherigen Experimente, die es vorweg-nahmen, erst erste Entwürfe gewesen.

XII

Die Freunde des Epikur und ihre Gegner

Der erste Gegner:
Die Lehre von der Negativität des Glücks

Die glücklichen Schöpfer des Unglücks

Die Vorstellung vom Glück, die Sorge ums Glücklichsein ist auch dort anwesend: wo das Unglück im Vordergrund zu sein scheint; wo das Glück wegdisputiert, verkleinert, geringgeschätzt, verachtet wird. Ja, vielleicht sind die intimsten Zeugen der Existenz jener Unruhe zum Glück die Philosophen, die von Aristoteles bis zu Kant und Hegel mehr frostig oder mehr feindlich dieses Glück traktierten; es zwang sie zur Anerkennung oder mobilisierte gegen sie die mächtigsten Gegner.

Es war in diesem Buch schon viel die Rede vom Unglück; denn das Glück hat auch immer die Farbe des spezifischen Unglücks, über das es triumphiert.

›Das Unglück‹ – ist nicht ein Mosaik, zusammengesetzt aus vielen Arten von Unglück, die einen aparten Namen haben. Die, welche sich getrieben fühlten, ihren Zahnschmerz, ihre unglückliche Liebe und ihre Trauer über den bestialischen Zustand der Menschen-Welt zusammenzuaddieren zu einer mythischen Größe – schufen ›Das Unglück‹. Wer fühlte sich getrieben?

Unter den Unglücklichen waren welche, die besonders unglücklich waren – und besonders schön klagen konnten. Sie hatten eine ungewöhnliche Begabung, zu leiden – und es zu sagen. Sie sammelten in sich das Unglück der Jahrtausende – und schrien es hinaus in bewegenden Melodien. Sie sind die eigentlichen Schöpfer des Unglücks gewesen. Sie schufen es aus ihren Schmerzen und Ängsten und aus den Katastrophen, deren Zeitgenossen sie waren. Sie sagten dann – wie der Dichter Georg Büchner: »Das leiseste Zucken des Schmerzes, und rege es sich in einem Atom, macht einen Riß in der Schöpfung von oben bis unten.« Oder sie sagten – wie der Dichter Baudelaire: »Christus hat niemals gelacht.« Der niemals lachende Christus, Shakespeares Tragödien, Schopenhauers Gieriger Weltwille haben ›Das Unglück‹ geschaffen. Es ist ein Mythos, die donnernde Resonanz vieler schlimmer Ereignisse.

Was hat dies mythologische Unglück zu leisten? Die Unglücklichen zu erleichtern. Sie erleichterten sich zum Beispiel, indem sie maßlos übertrieben. Es hilft, lauter zu stöhnen, als nötig ist; der stärkere Schmerz, den ich darstelle, und über den ich deshalb Macht habe, drängt den schwächeren Schmerz, den ich fühle, und über den ich keine Macht habe, in den Hintergrund. (Schrien deshalb Homers Helden so laut?)

Die Unglücklichen erleichterten sich, indem sie aus der Wirklichkeit flohen – in phantasierte Welten, in gedachte Welten: in gemachte Welten. In ihnen war Schmerz und Leid überlebensgroß. Aber man befreit sich vom Druck, indem man ihn artikuliert: poetisch, philosophisch. Artikuliertes Leid ist weniger Leid als stummes Leid. Die großen Klager klagten – sich zur Beruhigung:

Und wenn der Mensch in seiner Qual verstummt,
Gab mir ein Gott, zu sagen, wie ich leide.

Beim Sagen verwandelte sich das leidende Geschöpf Goethe in den Leid-gestaltenden Schöpfer. Michelangelo verriet, daß er so nicht nur sich befreite, sondern auch noch beglückte:

Ich leb’ vom Tod, und wenn ich’s recht verstehe,
So leb’ ich glücklich durch mein Unglück eben.

Sie erleichterten sich auch als Denker, indem sie dem
Schmerz und dem Leid nach-dachten – und sich so aus
Leidenden in Nach-Denkende, dem Unglück Nach-Denkende verwandelten. Und oft lag die Erleichterung viel mehr
im selig distanzierenden Denken – als in der besonderen
Deutung des Unglücks. Wenn man Thomas von Aquino
beim Wort nimmt, so ist eigentlich nicht der Christ, sondern
der Theologe – der glückliche, das heißt hier: vom Unglück
erlöste Mensch. Er folgert folgendermaßen:

> *Gott zu erkennen ist das Ziel jedes*
> *intelligenten Wesens.*
> *Nun nennt man das Ziel des Menschen und jedes*
> *intelligenten Wesens Glück oder Seligkeit.*
> *Deshalb ist die äußerste Seligkeit oder das*
> *äußerste Glück jedes intelligenten Wesens:*
> *Gott zu erkennen.*

Das Erkennen ist eine der großen Praktiken gewesen, die
elende Kreatur aus der Sphäre der leidvollen Kreatürlichkeit zu befreien. Das Erkennen ist ein eminenter Talisman
gewesen. Schopenhauer begriff das sehr früh. In einem Gespräch mit dem greisen Dichter Wieland sagte der junge
Unglückliche: »Das Leben ist eine mißliche Sache: ich habe
mir vorgesetzt, es damit hinzubringen, über dasselbe nachzudenken.« Er dachte nach – und wurde um so glücklicher,
je älter er wurde. Mit Zweiundsiebzig wünschte er, Hundert
zu werden. Das Nachdenken erwies sich als ein brauchbarer
Panzer gegen die Pfeile des Unglücks.

›Das Unglück‹ ist also in die Welt gekommen als poetische
und philosophische Mythe – die das reale Unglück schwäch-
te, indem sie es überlebensgroß gestaltete. Das monumentale
Abbild entkräftete das weniger großartige Urbild. Und es
waren vor allem die radikalen Kreuzzügler gegen das Unglück, die den Plural, die Unglücke, nicht gebrauchen konnten: weil man es nur dann entscheidend treffen kann, wenn
es in einer Ur-Sache, in einem Ur-Ereignis oder in einer Ur-

Person greifbar ist. So forschten sie gern nach dem Ur, dem Beginn alles Bösen. Es muß einen Beginn in der Zeit gehabt haben; denn nur, wenn es nicht ewig ist, kann es zerstört werden. Buddha antwortete auf diese Frage nach dem Beginn – mit ›dem vornehmen Schweigen des Weisen‹. Auch die Upanischaden sagten nur sehr zurückhaltend: »In dem, was war, erwachte die Gier.« Ein später Schüler, Schopenhauer, drückte das so aus: »Man kann auch unser Leben auffassen als eine unnützerweise störende Episode in der seligen Ruhe des Nichts.«

Die jüdisch-griechisch-christliche Welt stellte die Herkunft des Unglücks nicht so behutsam – und plastisch dar: in der Schlange und in der Büchse der Pandora und im Teufel. Die biblische Geschichte vom Sündenfall teilt mit: wann und wo und wie eigentlich ›Das Unglück‹ begonnen hat. Da gab es im Paradies drei Wurzeln, aus denen es wuchs: eine lag im Reich der Pflanzen (der Baum der Erkenntnis), eine im Reich der Tiere (die Schlange) und eine im Reich der Menschen (Adam und Eva); alle lagen also im Bereich des Lebens. Durch ihr Zusammenwirken entstand dann die Welt, in der die Frauen Geburts-Schmerzen haben und in Abhängigkeit leben von ihrem Mann; und in welcher der Mann nur mit Kummer zu seinem Brot kommt. Die immer wiederkehrende Vorstellung der gründlichen Kreuzzügler gegen das Unglück ist: es hat sich einst im Universum ein entsetzlicher Vorfall ereignet, auf den das ganze Unglück zurückgeht. Das ist der Monotheismus der Metaphysiker des Unglücks. Der Eine Teufel ist das Pendant zum Einen Gott – und erfüllte eine ebenso wichtige Funktion.

Hinter den Spekulationen von der Geburt des Unglücks steckte ein sehr zielbewußter Wille. Wenn ich mich nicht damit begnüge, eine Seuche zu heilen oder eine Schul-Reform durchzuführen – wenn ich, überwältigt von dem Unglück in der Welt, mir vorsetze, es in seiner Gesamtheit aufzuheben: so muß ich es auf einen Generalnenner bringen – auf einen persönlichen, z. B. den Teufel, oder auf einen begrifflichen, z. B. die Gier. Nur wenn das Unglück einen einzigen Kopf hat, kann ich es entscheidend treffen: eine Hydra ist unbesiegbar. Dieser Kopf hatte schon viele Namen: zum Beispiel ›Ahriman‹, zum Beispiel ›Vernunft‹, zum Beispiel ›Unaufgeklärtheit‹, zum Beispiel ›Materialismus‹, zum Beispiel ›Klassenkampf‹. Mit allen diesen Namen versuchten die Gründlichen, den Polytheismus des Unglücks zu verwandeln in den Monotheismus des Unglücks – und das Unglück so manipulierbar zu machen. Sie suchten ein festes, begrenztes Ziel – für einen tödlichen Hieb gegen das Unglück.

Man hat mit dem Mythos vom Unglück aber auch das Glück verdunkelt. Mit diesen Verdunkelungen hat es dies Kapital zu tun.

Die Theorie von der Negativität des Glücks

Die Beziehung zwischen Glück und Unglück ist vor allem gedeutet worden von zwei Theorien, die große Popularität erlangten.

Die eine ist aufbewahrt in der Sprache, die redet vom Glück und vom Un-Glück. Glück ist das Positive, Un-Glück das Negative. Un-Glück hat nur einen Sinn, bezogen auf Glück. Glück ist das Selbstverständliche. Das Dasein des Unglücks bedarf einer Erklärung. In der Schöpfungs-Geschichte wird nicht das Paradies verständlich gemacht – wohl aber der Sündenfall. Glück ist Glück. Un-Glück ist eine Abwesenheit, eine Störung, eine Beraubung. Das ist die eine Theorie. Man könnte sagen: die naive, welche die Sprache heimlich insinuiert.

Die andere rückt das Un-Glück ins Zentrum – und sucht das Glück als etwas Sekundäres aus ihm abzuleiten. Glück ist gewissermaßen, um sprachlich eine Parallele herzustellen: Un-Unglück. Diese Lehre wuchs aus bescheidenen Wurzeln. Am letzten Tage seines Lebens machte Platons Sokrates eine Erfahrung, die ihn sehr überraschte. Der Gefängniswärter hatte ihm die Ketten abgenommen. Er setzte sich auf, rieb sich das Bein, in welches das Eisen tief eingeschnitten hatte, empfand dabei ein großes Wohlbehagen und sagte: welch eine seltsame Verknüpfung von Schmerz und Lust. Man sollte meinen: Schmerz sei das Gegenteil von Lust. Jetzt aber, wo man mir die Fesseln abgenommen hat, spüre ich: Lust entsteht aus dem Aufhören von Schmerz.

Dies Erlebnis des Sokrates hatte eine große Zukunft. In Tolstois ›Krieg und Frieden‹ gerät der Held, Pierre, ein wohlhabender russischer Aristokrat, in französische Kriegsgefangenschaft. »Erst jetzt«, heißt es im Roman, »lernte Pierre zum erstenmal in vollem Umfange den Genuß des Essens schätzen, wenn er hungerte, den Genuß des Trinkens, wenn er dürstete, den Genuß des Schlafens, wenn er müde war, den Genuß der Wärme, wenn ihn fror, den Genuß des Gespräches mit einem Mensch, wenn ihn verlangte, mit jemand zu reden und eine menschliche Stimme zu hören. Die Befriedigung der Bedürfnisse (gute Nahrung, Reinlichkeit, Freiheit) erschien ihm jetzt, wo er dies alles entbehren mußte, als das vollkommene Glück.«

Die Aufhebung der Entbehrungen ist das vollkommene Glück – das war nun schon ein beträchtlicher Schritt über Sokrates hinaus. Zu der Zeit, da diese Tolstoi-Sätze geschrieben wurden, hatte Schopenhauer bereits die Metaphysik des Unglücks fertig. In seiner Schrift ›Parerga und Paralipomena‹ heißt es: »Wie wir die Gesundheit des Leibes nicht fühlen, sondern nur die kleine Stelle, wo uns der Schuh drückt, so denken wir auch nicht an unsere gesamten, vollkommen wohlgehenden Angelegenheiten, sondern an irgend eine unbedeutende Kleinigkeit, die uns verdrießt. Hierauf beruht die von mir öfter hervorgehobene Negativität des Wohlseins und Glücks, im Gegensatz zur Positivität des Schmerzes.« So sah Schopenhauer das Glück eines Lebens nicht in ›dessen Freuden und Genüssen‹, sondern in ›der Abwesenheit der Leiden als des Positiven‹.

Und so sahen es viele Verwundete vor ihm und nach ihm. Was ist die Höhe des Glücks? Die Summe von hundert Negationen: kein Krieg und kein Bürgerkrieg und kein Krebs und keine Arbeitslosigkeit. Wie sind die Freunde des Epikur mit der Lehre von der ›Negativität des Wohlseins und des Glücks‹, dem größten ideologischen Hindernis auf ihrem Weg, fertig geworden?

Im Neunzehnten Jahrhundert versuchten sie es biologisch und soziologisch wegzudisputieren. Lebt diese glücksfeindliche Lehre, die vor Unglück das Glück nicht sieht, nicht immer von Schwachen, Kranken und Alten, von Häßlichen, Erfolglosen und Gescheiterten? Nietzsche nannte sie die Schlechtweggekommenen. In ihnen entdeckte er die Erfinder, die Propagandisten, die Interessenten der Metaphysik des Trübsinns. Sind nicht, fragte man, auffallend viele Verkünder des Pessimismus Letzte ihrer Familie, Degenerierte: Vigny und Musset, Toulouse-Lautrec und Lecomte de Lisle, Leopardi, Eduard Graf Keyserling und Rilke? Und was ist eine Interpretation des Glücks wert, die gewachsen ist auf dem Boden einer geschwächten Vitalität – welche mit dem Unglück nicht fertig werden kann?

Und sie wuchs immer, ergänzten die Soziologen, auf dem Boden einer wackligen Gesellschaft. Es gibt im Leben der Nationen Zeiten der Todes-Angst – da schreiben die großen Schwarzseher: Kohelet klagte gewaltig im Jüdischen Reich des Zweiten Jahrhunderts vor Christi Geburt, als die Existenz seines Volkes höchst gefährdet war; und Augustinus schrieb alle Ängste des Imperium Romanum auf, als die Barbaren im Vierten Jahrhundert nach Christi Geburt das Reich überschwemmten. Wenn die herrschende Schicht einer Gruppe wahrnimmt, daß es mit ihr zu Ende geht, dann malen die Larochefoucaulds und Heinrich Heines den Untergang ihrer Schicht – als Welt-Untergang.

Die Psychologie des Ressentiment und die Psychologie der Depression einer abrutschenden Klasse erhellt ganz gewiß sehr viele Quellen von sehr viel buddhistischem, christ-

lichem, rousseauistischem und schopenhauerischem Trüb-
Sinn. Aber kann diese Psychologie die These von der ›Negativität des Wohlseins und des Glücks‹ aus der Welt schaffen?
Sie kann nur eine Reihe interessanter Zusammenhänge auf-
decken: zwischen dem Mangel an Vitalität eines Menschen,
der schlimmen Situation seines Volks, dem Verfall seiner
Schicht – und der pessimistischen Metaphysik, die er verkündet oder bekennt. Mehr nicht.

Die Freunde des Epikur haben jedoch gegen die mächtige
Lehre von der ›Negativität des Wohlseins und des Glücks‹
ein unwiderlegliches Argument: sowohl Buddha als auch das
Christentum als auch der nach-christliche Kultur-Pessimismus bezeugten die Positivität des Glücks. Und das ist
nur deshalb verdeckt, weil die Bilder, die sie vom Unglück
malten, so unvergeßlich sind.

Buddha, der Glückliche

Unter den vielen Bei-Namen des tief unglücklichen Buddha
heißt einer: ›Der Glückliche‹.

Was machte ihn glücklich? ›Die Seligkeit der Erlösung
genießend‹ war er glücklich.

Man kann von etwas erlöst werden und – zu etwas.
Beide Erlösungen machten ihn glücklich. Er wurde vom Unglück erlöst – zu etwas, zu dem sich der Zugang erst
öffnete nach der Befreiung vom Unglück. Das negative
Glück dieses Mannes, das von den grellen Farben des Unglücks laut gemalt worden ist, hat sein positives Glück über-
deckt.

Man kann nicht die Seligkeit des Aufhörens von Schmerz
und Leid ein Leben lang selig genießen. Sokrates hätte ganz
gewiß nicht einmal einen ganzen Tag nur darüber glücklich
sein können, daß die Kette nicht mehr in den Schenkel
kniff. Eine halbe Stunde nach seiner Bemerkung hatte er
gewiß schon den glücklichen Schenkel vergessen. Wenn der

Glückliche Buddha die Seligkeit der Erlösung genossen hatte – dann beseligte ihn nicht nur eine Abwesenheit, sondern auch noch eine Anwesenheit. Und ebenso verhielt es sich mit dem Schüler Schopenhauer – auch wenn es nicht in seinem System unterzubringen war.

Der indische Eigen-Name des Buddha-Glücks hieß: Nirvana. Nirvana ist nicht nur Nichts, die Ausleerung allen Unglücks – sondern auch etwas sehr Seiendes: das besondere Glück, welches das Erlöstsein zur Fülle einem lebenden Wesen schenkt. Dieses Erlöstsein zur Fülle erlebt mancher schon, wenn er am Ende des Tages das Licht ausdreht – und es fallen die Kulissen des Tages, die ihm die Fülle verstellt haben. Nirvana ist das Erlebnis eines irdischen Wesens – und ein Erlebnis der Erde, für das jeder Mystiker seinen eigenen Namen hatte. Das Mystiker-Glück Nirvana ist nichts Mysteriöses. Jeder Bergsteiger kann es erfahren. Er hält keuchend inne auf der Spitze des Berges, wird plötzlich angefüllt mit einem gewaltigen Atem, der durch ihn hindurchzieht in der Gegenwart von Sternen und ewigem Schnee – und genießt (wie Buddha) die Seligkeit der Erlösung. An dieser Seligkeit ist beteiligt alles, was die Augen, die Ohren, die Nase und alle anderen tausend Sinne einbringen konnten. Man erfährt die Erlösung auch, ohne auf Berge zu steigen: man steht auf der blühenden Heide, die Augen schmiegen sich an die sanfte Hügel-Kette im Norden – und das Glück der Erlösung zieht ein. Die großen Mystiker brauchten nicht die Spitzen der Berge und die rötlich-blühende Heide, um erlöst zu werden. Sie übten den Aufschwung ins Glück und brachten ihn ohne Requisiten zuwege. Sie waren wie die großen Dichter, sie trugen die Fülle des Lebens in sich – und glaubten deshalb bisweilen, daß die Erde und die Sinne nicht beteiligt seien an ihrem Glück.

Nichts anderes als dieses Glück hielt Buddha für lernenswert. Wir sind alle (lehrte er die Seinen) Blindgeborene, die einen Elefanten betasten: der eine faßt den Kopf, der andere den Rüssel, ein Dritter den Schwanz. Und nun heißt es: »Der Elefant sieht so aus! – Nein! Der Elefant sieht so aus!« Vor allem aber lehrte er nichts über das Aussehen des Elefanten, weil er es für ganz unwichtig hielt.

Was ist wichtig? Zu einer Zeit, so wird berichtet, weilte der Erhabene zu Kosambî im Sinsapâwalde. Er nahm einige Sinsapâblätter in seine Hand und sprach zu den Jüngern: »Was meint Ihr, Ihr Jünger, was ist mehr, diese wenigen Sinsapâblätter, die ich in die Hand genommen habe, oder die anderen Blätter droben im Sinsapâwalde?« – »Die wenigen Blätter, Herr, die der Erhabene in die Hand genommen hat, sind gering, und viel mehr sind jene Blätter droben im Sinsapâwalde.« – »So auch, Ihr Jünger, ist das viel mehr, was ich erkannt und Euch nicht verkündet, als das, was ich Euch verkündigt habe. Und warum, Ihr Jünger, habe ich Euch jenes nicht verkündet? Weil es Euch, Ihr Jünger, keinen Gewinn bringt, weil es nicht den Wandel in Heiligkeit fördert, weil es nicht zur Abkehr vom Irdischen, zum Untergang aller Lust, zum Aufhören des Vergänglichen, zum Frieden, zur Erkenntnis, zur Erleuchtung, zum Nirvana führt: deshalb habe ich Euch jenes nicht verkündet.« Dann fragte er weiter: »Was, Ihr Jünger, habe ich Euch verkündet? Was die Entstehung des Leidens ist, Ihr Jünger, habe ich Euch verkündet. Was die Aufhebung des Leidens ist, Ihr Jünger, habe ich Euch verkündet.«

Die beiden letzten Sätze hätten auch Epikur und Marx und Freud sagen können. Sie haben zum Beispiel die Aufhebung der Furcht vor den Göttern und die Aufhebung der Ausbeutung und die Aufhebung der Angst-Neurosen verkündet. In der buddhistischen Spruch-Sammlung Dhammapada heißt es: »Sei nicht befreundet mit der Welt!« Zerbrich alle Fesseln: die Dummheit ist eine Fessel, die Gier ist eine Fessel, der Aberglaube an das Individuum ist eine Fessel ... Ist das nicht die Vorwegnahme der europäischen Aufklärung gewesen von Epikur bis zu Nietzsche – der (ganz in Sinne Buddhas) im Individuum ›eine bescheidene und unbewußte Art des Willens zur Macht‹ fand?

Buddha war ein gewaltiger Aufklärer, kein lebensfeindlicher Nihilist. Buddha, der Glückliche, wollte nichts wissen von jenen unglücklichen Asketen, die bei ihren Fuß-Bädern vor Kälte zitterten. »Da müßten ja alle Frösche und Schildkröten in den Himmel kommen, die Wasserschlangen und die Krokodile und was sonst in den Wassern lebt!« Der Glückliche lehnte jede Selbst-Vergewaltigung ab; denn sie führe zum Unglück der vergewaltigten Kreatur – nicht zum Glück des Nirvana.

Er war kein Feind des Epikur. Er war allerdings auch kein Wegbereiter auf dem Wege zum Glück. Denn er beantwortete nicht die Frage: wie kann man aller Abhängigkeit ledig werden, wie kann man erlöst werden – während des Lebens? Wie kann man die absolute Freiheit lebend genießen – und nicht nur in einer Illusion von Minuten? Wie kann der glückliche Zustand Nirvana – der lebenslängliche Zustand eines Menschen sein? Wie kann man das Leben verneinen – und zugleich leben in dauerndem Glück?

Dies Paradoxon zeigt an, daß er nicht nur das Unglück verneinte (und deshalb das Leben), sondern daß er auch noch das Glück bejahte (und deshalb das Leben). Er war konsequenter, als man es je in Europa gewesen ist: er nahm keinen Bezirk des Daseins vom Unglück aus. Und er fiel seiner Konsequenz nicht zum Opfer: weil er ein Glücklicher war.

Die Enthusiasten des Glücks haben in ihm nicht den großen Gegner. Und einen besseren Freund als in manchem Illusionisten, der die Dunkel nicht bei Namen zu nennen wagt.

Christ und Epikur

Der Heilige Augustinus und der gar nicht heilige Marx hatten mindestens eine Liebe gemeinsam: Epikur. Und vielleicht hat der Glücks-Enthusiasmus des Epikur stärker als das Ressentiment der Schlechtweggekommenen christliches Fühlen und Denken geprägt.

Das Unglück herrschte auch hier – im Vordergrund. Man lebte im Tal des Jammers – und litt viel. Unter Ambrosius wurde (nach orientalischem Brauch) das Singen der Hymnen und Psalmen eingeführt, damit das Volk nicht durch übermäßige Trauer erschlaffe. Das klassische Buch christlicher Lebens-Verneinung, die Schrift des Papst Innocenz III.: ›Über die Verachtung der Welt und über das Elend des Menschen‹, ist eine Inventur des Jammers. Selbst die Renaissance, die zu Unrecht für eine Epoche des unbekümmerten Lebensgenusses gehalten wird, war beherrscht von christlichen Ängsten. Petrarca gab in seinem Bekenntnis »Der geheime Konflikt meiner Wünsche« ein tod-trauriges Bild vom menschlichen Dasein. Und diese tod-traurigen Christen überlebten die lustigsten Zeitalter; Kierkegaard war ein Zeitgenosse des Cancan.

Aber im christlichen Tal wurde nicht nur das Unglück schonungslos durchlebt und durchdacht. Es entsproß hier auch ein Glück, ein positives Glück, dessen Inbrunst kein Epikur und kein Seneca gekannt hatte. Es wurde zur Realität in der Gewißheit des glücklichen Jenseits. Das sehr fragile, von niemand und nichts garantierte Glück des Glücklichen Buddha ist immer nur Erlauchten zugänglich gewesen. Das christliche Jenseits war ein starkes, weites Bollwerk des Glücks, zu dem ein gutgebahnter Weg noch die Lahmsten brachte. Wer wissen möchte, wieviel sinnliches und nicht-sinnliches Glück ein Christ genießen konnte, lese das letzte Kapitel von Augustinus' ›Gottes-Staat‹. Und in dem ›Brief über das Glück‹, der an den Renaissance-Fürsten Lorenzo de Medici adressiert war, wies Marsilius Ficinus nicht auf die Werke des Michelangelo und die beglückenden Hetären als Quelle des Glücks hin – sondern auf das posthume Paradies. Wie aber die christliche Negierung des Unglücks verschmolz mit dem positiven Glück, das jeder Gegenwart vom kommenden Jenseits beschert wird – das wurde sehr anschaulich in dem Buch ›Von der Nachfolge Christi‹.

»Der so vielfach Bedrängte«, schrieb Thomas von Kempen, »ist nicht ohne Erleichterung und Trost: denn er fühlt, daß ihm aus der Ertragung seines Kreuzes die beste Frucht erwachse. Indem er sich unterwirft, wird die ganze Last der Trübsal in die Zuversicht des göttlichen Trostes umgewandelt. Und je mehr das Fleisch durch die Drangsal aufgerieben wird, desto mehr wird der Geist durch die innere Gnade gestärkt.« Das Unglück wird nicht aufgehoben – es gibt hier nicht dieses Glück des Losseins, von dem Sokrates am letzten Tage seines Lebens sprach. Das Unglück hat vielmehr eine Funktion: es treibt den Unglücklichen auf den Weg des Glücks.

Das ist keine blasse Beschönigung. Das ist kein leichtsinniges Nicht-wahr-haben-wollen. Das Unglück ist da – in seiner ganzen unerträglichen Faktizität. »Es ist nicht nach des Menschen Natur«, schreibt Thomas von Kempen, »das Kreuz zu lieben, den Leib zu züchtigen und in Unterwürfigkeit zu bringen, die Ehre zu fliehen, Beschimpfungen gerne zu ertragen, sich selbst gering zu achten und zu wünschen, gering geachtet zu werden, jede Art von Widerwärtigkeit zusamt den Schaden zu dulden und kein Glück in dieser Welt zu verlangen.« Das ist nicht nach des Menschen Natur. Der Nachfolger Christi preist es nicht; er weiß, was Schmerzen sind und Leiden – und liebt sie nicht. Er ist nicht pervers. Dennoch gibt er seinen Christen den Rat: drücke die Stacheln, welche dir wehe tun, noch an dein Herz! Weshalb? Um des Glücks willen! Wie? Du bist dann eins mit Ihm – nicht nur im Leiden, sondern (und darauf liegt der Ton) im Vorkosten künftiger Seligkeit. Tolstoi sagte später: sei eins mit Ihm im Genießen diesseitiger Seligkeit. Christus, der Glückliche, ist das Zentrum des Christentums; wie Buddha, der Glückliche, das Zentrum des Buddhismus ist. –

Es darf aber, ganz nebenbei, nicht verschwiegen werden,

daß diese Umfunktionierung des Unglücks von einem schlechthin Aufzuhebenden zu einem Vehikel ins Glück, zu einem Mittel der Identifikation mit dem Glücklichsten – noch einen anderen Aspekt hat. Es waren nicht nur sehr irdische Päpste, welche die Nachfolge Christi gepredigt haben: nicht um des Glücks willen, sondern um der Macht willen, die aus dem Verzicht entspringt. Jede Askese kann dreierlei sein: Befreiung von Fesseln um des Glücks willen, Selbst-Haß – und Tyrannisierung seiner Selbst als erste Stufe zur Welt-Beherrschung. Es war nicht erst der harte Herrscher Loyola, der diesen Weg eröffnete. Der sensitive Mystiker Thomas von Kempen schrieb: »Vertraust Du dem Herrn, so wird Dir Stärke vom Himmel herabgegeben, und es werden Deiner Herrschaft die Welt und das Fleisch unterworfen werden.« Das war alt-testamentarisch, jesuitisch, kalvinistisch – und ganz gewiß Buddha, dem Glücklichen, und Tolstoi, dem Nachfolger des Glücklichen Christus, ein Greuel.

Das Schwinden des Christentums hat die Welt des Menschen auch entdüstert. Bis zu einem Punkte entdüstert, daß man kaum noch ahnt, was einen Christus, einen Buddha beunruhigte. Im Jahre 1945 annoncierte eine Versicherungs-Gesellschaft: »Buddha, der als Prinz geboren war, gab seinen Namen, den Thron und seine Erbschaft auf, um die Ruhe des Gemüts zu finden. Wir aber haben nicht nötig, die Welt aufzugeben. Wir brauchen nur einen Lebensversicherungs-Agenten zu sehen.« Das Wort ›Ruhe des Gemüts‹ hat seinen alten vollen Sinn längst verloren. Die Düsternisse sind von einer Schein-Helle überlagert, von einer Jupiterlampen-Helle.

Die Seligkeiten, die zu den Düsternissen gehörten, sind seelenloser geworden. Man pflegt über das Dahinschwinden des Christentums zu klagen wie über das Nachgeben eines Deichs, der den wilden Wässern nicht mehr standhält. Man kann auch (wenn man eine höhere Meinung vom Christentum hat) über den Glücks-Verlust klagen. Denn Augustinus ist ein großer Freund des Epikur gewesen. Und es sind zwei Epikuräer gewesen, Nietzsche und Tolstoi, die in dem Jahrhundert, welches das Christentum vergeblich zu restaurieren suchte – als Christen lebten.

Die Glückliche Natur, das Glückliche Tier, der Glückliche Primitive

Als das Jenseits-Glück seine Macht über das Diesseits-Unglück einzubüßen begann, fand es einen Ersatz in jenem Glück, das trotz seiner Diesseitigkeit transzendent ist – transzendent vom Standpunkte des Menschen aus. Man schränkte das Unglück auf den Bereich des menschlichen Lebens ein – und verkündete (un-buddhistisch, un-christlich!): das Glückliche Tier.

Die alte Verkündung vom Glück der Tiere, die im XVI. und XVII. Jahrhundert wieder-erstand, hat zwei Funktionen erfüllt: das Elend des Menschen zu betonen – und das nicht-menschliche Leben vom Unglück auszunehmen. Was vorher das Jenseits geleistet hatte, wurde hier (unzureichender) noch einmal versucht: das Unglück wurde nicht geleugnet, wurde sehr dringlich zu Bewußtsein gebracht – und dennoch wurde der Unselige getröstet: auch er habe Anteil an einem Reich des Glücks. ›Die Glückliche Natur‹ rückte in die Lage des Glücklichen Christus: dem Menschen sein Unglück wenden zu können. Er sei zwar nicht glücklich, aber doch nicht ohne Hoffnung; denn auch er gehöre zu dem großen, friedlich-glücklichen Reich der Natur. Romantiker wie Hölderlin haben von diesem Glück gezehrt.

Das Glückliche Tier hatte bereits eine lange Geschichte, als es im XVI. Jahrhundert mit einem Buch wie den ›Paradossi‹ des Ortensio Landi und einigen Essais von Montaigne das Jenseits-Glück ablöste. Der Römer Plinius hatte in seiner ›Geschichte der Natur‹ die Ansicht vertreten, daß die Natur gerade den Menschen oft stiefmütterlich behandelt habe. Plutarch hatte in einer Abhandlung mit dem Namen ›Gryllus‹ nicht nur die höhere Moral der Tiere gepriesen – sondern auch ihr umfänglicheres Glück: die Zauberin Circe erlaubte dem Odysseus, sich mit einem Mann, den sie in ein Schwein verwandelt hatte, darüber zu unterhalten, ob der Mensch glücklicher sei als das Tier; und das Resultat lautete: Tiere sind nicht nur großmütiger und mutiger als Menschen und außerdem keine Spur spitzfindig – sie sind auch glücklicher. Anderthalb Jahrtausende später schrieb dann Montaigne: wer sah je einen Löwen einen Löwen bedienen oder ein Pferd ein Pferd?

Solches war oft nur gesagt: um den Menschen in seinem Größenwahn zu treffen. Das Preisen des Tieres bedeutete oft nicht mehr als eine Backpfeife für den hochmütigen Menschen. Doch zeigte sich schon im XVI. Jahrhundert jene Metaphysik, die dann im biologischen Optimismus Nietzsches und Wedekinds zur Umwertung aller Werte führte: zum Glück in der Erneuerung der menschlichen Kultur aus der tierischen Erbschaft.

Die Verherrlichung des Tiers ist unjüdisch, unchristlich, gegen die neo-platonische Tradition und gegen den Geist der europäischen Aufklärung. Descartes sah im Tier einen Automaten. Aber es gab eine Revolte gegen ihn. Fontenelle verhöhnte die Gleichsetzung von Tieren und Uhren. Boileau schlug in seiner ›Achten Satire‹ zurück: von allen Tieren auf Erden sei der Mensch das dümmste. Und Madame de Sévigné schrieb im Jahre 1672 an ihre Schwester: »Maschinen, die einander lieb haben, Maschinen, die eine Vorliebe haben, Maschinen, die eifersüchtig sind, Maschinen, die Furcht haben! Komm mir nicht damit! Du machst Dich über mich lustig! Niemals hat Descartes im Sinne gehabt, uns daran glauben zu lassen!« Von Montaigne bis Nietzsche war das ›Glückliche Tier‹ dann eines jener Zeichen, die verrieten, daß der christliche Himmel verödet war und einen neuen Bewohner suchte. Aber weder Montaigne noch irgendeiner seiner Zeitgenossen, noch irgendeiner seiner Enkel riet: die Wand zwischen Mensch und Tier niederzulegen. Niemand propagierte die Rückverwandlung ins Tier. An Stelle eines solchen Rates trat – vor allem im XVI. und XVII. Jahrhundert: die Verherrlichung des Glücks, das der Tier-ähnlichste Mensch genießt, der Primitive.

Auch den Glücklichen Primitiven gab es schon in der Antike. Sein Name war: der Skythe, der Hyperboräer, der Äthiopier. Im europäischen XVI. und XVII. Jahrhundert hieß er dann: der amerikanische Indianer. Ihn hielt man der unglücklichen Kultur-Menschheit als Verkörperung des Glücks entgegen. Und wie die Verehrer des Glücklichen Tiers das menschliche Geschlecht für eine unglückliche Abirrung hielten, so hielten die Verehrer des Primitiven die Kultur-Menschheit für die unglückliche Abirrung einer glücklicheren Menschen-Art.

In Montaignes Essay ›Über die Kannibalen‹ ist das Glück der glücklichen zeitgenössischen Primitiven breit ausgemalt. Amerika war vor etwa hundert Jahren entdeckt worden. Ein Reisender, der mehr als zehn Jahre in der Neuen Welt gelebt hatte, besuchte Montaigne und erzählte ihm von den Wilden jenseits des Ozeans. Es gibt also glückliche Menschen. Und Montaigne gab dem Wort ›Wilder‹ eine neue Deutung: »Sie sind wild, ähnlich wie wir die Frucht wild nennen, welche die Natur von selber aus ihrer gewöhnlichen Entwicklung heraus erzeugt hat, während wir doch in Wahrheit eher diejenigen wild nennen sollten, die wir auf künstlichem Wege verändert und aus der gemeinen Gattung abgeleitet haben. In jenen sind die wahren, nützlichsten und natürlichsten Kräfte und Eigenschaften lebendig und stark, welche wir in diesen entnervt und lediglich der Befriedigung unseres verdorbenen Geschmacks angepaßt haben.«

Vor dem unglücklichen Sohn einer sehr reifen Kultur tauchte das Bild ›natürlichen‹ Glücks auf. Diese Naturburschen da drüben haben »keinen Handelsverkehr, keine literarischen Kenntnisse, keine Wissenschaft der Zahlen, keine Titel für Behörden oder für politische Machthaber, keine Neigung zu Dienstleistungen, zu Reichtum oder Armut, keine Übereinkünfte, keine Erbschaften, keine Teilungen, keine anderen Beschäftigungen als müßige, keine andere Ehrfurcht vor der Verwandtschaft als die allen gemeinsame, keine Kleider, keinen Landbau, keinerlei Metall und keinen Genuß von Wein oder Getreide ... Sogar die Worte, welche Lüge, Verrat, Heuchelei, Geiz, Neid, Verleumdung, Verzeihung bedeuten, sind dort unbekannt.« So hat Montaigne das Glück, das er entbehrte, gemalt.

Peinlich war allerdings die Tatsache, daß diese Primitiven Kannibalen waren; und Montaigne verschwieg es nicht. Aber ist es nicht »barbarischer, einen noch voll und ganz fühlenden Körper durch Peinigungen und Höllenqualen zu zerreißen, ihn Stück für Stück braten und von den Hunden und Schweinen zerbeißen und zerquetschen zu lassen (... unter dem Deckmantel der Frömmigkeit und der Religion), als ihn zu braten und zu verzehren, nachdem er gestorben ist?« So weidete sich Montaigne recht ungestört an dem menschlichen Glück – ein paar tausend Meilen entfernt. Und da auch die körperlichen Nöte nichts sind als eine Folge unserer Kultur, so wunderte Montaigne sich nicht, zu erfahren: daß es »selten vorkommt, daß man dort einen kranken Menschen sieht«; es ist »niemand zitternd, triefäugig, zahnlos oder vor Alter gebeugt«. Ja, nicht einmal die Ehe ist lästig – erkannte der verheiratete Junggeselle. »Es ist ein merkwürdiger, schöner Zug in ihren Ehen, daß dieselbe Eifersucht, welche unsere Frauen an den Tag legen, um uns von der Freundschaft und dem Wohlwollen anderer Frauen abzuhalten, bei den ihrigen ganz ähnlich vorkommt, um diese ihnen zu erwerben.« Und erinnert es nicht an Schilderungen des Koran – und ähnliche Bestandsaufnahmen des Glücklichen Jenseits, wenn er mitteilt: »Der ganze Tag wird mit Tanzen zugebracht«? Diese amerikanischen Indianer haben alle Reize, »mit denen die Poesie das Goldene Zeitalter ausgeschmückt hat«.

Der unglückliche europäische Denker schrieb: »Es ist eine Pest, daß der Mensch glaubt: er wisse was.« Er blickte über das Meer – und sah deutlich den Weg: ins Paradies der Cherokees. –

Die Aera der glücklosen Buddhas

Die Welten Buddhas, Augustinus' und Montaignes sind dunkle Welten. Sie strahlen nicht vor Glück, sie sind von Unglück tief verhängt. Die Menschen, die in sie eintreten, wollen die traurige Wahrheit – nicht den lustigen Schein. Sie wollen wissen, wie man das Irdische ertragen kann – und erfahren dann viel mehr. Die Religion der radikalen Desillusionierung, die Religion des Kreuzes, die Metaphysiken des Unbehagens in der Kultur sind auch verkappte Glücks-Lehren. Glück ist (das machen sie sichtbar) die Summe von hundert Negationen des Unglücks – plus Glück. Dies positive Glück hat Schopenhauer nicht eingestanden, aber genossen. Und die Freunde des Epikur sollten die freudige Botschaft der Pessimisten verstehn – statt eine Kluft aufzureißen, die nur in Geschichten der Philosophie existiert.

Indes ist es nicht ganz so einfach. Manch Glück, das auf dem Trümmerfeld der Illusionen blühte, zerging selbst als Illusion. Rousseaus glücklicher Lockruf: Zurück in die Wälder! war solch eine Illusion. Seine Zeitgenossen, die englischen, französischen, deutschen Kolonisten Amerikas, gingen in die Wälder, sogar in die Urwälder – aber nicht zurück, sondern vorwärts. Sie suchten nicht ein idyllisches Glück, fern von der Zivilisation. Sie breiteten die böse Zivilisation noch aus. Und Rousseau selbst gestand, auf der letzten Seite seines Diskurses ›Über den Ursprung der Ungleichheit unter den Menschen‹: bei Leuten wie ihm hätten viele Leidenschaften die ursprüngliche Einfachheit zerstört; Leute wie er könnten nicht mehr von Eicheln leben. Seinesgleichen brauche bürgerliche Gesetze und Magistrate . . .

Das war im Jahre 1754. Mit dem Neunzehnten Jahrhundert begann dann die radikale Illusionslosigkeit, die offenbare Glücklosigkeit, die Aera der glücklosen Buddhas. Da schrieb der Dichter Amiel: »Ich fühle wie Buddha das große Rad sich drehn, das Rad der universellen Illusion, und in dieser Betäubung steckt eine wirkliche Angst. Isis hebt den Zipfel ihres Schleiers, und das Schwindelgefühl der Kontemplation schlägt den nieder, der das große Mysterium sieht. Ich wage nicht zu atmen, mir ist, als hinge ich an einem Faden über dem unergründlichen Abgrunde des Schicksals.« Die glücklosen Buddhas zerrissen den Schleier der Maya, gelangten aber nicht zum Nirvana; sie blieben in der Angst. Sie wurden nicht erlöst und machten sich Erlösung nicht vor. »Ich sehe nicht deutlich die Art des Übels und auch nicht die des Heilmittels«, klagte Amiel. Und in Flauberts ›Korrespondenz‹ heißt es: »Menschen wie unsereiner müssen sich zur Religion der Verzweiflung bekennen. Man muß seinem Schicksal gewachsen sein, das heißt unerschütterlich gleich ihm.« Diese Verzweifelten waren von der Unzugänglichkeit des majestätischen Unglücks paralysiert. Sie gaben auf. Sie setzten höchstens das drohende Rätsel in Worte. Die Vokabeln, die sie am meisten gebrauchten, lauteten: Nichts, Tod, Abgrund, Hoffnungslosigkeit, Leere, Ennui, Spleen. In Baudelaires ›Blumen des Bösen‹, im Gedicht ›Spleen‹, heißt es: »Nichts gleicht an Länge den langen Tagen, wenn unter den Flocken der schneeigen Jahre der Ennui, Frucht der düsteren Gleichgültigkeit, die Größe der Unsterblichkeit annimmt.« Und Flaubert fragt: »Kennen Sie den Ennui? Nicht diese gewöhnliche, banale Langeweile. Die, welche den Menschen in seinen Eingeweiden auffrißt, welche aus einem klugen Wesen einen Schatten macht, der umhergeht, ein Phantom, das denkt?«

Aber diese glücklosen Buddhas waren noch nicht der Gipfel der Glücklosigkeit. Sie waren verzweifelt, weil sie spürten, daß sie ohne Glück waren: diese Verzweiflung war ihr Anteil am Glück. Sie brachten noch glücklosere Enkel hervor. Die trinken nicht mehr Absinth und lungern weder auf dem Montmartre noch in dänischen Literaten-Kaffees herum. Sie arbeiten zehn Stunden am Tag; die Arbeit ist der Kerker der Langeweile, er hält sie hinter Schloß und Riegel. Auch sind sie nicht ›einsam‹. Sie schicken dem Vater etwas zum Vater-Tag und der Mutter zum Mutter-Tag; von Zeit zu Zeit kommen Photographien bei ihnen an, wenn neue Neffen und Nichten das Licht der Welt erblicken. Sie haben viele Freunde und schlagen ihnen zur Bekräftigung der Freundschaft auf die Schulter. Sie halten Verzweiflung und Glück für vorsintflutliche Vorstellungen, die man auch kurz ›Romantik‹ nennt. Und wenn sie sterben, hinterlassen sie keine Lücke – und eine geschminkte Leiche.

Sie erst sind dem Epikur unerreichbar. Denn sie sind verdorrt. Sie fühlen ihre Glücklosigkeit nicht mehr. Sie haben keine Sehnsucht mehr. Sie sind die Munition von zwei Weltkriegen gewesen. Sie sind die wahren Gegner der Freunde des Epikur.

Die Aasgeier des Unglücks

Die Freunde des Epikur verwechseln nicht selten die Kreuzzügler gegen das Unglück mit den Aasgeiern des Unglücks. Und diese Verwechslung liegt nahe; denn im philosophischen Arsenal der irdischen Unterdrücker war und ist die Philosophie von der Illusion des Glücks eines der wertvollsten Stücke. Sie hat immer auch die Aufgabe gehabt, dem Volk gut zuzureden, es doch beim gegenwärtigen Stande der Weltgeschichte bewenden zu lassen. Unglück und Reaktion leben seit Urzeiten in glücklichster Ehe.

Jede Wahrheit kann einem Betrug dienen. Die großen Lügen sind Wahrheiten in der Regie eines Lügners. Man kann die erhabensten Einsichten finden – in den Büchern der niedrigsten Dunkelmänner. Wer einem Bettler aus Geiz ein Almosen verweigert, kann ihm den ›Dhammapada‹ zitieren: daß ›Glück aus dem Absterben der natürlichen Neigungen‹ entstehe. Dieser Satz spricht auch eine Wahrheit aus. Der Engherzige, der ihn zitiert, lügt mit dieser Wahrheit. Und wenn ein Krösus der Film-Industrie als Neujahrs-Gruß einen Buddha-Satz verschickt, so wird Buddha zum kleinen, unbezahlten Angestellten der blühenden Firma Sansara.

Zwar haben Epikuräer oft das Glück übersehen, das den Träger des Kreuzes trieb, dem Unglück soviel Glanz zu verleihen. Aber sie haben stets wohl gewußt, wie gut man mit der Hölle terrorisieren kann. Die Hölle gehört seit je zum Handwerkszeug des Unterdrückers; auch deshalb ist soviel die Rede von ihr. Was die Mächtigen am Christentum gewaltig anzog, war seine Frage: wozu das irdische Los verbessern, wenn es auf nichts ankommt als – so demütig wie möglich das Tal des Jammers zu überleben? Und was die Mächtigen am Buddhismus gewaltig anzog, war die Weisheit des Dhammapada: »Nicht durch Feindschaft kommt je Feindschaft zur Ruhe hienieden; durch Nicht-Feindschaft kommt sie zur Ruhe.« Das ist eine tiefe Einsicht – und ersetzt die Polizei.

Es war dann einer der größten Schüler des großen Buddha, der nicht nur das Glück und das Unglück des Erlauchten unserer Zeit neu schenkte – sondern es auch noch reaktionär herrichtete. Dieser zwielichtige Buddha hieß: Arthur Schopenhauer. Er schrieb: »In meinem siebzehnten Jahr, ohne alle gelehrte Schulbildung, wurde ich vom Jammer des Lebens ergriffen, wie Buddha in seiner Jugend, als er Krankheit, Alter, Schmerz und Tod erblickte.« Aber Buddhas Einsicht gestaltete sein Leben. Schopenhauers Einsicht wurde die Magd seines Lebens. Was einmal Sansara hieß, hieß nun Kampf ums Dasein – den der Neunzehnte-Jahrhundert-Buddha heftig mitkämpfte. Was einmal hieß: »Sei nicht befreundet mit dem Leben« – war nun die unfreundliche Vorsicht eines mißtrauisch-isolierten Bourgeois.

Im Dhammapada steht geschrieben: »Gleich einem wohlbehüteten Grenz-Fort, mit Innen- und Außen-Werken der Verteidigung – so soll ein Mann auf der Hut sein!« Schopenhauer war auf der Hut gegen Weiber, Diebe, Bakterien und zudringliche Zeitgenossen. Der Bourgeois des Neunzehnten Jahrhunderts verteidigte nicht seine Freiheit von jedem Besitz – sondern die kleine Rente, die ihm Freiheit von der Hegel-Clique gab. Schopenhauer setzte Buddha in Begriffe – und führte im übrigen das Leben eines ängstlichen deutschen Rentiers. Wagner setzte dann Schopenhauer in Musik – und führte im übrigen das Leben eines hochstaplerischen deutschen Provinz-Tyrannen. Buddha war schließlich kein unglücklicher Prinz mehr – sondern ›Der Glückliche‹. Schopenhauer und Wagner blieben zeit ihres Lebens zwei unglückliche Bürger – denen schließlich der Welt-Erfolg ihr Unglück etwas vergoldete.

Etwas einsehen, ist noch nicht viel. Von etwas ergriffen werden, ist noch nicht viel. Von etwas erhoben werden, ist noch nicht viel. Da entstehen die getrennten Welten der Begriffe, der Harmonien – und des Alltags. Solange die Existenz, die am Rande des Schreibtisches beginnt, nicht von den Stunden am Schreibtisch zerstört wird – bleibt das am Schreibtisch produzierte Glück kraftlos. Die mächtige Philosophie, die Schopenhauer schuf, war nicht imstande, die Existenz des kleinen deutschen Rentners Schopenhauer vom Fleck zu rücken. Das riesige Gesamt-Kunstwerk, das Richard Wagner schuf, war nicht imstande, die Existenz des kleinen tyrannischen Demagogen Wagner vom Fleck zu rücken. Ja, ihre Erlösung befreite nicht, sondern wurde ein Instrument der Knechtung.

Von dem Volk, unter dem Buddha lebte, wird erzählt: es sei unwillig gewesen und habe gemurrt. Man schrie im Zorn: der Asket Gotamo ist gekommen, Kinderlosigkeit zu bringen; der Asket Gotamo ist gekommen, Witwentum zu bringen; der Asket Gotamo ist gekommen, Untergang der Geschlechter zu bringen ... Ob sie seine Sendung erkannten oder nicht, sie fühlten, daß er es nicht beim alten belassen werde. Wie anders verhielt sich das Volk, unter dem Schopenhauer lebte, zu seinem Propheten von der Nichtigkeit des Daseins. Arthurs Schwester Adele berichtete aus Weimar, wie gelassen man über seine Metaphysik des Unglücks plaudere. »Einen so schrecklichen Eindruck machte es nicht«, schrieb sie, »wenn ich davon erzählte, zum Beispiel dem Erbgroßherzog gar nicht, es interessierte ihn sehr. Die letzten zehn Jahre haben die Menschen gewöhnt, dergleichen zu hören.« Mit ›dergleichen‹ war gemeint: die Verneinung des Willens zum Leben. Und sie fuhr fort: »Es beunruhigte sie nicht, besonders nicht in wissenschaftlicher Form. Es ergreift sie aber auch nicht, denn sie hören es wie jedes andere philosophische System: als einen Beweis, der mit ihnen persönlich nichts gemein hat.«

Und er hatte mit ihnen wirklich nichts gemein. Denn es kam darauf hinaus: es soll möglichst alles bleiben, wie es ist. Im Revolutions-Jahr 1848 schrieb Schopenhauer, der Verkünder der Erlösung vom Willen zum Leben: »Ich habe diese vier Monate schrecklich leiden müssen, durch Angst und Sorge: alles Eigentum, ja der ganze gesetzliche Stand bedroht.« Und der Dichter Friedrich Hebbel, der in demselben Jahr 1848 ebenso verzweifelt war über die Drohung, noch einmal anfangen zu müssen, dichtete gut schopenhauerisch: »Rühre nimmer an den Schlaf der Welt.« Ihr Interesse an dem bestehenden Zustand harmonierte mit ihrer Metaphysik: daß das Glück nur negativ ist – daß es also sinnlos ist, diese Welt umwandeln zu wollen in der Richtung auf ein positives Glück. Deshalb haben die Freunde des Epikur solch ein Mißtrauen gegen die gewaltigen Sprachrohre des Unglücks.

Es wäre aber ruchlos, diese Symbiose von Kreuzzügler und Aasgeier zu primitiv zu verwechseln. Schopenhauer, der Erlauchte, wurde, wie Buddha, ›vom Jammer des Lebens ergriffen‹ – und gab seiner Ergriffenheit ergreifenden Ausdruck. Ja, er wurde – ganz im geheimen und ohne daß er es theoretisch bekannte – selig im Buddha-Glück. Aber es war nicht imstande, den kleinen bösartigen deutschen Sparer zu verwandeln. Und wie Wagner sowohl der Karfreitags-Zauber des ›Parzifal‹ war als auch der Propagandist für die Minderwertigkeit aller nicht nordeuropäischen Rassen – so lieh der erlauchte Buddhist Schopenhauer im Jahre 1848 sein Opernglas preußischen Offizieren, auf daß sie zielsicherer aufs Volk schießen lassen konnten.

Durch diese Ohnmacht vieler Evangelisten des Leids ließen sich die Freunde des Epikur zu manchem Fehlschluß verleiten. Aber wenn der böse Sonderling Schopenhauer nicht gerade gegen einen Bankrotteur kämpfte, der sein Vermögen durchgebracht hatte, und wenn er nicht gerade Schriftsätze gegen eine bösartige Näherin abzufassen hatte, die ihn erpressen wollte – wenn er morgens an seinem Schreibtisch saß und das Unglück wegrückte und leidlos selig war: dann hätte ihn noch Epikur um sein Glück beneiden können.

Dann hätte Epikur erkannt, daß die Lehre von der Negativität des Glücks in einem Mann entstanden war, der aus Glücks-Enthusiasmus – nicht aus Glücks-Feindschaft so halsstarrig den Ursprung seines Daseins verleugnete: die Sehnsucht nach Glück.

Der zweite Gegner:

Die vom Glück nicht viel halten –
oder noch weniger

Hielten Marx und Nietzsche nichts vom Glück?

Die großen Pessimisten wären nicht so unglücklich gewesen, wenn ihnen das Glück nicht so strahlend erschienen wäre. Ihre trübe Lehre stammte aus der Sehnsucht nach einem Glück, das ihnen auf dem Weg ihres Alltags unerreichbar war. Was sie aber hätten erreichen können, war so wenig die Erfüllung ihrer Sehnsucht, daß sie auf diese Glücks-Fetzen lieber verzichteten. Und da sie nun das Glück, das ihnen leuchtend vorschwebte, nicht greifen konnten, versuchten sie wenigstens, dem Unglück zu entgehen. Und fanden in diesem Entgehen ihr ›Glück‹. Ihre Glücks-Rezepte waren Mittel gegen Unglück. Es gibt philosophische Lexika, in denen Glück ganz einfach definiert wird als: ›ein Zustand vollkommener Wunschlosigkeit‹.

Diese unglücklichen Glücks-Sucher haben sich in ihren Empfehlungen drängen lassen bis zur Verneinung allen Lebens (Schopenhauer) oder doch bis zur Verneinung des menschlichen Lebens (die Verherrlicher des Glücklichen Tiers) oder doch wenigstens bis zur Verneinung des Lebens der Kultur-Menschheit (Montaigne, Rousseau). Wenn aber diese Verneiner lebensfeindlich gewesen sind: gegen das Glück, das vom Essen und Trinken und Zusammenschlafen kommt – im Extrem sogar gegen das Glück der Liebe zwischen Mutter und Kind ... dann war der Grund nie Glücks-Feindschaft, sondern im Gegenteil: die überschwengliche Sehnsucht nach einem reinen, ungetrübten Glück und das leidenschaftliche Ergriffensein vom irdischen Unglück. –

Die Schar, von der jetzt die Rede sein wird, ist sehr deutlich von ihnen geschieden. Sie leugnen das Glück nicht. Sie sagen nur: Glück und Unglück sind nicht der zentrale Wert und Unwert: Es gibt hundert verschiedene Gründe: weshalb einer diesem ›Glück‹ so wohlwollend-herablassend auf die Schulter klopft oder es voll Gleichgültigkeit nicht beachten will oder es sogar verachtet, verhöhnt, befeindet. Die Schar derer, die vom Glück nicht viel halten – oder noch weniger, ist sehr vielfältig; aber eins in der Uninteressiertheit am Glück.

Bevor wir ihren Motiven nachgehen, ist zu sagen, wer nicht hierher gehört – obwohl es den Anschein hat.

Man darf die Kälte gegen Glück nicht verwechseln mit der Attitüde, die sich zwar kalt gibt – aber es gar nicht ist. Löst man einige Wendungen heraus, so sieht es aus, als verachteten sie das Glück. Tatsächlich rebellierten sie nur gegen seine Enge, Flachheit, Ärmlichkeit.

Da hatte im Neunzehnten Jahrhundert das Wort ›Glück‹ einen Unterton bekommen: wie das vergnügte Grunzen des satten Bourgeois. Von ihm sprachen viele englische Philosophen, wenn sie vom Glück sprachen. Und auch Nietzsche sprach von ihm, wenn er sagte: »Der Mensch strebt nicht nach Glück; nur der Engländer tut das.« Nietzsche schrieb im Neunzehnten Jahrhundert gegen ›Englisches Glück mit Komfort und Fashion, Wohlbehagen‹ – wie er heute gegen das amerikanische ›Have a good time‹ schreiben würde. Deshalb aber war er noch kein Glücks-Feind – vielmehr der klassische Epikuräer unserer Epoche. Man zitiert seine Sätze: »Will ich denn mein Glück? Ich will mein Werk!« Aber mit dem Zitieren ist es nie getan. Dies Werk war vor allem ein Gesang, einer der leidenschaftlichsten Gesänge auf menschliches Glück – eine große Anleitung zu mehr Glück, zu tieferem Glück. Nietzsche hatte eine solche Begabung, glücklich zu sein – und eine solche Phantasie für mögliches, bisher ungeahntes Glück, daß er die Glücks-Genügsamkeit seiner Zeitgenossen geißelte, indem er ihr zu enges Glück anspruchsvoll von sich wies.

Und sein älterer Zeitgenosse, Marx, der ihm im Übrigen sehr fremd war, war ihm dennoch sehr nah in der Feindschaft gegen dieses zu beschränkte Glück. Man ist gewohnt, Nietzsche und Marx nicht anders in Verbindung zu bringen als in dem Gegensatz: Individualist gegen Kollektivist. Solche phrasenhafte Kontrastierung verdeckt das starke Band, das sie verknüpfte: der gemeinsame Kampf gegen die Bourgeoisie ihres Jahrhunderts und gegen die bourgeoise Ideologie. Und weil diese Bourgeoisie das Wort ›Glück‹ auf ihre Fahnen geschrieben hatte, wurde es von Marxisten als konterrevolutionäre Vokabel behandelt. Im Sach-Register der großen Marx-Engels-Ausgabe kommt das Wort ›Glück‹ überhaupt nicht vor. Und was Marx und Engels über die ›Klassenlose Gesellschaft‹ geschrieben haben (also: über die Glückliche Gesellschaft) – ist streng negativ. Ja, Engels legte das größte Gewicht darauf, die Vorstellung einer Einmündung der unglücklichen Geschichte in ein Paradies mit den stärksten Worten zu zerstören. So groß war ihr Widerwille gegen dieses kompromittierte Wort. Das war anders gewesen in vor-bourgeoiser Zeit, wo die Verknüpfung von Glück und Sozialismus selbstverständlich gewesen war.

Dennoch, wie Nietzsche kein Glücks-Verächter war, weil er die Zeitgenossen aus enger, muffiger Behaglichkeit vorwärtsjagte zum Glück des ›Übermenschen‹ – so waren auch Marx und Engels keine Glücks-Verächter, weil sie die Zeitgenossen aus enger, muffiger Behaglichkeit vorwärtsjagten zum Glück der ›Klassenlosen Gesellschaft‹. ›Übermensch‹ und ›Klassenlose Gesellschaft‹ waren im Neunzehnten Jahrhundert Chiffren für eine künftige menschliche Existenz, deren Glücks-Gehalt unendlich viel größer war als alles, was noch Epikur sich gedacht hatte bei dem Wort ›Glück‹. Denker wie Marx und Nietzsche haben nichts zu tun mit denen, die vom Glück nicht viel hielten – oder noch weniger.

Allerdings hat der Akzent der Verachtung, mit der die Meister das Wort ›Glück‹ auszeichneten, viele Schüler, die nach Schüler-Art die Lehrer beim Wort nahmen, in die Irre getrieben.

Unter denen, die vom Glück nicht viel halten – oder noch weniger, irren unendlich viele beschränkte Nietzscheaner und Marxisten umher.

Fuchs-im-Unglück

Also: nicht jeder, der beim Wort ›Glück‹ das Gesicht säuerlich verzieht, ist deshalb schon ein Verächter des Glücks.

Aber auch so ist die Zahl derer, die vom Glück nicht

viel halten – oder noch weniger, recht erheblich. Die Leute stammen aus den verschiedensten Bezirken. Es ist nicht sicher, ob es die Anomalie einer angeborenen Glücks-Frigidität gibt. Doch könnte es sein, daß die Natur Menschen hervorbringt, die ohne Organ für Glück sind. Dann wäre Kühle gegen Glück ein Naturspiel, eine Monstrosität.

Auf sichererem Boden bewegt man sich erst, wo man diese Kühle zurückführen kann auf den eisigen Wind, der eine Gesellschaft durchweht. Es ist nicht die Natur, sondern das Denk-Klima des Positivismus, das Wahrheits- und Gerechtigkeits-Frigidität hervorgebracht hat. Und wie viele Menschen Wahrheit und Gerechtigkeit für nichts halten als Abstracta, die ihren Inhalt erst von den wechselnden historischen Konventionen beziehen – so nehmen viele das Glück für eine Sammelbezeichnung, die alles umfaßt, was einem menschlichen Wesen angenehm ist: Apfelkuchen, eine Sammlung aufgespießter Schmetterlinge, der Verkehr mit berühmten Leuten und eine Briefmarken-Kollektion.

Dies Aushöhlen des Glücks, so daß von ihm nichts mehr übrig bleibt als ein Gefäß für alle möglichen angenehmen Dinge – ist keine Kuriosität der Natur, sondern eine Erblindung der Kultur. Die größten Denker haben dem Glück eine zentrale Stellung in ihrer Gedanken-Welt eingeräumt. Es ist der ewige Positivismus – jene Gedankenlosigkeit, die das Dasein als einen überfüllten Trödel-Laden und den Menschen als ein aufkaufendes Tier interpretiert: der in Wahrheit und Gerechtigkeit und Glück nichts sieht als – ein geschwollenes Wort.

Man kann die Abneigung der vom Positivismus besessenen Zeitgenossen gegen ein Wort wie Glück besonders gut erkennen, wenn man ein literarischeres für es einsetzt, das in besseren Kreisen im Schwange ist: ›Utopie‹. Was immer heute einer denkt und will – er beeilt sich, zunächst einmal zu versichern: er sei kein Utopist. Manche halten den Kapitalismus für etwas Gutes und manche für etwas Böses. Manche halten den Sozialismus für etwas Gutes und manche für etwas Böses. Einigkeit herrscht allein in der Ablehnung des Utopischen. In diesem ›Glück‹ spürt man – mit Recht! – das Utopische: das, was es noch nie gab; das, was in keinem Archiv zu finden ist. Und während man bereit ist, an die phantastischsten Möglichkeiten zu glauben – soweit die Manipulation der Natur in Frage steht, ist man durchaus nicht bereit, an die Atom-Zertrümmerung des historischen Menschen zu glauben: an die Freisetzung des Menschlichen, das immer gebunden war an ein glücksfeindliches Element. Man ist nicht bereit, an die Entfesselung des Glücks zu glauben.

Das Denk-Klima der Zeit ist einem Ernst-nehmen des Glücks nicht sehr günstig. Dazu kommt, daß man schon vor undenklichen Zeiten entdeckt hat: daß das Schlechtmachen des Glücks sehr nützlich sein kann. Der berüchtigte Fuchs hat diese Praktik entdeckt: mit seiner Erklärung, daß die begehrten, aber unerreichbaren Trauben sauer seien.

An einem heißen Sommertag trieb sich dieser Fuchs (von dem der griechische Fabeldichter Äsop berichtet) in einem Obstgarten herum. Er kam zu einem Büschel von reifen Trauben, die über einen hohen Ast gezogen waren. Wie gut werden diese Trauben meinen Durst löschen! jubelte er. Dann nahm er ein paar Schritte Anlauf, sprang in die Höhe – und erreichte die Trauben nicht. Er versuchte es noch einmal und noch einmal; denn die Verlockung war groß. Schließlich mußte er aufgeben. Erhobenen Hauptes, die Nase hochmütig in der Luft, stelzte er davon und bemerkte: »Sie sind sicher sauer!«

Er möchte diese Trauben so gern, unser Fuchs. Er weiß ganz genau, wie süß sie sind. Aber er kann nicht an sie heran; sie hängen zu hoch. So kommt er in ein Dilemma. Einerseits kann er sie nicht erreichen – andrerseits kann er sie sich nicht aus dem Kopf schlagen. Da entdeckt er: es gibt einen Ausweg. Der Ausweg ist: die Zerstörung des Gegenstands seines Begehrens.

Das kann nun auf zwei Wege geschehen: auf dem objektiven und auf dem subjektiven. Das heißt: man kann die Trauben realiter zerstören, aus der Welt schaffen oder wenigstens ungenießbar machen – und man kann ihnen zwar ihre Existenz lassen, aber sie in seiner Phantasie und mit Worten entwerten. Sowohl wenn die Trauben nicht mehr existieren als auch, wenn ich sie für sauer halte – locken sie mich nicht mehr.

Die Schaden-Freude, die Freude am Schaden, hat hier, in der Zerstörung der unerreichbaren Trauben, eine ihrer tiefsten Wurzeln. Der denkbar umfassendste Schaden wäre der Untergang der Welt. Die immer wiederkehrende Vorstellung vom Welt-Untergang ist unter anderem wohl auch der Wunsch nach dem Untergang einer Welt, die einem das Glück versagt. Der Destruktiv-Trieb, der in der modernen Psychologie so sehr beachtet wird, ist zu einem nicht geringen Grade der Trieb, die unerreichbaren süßen Früchte zu vernichten.

Nun gelang eine befriedigende Destruktion, die der Entbehrung voll entsprach, nur den mächtigen, weltberühmten Brandstiftern. Nur sie konnten sich die Erleichterung schaffen, eine Welt, die ihnen nicht genug gab, in Brand zu setzen. Sollte Kaiser Nero Rom angezündet haben, so könnte es geschehen sein, weil er mit den Christen nicht anders fertig werden konnte. Wahrscheinlich hätten die National-Sozialisten die Welt auch dann in den Krieg gestürzt, wenn sie von Beginn an ihre Lage für hoffnungslos angesehen hätten. Denn ihre zweite Chance war: Deutschland wird nicht die Welt beherrschen – aber auch niemand anders, da es keine Welt mehr geben wird. Die Welt-Untergangs-Stimmung der Hitler-Literatur war die Lust an einem Nichts, in dem ganz gewiß die Deutschen nicht mehr existieren werden – aber die russischen, englischen und amerikanischen Großkophtas der Weltgeschichte auch nicht mehr. In allen Revolutionen spielten solche Brandstifter eine Rolle; wenn es auch nichts als bösartig ist, Revolutionen nach ihnen zu charakterisieren.

Die kleineren Begehrlichen mußten sich immer damit begnügen: das ihnen Unerreichbare schlecht zu machen, sich die Säure der so begehrten süßen Trauben einzureden. Doch hilft das allein meist nicht viel. Jeden Tag sieht jeder, wie der glücklichere Nachbar den Mund selig verzieht im Genuß der süßen Trauben. Da ist es schwer, die Vorstellung von ihrer Ungenießbarkeit aufrecht zu erhalten. Irre, abgeriegelt in einem individuellen Wahn, sind sicher vor der unfreundlichen Realität; sie sehen sie nicht. Den Normaleren wird geholfen durch – Massen-Wahn. Er ist die Schöpfung von Theologen und Philosophen gewesen; sie allein waren imstande, eine Verrücktheit zur Wahrheit zu erheben – und die Erfahrung fest auszuriegeln. Sie haben es oft genug fertig gebracht, die süßen Trauben in saure zu verwandeln: ohne sie zu berühren. Also wurde der Lockung ihre Attraktion genommen – und dem Menschen, der nicht satt werden konnte, die Qual der Entbehrung. Und so gesehen ist dieser Saure-Trauben-Fuchs einer der größten Wohltäter der Menschheit gewesen. Er hat Millionen von Entbehrungen weggezaubert. Er verdient es, neben dem klassischen ›Hans im Glück‹ ein Denkmal zu haben als der ebenso klassische ›Fuchs-im-Unglück‹.

Aber dieser Fuchs hat sich nicht durchaus als Wohltäter erwiesen. Er hat das Leben in vielem erleichtert. Aufs Ganze gesehen brachte er den Menschen in Harmonie mit seiner Misere. Er machte zwar unempfindlich gegen tausend kleine und große Entbehrungen; stumpfte aber auch ab für Glück und Unglück, für eigenes und fremdes. Er hält einen fest eingeriegelt in der Gegebenheit – und sperrt die Sehnsucht aus und mit ihr alle Möglichkeiten. Er macht die Entbehrenden zu Stupiden. Er macht die Entbehrenden zu Krüppeln. Er konsolidiert den Zustand der Glücklosigkeit. Er ist mit seinen sauren Trauben der Klassiker der ärmlichen Resignation geworden.

Ja, in der Gemeinde dieses Fuchses findet man die leidenschaftlichsten Feinde des Glücks. Wer sich eingerichtet hat – unter Ausschluß seiner Sehnsucht nach Glück, läßt sich nicht gern daran erinnern, was Leben sein könnte. An Glück zu denken, macht unruhig; es macht den glücklosen Alltag schal und entzaubert noch die paar kümmerlichen Feiertage. An Glück zu denken, bringt einen auf gegen sein Schicksal. An Glück zu denken, irritiert ebenso die Film-Maharadschas, die zur Bestreitung ihres Paradieses ihr Gesicht unter Farben-Schutt und ihr Gehirn unter Wort-Schutt begraben haben. Der Gedanke ans Glück ist der universale Störenfried, der jeden an seine spezifische Armut erinnert.

Daher die maßlose Wut sowohl vieler Armen als auch vieler Reichen auf dieses Glück. Man läßt es sich gern gefallen, wenn es auf der Leinwand erscheint. Man befriedigt so sein geheimes Verlangen – und braucht sich weder zu schämen noch beunruhigen zu lassen; es ist schließlich alles nur Kintopp, jedenfalls ist das die allgemeine Abrede. Und im Kintopp ist es dunkel. Und wenn es dunkel ist, sieht's niemand.

Die einzige Beziehung, die ein anständiger Mensch zum Glück hat, ist eine geheime. Man behandelt es wie eine Maitresse, an der man hängt – und die man nicht kennt. Und Epikur heißt ihr Name.

Glück und Pflicht

Eine gesellschaftliche Macht wurden die Verächter des Glücks mit dem bürgerlichen Gegensatz von Glück und Pflicht – der sich fast immer deckte mit dem Gegensatz von der Nichtigkeit des Individuums und der Wichtigkeit der Familie, der Nation, der Menschheit, der Kultur Gottes.

Es ist die Unterwerfung des Einzelnen unter den Willen der Ordnungs-Warte, die in tausend kühlen und heißen Sentenzen gegen das Glück sich spiegelt. Die Philosophien gegen das Glück sind zu einem guten Teil Unterabteilungen der Familien-Disziplin, der Staats-Räson, der Kirchen-Herrschaft. Sie wurden auf dem Wege der Erziehung zur Selbstverständlichkeit.

So nahmen und nehmen Millionen das Glück des Herrn X und der Frau Y nicht ernst; und unter diesen Millionen befanden sich – zwischen Moses und Einstein – so große Denker wie Aristoteles und Kant. Nicht, daß sie geleugnet hätten: es gäbe sowas wie irdisches Glück. Aber es schien ihnen doch herzlich übertrieben, von diesem Glück so viel herzumachen. Es gehöre nicht zu den ganz großen Dingen, meinten sie.

Wenn man sich erkundigt, was das eigentlich für ganz große Dinge seien – wichtiger als das Glück des Herrn X und der Frau Y, so kommt gewöhnlich heraus: wichtiger ist, was man für die Eltern tut und für die Kinder und für die Nation, für die Kunst, die Wissenschaft, die Industrie. Empfindet ein Individuum bei der Lösung eines mathematischen Problems oder bei der großen Wäsche fürs Baby nebenbei auch noch Glück – um so besser. Es ist eine ganz hübsche Beigabe, dieses Glück. Man ist kein Kost-Verächter. Es ist nicht zu verachten, wenn wir anläßlich einiger ernster Unternehmungen, die wir als Nahrung-suchende Wesen oder als Wähler des Bezirks XVI in die Wege leiten – auch noch Glück empfinden. Aber dies Glück ist eben nur – wie man sich im Zeitalter der Industrie am besten ausdrückt: ein Neben-Produkt.

Wer entscheidet eigentlich, was Haupt-Produkt ist, und was Neben-Produkt? In der Industrie: die Absicht des Industrie-Herrn. Bei der Produktion des Menschen: die Absicht des Schöpfers. Solange man sie nicht kennt, läuft die Lehre vom Glück als einem Neben-Produkt nur darauf hinaus: daß manche Denker eben vom Glück nicht viel halten – oder noch weniger. Wovon halten sie mehr?

Von der Energie, die der Einzelne hergibt zur Heizung einer Kultur-Maschine – die zu unbekanntem Ziel vorwärtsrast, Leben-erweckend und Leben-zerstörend. Die Denker, von denen hier die Rede ist, waren keine Zeloten, die das Glück begeiferten. Sie sprachen bisweilen sogar recht freundlich-herablassend von diesem Glück. Ja, sie wollten auf dieses schönste Wort des menschlichen Vokabulars nie verzichten. So versicherte der griechische Gelehrte Aristoteles: von allen menschlichen Gütern sei das Glück das höchste. Nur meinte er das eben doch nicht ganz. Aristoteles, der Lehrer Alexanders des Glücklichen, steht an der Spitze jener Männer, die mit Aussagen wie »Moralisch handeln und glücklich sein ist ein und dasselbe« das Wort ›Glück‹ stahlen für etwas, was mit Glück kaum etwas zu tun hat. Es ist dies aber einer der folgenreichsten Diebstähle in der Geschichte des Philosophierens gewesen.

Dieses Quid pro Quo begann mit Aristoteles; und die Methode ist immer dieselbe geblieben. Man destilliert aus seiner gesellschaftlichen Welt ein ›höchstes moralisches Gut‹ – und nennt das schlicht ›Glück‹. Was man da aber als Moral und Glück destillierte, erweist sich vor dem historischen Rückblick weder als Moral noch als Glück – sondern als der Kitt, der eine durchaus nicht moralische und durchaus nicht glückliche Gesellschaft zusammenhielt. Aristoteles’ ›höchstes moralisches Gut‹ war die Moral des athenischen Bürgers: der für ungleichen Besitz war und für gleiche politische Rechte – der Vollbürger; und welcher Tiere, Sklaven und Weiber für Dinge hielt. Wer in Harmonie mit dieser Ordnung lebte, war (nach Aristoteles) glücklich.

Und man vermischt bis zu diesem Tage die Harmonie mit der offiziellen Moral – und Glück. Ich schlug in einer ›Enzyklopädie der Religion und Ethik‹ den Artikel über ›Glück‹ auf. Da steht: »Dieser Begriff gehört eher in die Ethik als in die Psychologie.« Das haben Aristoteles und Kant mit ihrem Tugend- und Pflicht-Enthusiasmus erreicht. Aber Glück ist überall dort, wo es für Tugend und Pflicht stellvertretend steht, nichts als – eine geraubte Vokabel.

Die Moral wurde zum Feind des Glücks: nicht so sehr

wegen ihrer ›Du sollst‹ – als deshalb, weil sie auch noch den Platz usurpierte, der dem Glück zukam. Oscar Wilde schoß gegen den Usurpator den wohlgezielten Satz: »Wenn ich glücklich bin, bin ich stets gut; aber wenn ich gut bin, bin ich selten glücklich.«

Aristoteles spürte dann, daß man das Glück doch nicht so taschenspielerisch zum Verschwinden bringen könne – wie er's selbst versucht hatte, etwa mit dem Satz: »Jeder genießt soviel Glück, wie er Tugend und Weisheit besitzt – und ihren Diktaten gemäß handelt.« Er ahnte, daß Tugend nicht ohne weiteres auch Glück hervorbringt. So bekannte er in der ›Ethik‹ klipp und klar: »Wer sehr häßlich ist oder von schlechter Herkunft oder einsam und kinderlos, kann nicht glücklich sein.« Damit gestand er unumwunden ein: eine Tugend-Lehre ist noch kein Glücks-Rezept.

Es muß also zur Tugend noch etwas ›Äußerliches‹ hinzukommen, um einen glücklich zu machen. Mit diesem zweitrangigen ›Äußerlich‹ neben dem erstrangigen ›Innerlich‹ (in dem die Tugend zu Hause ist) hat Aristoteles das Sonderdasein des Glücks neben der Tugend anerkannt – und zugleich degradiert. Der Häßliche kann so tugendhaft sein, wie er will (meinte Aristoteles) – glücklich kann er nicht werden. Aber der Kern des Glücks bleibt dennoch die Tugend. Deshalb kann man Kinder (nach Ansicht des Aristoteles) nur im übertragenen Sinne glücklich nennen.

Er wußte sich also vor der Frage: wie kann ich glücklich werden? keinen Rat; denn man kann des Äußerlichen nicht habhaft werden. Aristoteles konnte wohl die Teil-Frage beantworten: wie können wir tugendhaft werden? Aber die Tugend ist eben doch nicht das ganze Glück; denn man kann niemandem einen Rat geben, wie er seine niedere Herkunft oder seine Häßlichkeit los wird. –

Dem wurde dann sehr heftig von den Stoikern widersprochen. Sie erkannten die Schwierigkeit, welche das ›äußerliche‹ Element des Glücks macht, nicht an. Epiktet, ein hinkender Sklave, der etwa eine Generation nach Seneca lebte, wurde mit den ›äußerlichen‹ Bedingungen des Glücks sehr leicht fertig. Seine Schule des Glücks war eher ein Operations-Saal: dort hat man Schmerzen zu haben, nicht Spaß. Epiktet operierte die Menschen, um sie zum Glück zu bringen: er durchschnitt ihnen die Nerven, die sie mit dem ›Außen‹ verbanden.

Der griechische Historiker Arrian, ein Schüler des Epiktet, hat eine Reihe von Aussprüchen des Epiktet überliefert. Darunter auch folgende lakonischen Dialoge:

> *»Sein Sohn ist tot.«*
> *»Was ist das?«*
> *»Sein Sohn ist tot.«*
> *»Weiter nichts.«*
> *»Nichts.«*
>
> *»Sein Schiff ist untergegangen.«*
> *»Was ist das?«*
> *»Sein Schiff ist untergegangen.«*
>
> *»Er ist eingesperrt.«*
> *»Was ist das?«*
> *»Er ist eingesperrt.«*

Epiktet versicherte seinen Zeitgenossen: der Tod des Sohnes, der Untergang des Schiffes, das Eingesperrt-werden sind äußere Dinge, die einen nur unglücklich machen, wenn man sie an sich heranläßt. Aber wozu hat Gott dem Menschen Seelen-Größe verliehen? Daß er das Außen und Innen fein getrennt hält! Daß er sich von äußeren Ereignissen nicht beeinflussen läßt! Epiktet war insofern ein konsequenterer Aristoteles, als er das Wort ›Glück‹ für etwas stahl, was nun schon ganz und gar nichts mehr mit Glück zu tun hatte – und was am besten noch als totales Abgebrühtsein zu bezeichnen ist.

Auch Aristoteles hatte die äußeren Dinge, die er für notwendig hielt zur Produktion von Glück, recht herzlich verachtet. Aber er hatte eben nicht geleugnet – wenn auch mit zusammengebissenen Zähnen, daß die Gunst des Außen unumgänglich ist fürs Glück. Der Grieche Epiktet leugnete das. Das Glücks-Rezept, das in Roms glänzendsten Tagen blühte, lautete: »Ereignisse berühren die Seele nicht; denn sie sind nur äußerlich.« Dieser Satz stammte nicht von dem Sklaven Epiktet, sondern von seinem Gesinnungsgenossen, dem römischen Kaiser Marc Aurel, der im Jahre 161 auf den Thron der Cäsaren kam. Die Grenzen des Imperiums wurden von den Barbaren-Horden berannt. Die Pest wütete unter den Römern. Da schrieb der stoische Kaiser in griechischer Sprache seine ›Meditationen‹ nieder, in denen er die kälteste Kälte, die härteste Härte als Glück empfahl: »Sei wie das Vorgebirge, an dem sich dauernd die Wellen brechen; es selbst steht fest und zähmt die Wut des Wassers, das an ihm hochzischt. Ich soll unglücklich sein, weil mir das oder das geschah? Nein! Ich bin glücklich, obwohl mir dies geschah; denn ich bin trotz allem frei von Furcht, weder von der Gegenwart niedergeworfen, noch in Angst vor der Zukunft.«

Dieses Glück ohne ›Außen‹ war selbst dem Glücks-Verächter Kant zuviel. Er hielt vom ›Innen‹ ebensoviel wie Aristoteles und die Stoiker – und vom ›Außen‹ ebensowenig wie sie. Aber er brachte es nicht fertig, nach Stoiker-Art dies Innen und Außen vollständig auseinanderzureißen. Und brachte es ebensowenig fertig, den Glücks-Sucher ohne Trost zu lassen, wie Aristoteles es getan hatte.

Wie rettete Kant das Glück?

Wie kann man Moral und Glück zusammenbringen? – das war immer die Frage derer, denen es vor allem um die Moral zu tun war, die aber die Sehnsucht nach Glück nicht übersehen konnten. Sie hätten es so gerne gehabt, daß der Moralische glücklich und der Unmoralische nicht glücklich ist – und sahen seit Hiob, daß dem nicht so ist.

Aristoteles half sich, indem er dekretierte: das glückliche Leben ist »ein tugendhaftes Leben, das begleitet ist von jenen Freuden, welche die Tugend in der Regel hervorbringt«.

Aber welche Freuden bringt eigentlich die Tugend in der Regel hervor?

Reden wir nicht von weltberühmten Denkern, sondern davon, was vielen armen Kindern durch eine ebenso ehrenwerte wie zweifelhafte Erziehung geschieht. Erst zwingt man einen Jungen, blutenden Herzens der Schwester ein Stück von seinem Kuchen abzugeben – und dann redet man ihm ein, daß ihn das glücklich mache. Aus Angst vor Strafe ... oder um der Mutter gefällig zu sein ... oder aus hundert anderen Gründen versichert er dann: er sei glücklich, von seinem Kuchen abgeben zu dürfen. Eines Tages hat er dann gelernt, abzugeben, ohne daß das Herz ihm blutet. Die Schmerzen des ersten Trainings sind überwunden; ja, er empfindet ein gewisses Vergnügen in der Praktizierung des Eingeübten, des glatt Funktionierenden. Und vielleicht ist er sogar ›glücklich‹ – wie einen alles ›glücklich‹ macht, was man endlich spielend leicht tut: sogar, wenn eine Selbst-Verstümmelung die Voraussetzung war.

Dies Glück kann dann noch erhöht werden, wenn einer Freude daran hat: von der Höhe seiner Überwindungen aus anderen das Überwinden einzuexerzieren. So kann wirklich ›tugendhaftes Leben‹ spezifische Freuden hervorbringen. Vielleicht aber hat man den Weg zum Glück nie wirksamer versperrt als damals, da man begann, Glück zu nennen, was eher das Gegenteil von Glück ist; und was man festigte – indem man es mit dem schönsten Worte zierte.

Auch Kant liebte jenes Mißfallen, welches das Vollziehen einer Pflicht begleiten kann – und redete sich ein, daß dieses Wohlgefallen nicht zur niedrigen Klasse der sinnlichen Triebfedern gehöre. Aber er hütete sich doch, dieses Wohlgefallen schon Glück zu nennen. So leicht machte er es sich nicht. Ja, Kant ist der klassische Fall der Unfreundlichkeit gegen das Ideal vom Glücklichen Leben – gerade, weil er sich so sehr bemühte, diesem Ideal gerecht zu werden.

Er lehnte das Glück nicht mit Achselzucken ab, nicht mit

hochmütigen Aphorismen. »Glücklich zu sein (heißt es in der ›Kritik der praktischen Vernunft‹) ist notwendig das Verlangen jedes vernünftigen, aber endlichen Wesens.« Und dieses Verlangen setzte er dann auch in seine philosophische Rechnung – obwohl man nie den Eindruck los wird, daß er in dieser Sehnsucht nach Glück mehr den Ausdruck des endlichen Menschen als der Vernunft im Menschen erblickt hat. Wie Aristoteles das Glück zum guten Teil in den Bezirk des zweitrangigen ›Außen‹ abschob, so drängte Kant es in die Bezirke der ebenso zweitrangigen Endlichkeit ab. Beiden ging es in erster Linie um das ›Innen‹ und um das Absolute: um Vernunft und Moral.

Kant machte es sich dennoch recht schwer mit diesem Glück – das ihn nicht beglückte. Ja, er kritisierte sehr heftig jene Denker, die es sich mit dem Glück so leicht gemacht hatten. Er lehnte die alte Philosophen-Praktik ab: das Glück als inneren Glanz der erfüllten Pflicht zu bestimmen. Er widersprach ganz ausdrücklich den Stoikern: welche die Tugend für das höchste Gut hielten – und Glückseligkeit allein im Bewußtsein der eigenen Tugend sahen. Kant wußte, daß in diesem rätselhaften Glück mehr steckt als die Befriedigung nach erfüllter Pflicht.

Aber zunächst und zuoberst interessierte ihn eben doch die Pflicht. Noch energischer als die stoische Gleichsetzung von Pflicht und Glück lehnte er die epikuräische Gleichsetzung von Glück und Pflicht ab: die jede Erfüllung des eigenen Glücks schon ›Tugend‹ nannte. Kant war ganz erfüllt von den Worten Sittlichkeit, Tugend, Pflicht, Moral. Seine feindlichen Worte hießen: Sinnlichkeit, Selbstliebe, Selbstsucht, Neigung, Glück. Und es war eins seiner philosophischen Haupt-Geschäfte: den Menschen einzuschärfen, daß Pflicht und Neigung, Tugend und Glück so wenig miteinander vereinbar seien, daß die Erfüllung einer Pflicht aus Neigung keineswegs moralisch genannt werden könne. So machte er mit einem eisernen Besen den heiligen Bezirk der Moral – glücksfrei. Und hätte nie den Satz des weniger strengen Aristoteles anerkannt: daß derjenige kein guter Mann ist, dem gute Handlungen kein Vergnügen bereiten. Er hielt das Glück – der Ethik fern, auf daß sie nicht beschmutzt werde.

Und erkannte dennoch – wenn auch noch so widerwillig – an: daß »Glückseligkeit und Sittlichkeit zwei spezifische, ganz verschiedene Elemente des höchsten Gutes« seien. Ließ also – wenn auch noch so ungern – dem Glück die Ehre zuteil werden, ein selbständiger Bestandteil des höchsten Guts zu sein. Liebte es allerdings deshalb nicht mehr.

Es wäre nun für Kants störrisch-gerechte Haltung zum Glück äußerst günstig gewesen, wenn die Welt so eingerichtet wäre: daß jeder, der moralisch handelt (also ohne den geringsten Gedanken an Glück) – dennoch glücklich wird. Dem aber ist nicht so. Kant stellte das selbst lakonisch fest. »Die genau dem sittlichen Werte angemessene Glückseligkeit«, die »genaue Übereinstimmung der Glückseligkeit mit der Sittlichkeit« ist nicht nur »nicht zu erwarten«, sie ist »für unmöglich zu halten«. – Was konnte ein Philosoph wie Kant da seinen weniger philosophischen, aber aufs Glück sehr erpichten Mitmenschen zum Trost sagen?

Er ist nicht der rigorose, unmenschliche Pflicht-Verkünder gewesen – als der er in den Geschichten der Philosophie figuriert. Er brachte es nicht über sich, den Mitmenschen zu predigen: erfüllt Eure verdammte Pflicht und Schuldigkeit als Vernunft-Atome – und schert Euch im übrigen zum Teufel! Euer Glück geht mich nichts an!... Gerade an den Konzessionen des widerspenstigen Kant zeigt sich die allgewaltige Macht der Sehnsucht nach Glück. Der Mensch hat zwei Ziele, meinte er: Moral und Glück; sie liegen weit auseinander. Wie kann man da – bei beiden ankommen? Nur mit Gottes Hilfe, sagte der als unreligiös angeklagte Philosoph.

Gott ist, wo immer er auftaucht, ein Deus ex machina. Das Wort ›Deus ex machina‹ ist bereits eine Tautologie. Kant ist lange Zeit sehr spröde gewesen gegen ›Gott‹. Er hatte ihm rücksichtslos alle Vernunft-Beweise unter seinem Thron weggezogen. Aber vor der Kluft zwischen Gut und Glücklich (dem alten Hiob-Problem) wurde nun der unerbittlichste Denker sehr kleinmütig. Er mußte Moral und Glück, die er so rigoros auseinandergerissen hatte, wieder zusammenbringen. Da konnte niemand geringeres mehr helfen als – Gott. Und Kant schrieb: »Der Glückseligkeit bedürftig, ihrer auch würdig, dennoch aber derselben nicht teilhaftig zu sein, kann mit dem vollkommenen Wollen eines vernünftigen Wesens, welches zugleich alle Gewalt hätte, wenn wir uns auch ein solches zum Versuche denken, gar nicht bestehen.« Kurz und bündig und unphilosophisch gesagt: Gott (von dem er auch hier nur höchst distanziert redet) belohnt irgendwann einmal den Pflichtgetreuen, indem er ihn obendrein noch glücklich macht. Der ›moralische Welturheber‹, den Kant hier kühl und unwirsch auf den Thron hebt, spielt immer noch die uralte Rolle des Belohners.

Auch Kant hat keine Anweisung zum glücklichen Leben hinterlassen. Er war viel mehr interessiert an einer Anweisung zum moralischen Leben. Aber kommt nicht auch hier schließlich doch wieder alles darauf hinaus: lebe moralisch, dann wirst Du auch schon glücklich werden? Ja, dieses verheißene Glück sänftigte schließlich noch den kategorischen Imperativ zu einer Moral, die lehrte: »wie wir der Glückseligkeit würdig werden sollen«. Der Ton lag zwar auf der Würdigkeit, nicht auf dem Glück. Aber wurde nicht selbst hier, beim Glück-Verächter Kant, das Glück doch wieder, wenn auch auf Schleichwegen, zum obersten Gott?

Und spielt nicht auch in Kants berühmt gottlosem Idealismus die Religion doch schließlich wieder die Rolle, die sie immer – auch im Christentum – gespielt hat: den Menschen die Hoffnung auf ein Glück zu geben – als Entgelt für die harten, glücklosen Forderungen? So heißt es in der ›Kritik der praktischen Vernunft‹: »Nur dann, wenn Religion dazu kommt, tritt auch die Hoffnung ein, der Glückseligkeit dereinst in dem Maße teilhaftig zu werden, als wir darauf bedacht gewesen sind, ihrer nicht unwürdig zu sein.«

Damit enthüllt sich Kant als ein blasser Widerschein des Christentums, das den Seinen das Glück leuchtender ausgemalt – und fester zugesichert hatte.

Das Individuum und sein Glück rechnen nicht

Aristoteles und Kant und die ihnen folgten, verhielten sich zum Glück so kühl, weil sie sich so sehr erwärmten für die Pflicht. Am Herzen lag ihnen der griechische Stadt-Staat oder die Gemeinschaft vernünftiger Wesen oder die Nation; das Glück des Individuums war der ewige Störenfried. Der Wille zum Glück tritt auf als Egoismus, als unvernünftiger Trieb, als anarchische Unbotmäßigkeit; diese Teufel bilden den Hof, der das Glück umgibt.

Man war nicht blind für die mächtige Sehnsucht nach Glück. Selbst Aristoteles und Kant hielten es nicht für ersetzbar – auch nicht durch die prächtigste Tugend. In jener Krone, die das Höchste Gut genannt wurde, war das Glück ein leuchtender Edelstein – wenn auch nicht der feinste. Ja, Kant, der Worte wie Neigungen, Triebe, Glück nur mit strenger Richter-Miene auszusprechen pflegte, hielt es dennoch für unvereinbar mit dem Charakter eines ›moralischen Welturhebers‹, daß er den Pflichtgetreuen nicht irgendwann auch einmal glücklich mache. Soweit gingen immerhin jene Denker, die vom Glück nicht viel hielten – oder noch weniger.

Aber sie überließen es eben dem Fatum oder dem ›moralischen Welturheber‹, für dieses Glück zu sorgen. Sie selber sorgten sich nicht. Sie selber stellten ihren philosophischen Scharfsinn lieber in den Dienst der Moral. Und wenn man philosophische Traktate auf der Bühne spielen könnte, so müßte der Schauspieler dem Wort Glück ein Achselzucken schenken – so oft es bei Aristoteles oder bei Kant oder bei ähnlich gestimmten Denkern auftritt.

Hegel war eins mit Kant in der frostigen Haltung zum Individuum und seinem Glück. Anläßlich einer Darstellung der griechischen Philosophen-Schule, die man Cyrenaiker nennt, schrieb er: »Vergnügen ist bei uns ein triviales Wort.« Das war gut kantisch, und in Hegels ›Vorlesungen über die Geschichte der Philosophie‹ wird Kant das Kompliment gemacht: er wäre der Erste gewesen, der die Moral nicht auf den Willen zur Glückseligkeit erbaut hätte; vor ihm hätte man keine anderen Motive gekannt als angenehme oder unangenehme Empfindungen; sogar von der Tragödie hätte man verlangt, daß sie ›angenehme Empfindungen erwecken soll‹. Und Hegel folgte begeistert seinem Vorbild Kant im Naserümpfen über diese Glückseligkeit, diese angenehmen Empfindungen. »Das Vergnügen (heißt es in der ›Philosophischen Propädeutik‹) ist etwas Subjektives und bezieht sich bloß auf mich als einen besonderen.« Man müßte ausführlich über Hegels Wort-Schatz schreiben, wollte man klarmachen: welche Verachtung des ›Vergnügens‹ in diesem kleinen Sätzchen steckt – mit seinem ›Subjektiv‹ und ›bloß‹ und ›besonderer‹.

Die ›Glückseligkeit‹ ist zwar schon vornehmer als das ›Vergnügen‹; denn »in der Glückseligkeit hat der Gedanke schon eine Macht über die Naturgewalt der Triebe, indem er nicht mit dem Augenblicklichen zufrieden ist, sondern ein Ganzes von Gott erheischt«. Aber selbst an der Glückseligkeit ist nicht allzuviel Herrliches; schließlich ist sie nur »die verworrene Vorstellung der Befriedigung aller Triebe«.

Man erkennt eine spezifische Kälte gegen das Glück am besten, wenn man fragt: was ist hier wichtiger als das Vergnügen, als die Glückseligkeit? Was war Hegel wichtiger? An einer Stelle der ›Philosophischen Propädeutik‹ heißt es: »Wenn der Mensch das Vergnügen zum Zwecke hat, so hebt er durch diese Reflexion den Trieb auf, darüber hinaus zu gehn und etwas Höheres zu tun.« Was ist dieses: höher als das Vergnügen? Hegel war vom Stamme des Platon und des Thomas von Aquino. Von Platon sagte er: er habe ›das selige Leben‹ in der ›Betrachtung‹ der ›Göttlichen Gegenstände‹ gefunden. Das Glück liegt in der Betrachtung des Alls − es ist das alte Philosophen-Glück, Glück ist das Bewußtwerden dessen, was ist. Glück ist das Anschauen der Geschichte der Menschheit in ihrer strömenden Logik: welche die bunte Fülle der Erscheinungen zwischen den ältesten orientalischen Despoten und dem christlich-europäischen Staat des Achtzehnten Jahrhunderts zusammenhält. Glück ist: Gott zu sein − wenn auch ohne seine Fähigkeit, hervorzubringen, was man nur weiß.

Fand Hegel in dem vieltausendjährigen menschlichen Leben, das er musterte, noch ein anderes Glück − neben dem Glück, es zu mustern? Er antwortete: »Die Weltgeschichte ist nicht der Boden des Glücks. Die Perioden des Glücks sind leere Blätter in ihr.« Glück rechnet nicht, ist nicht aufschreibenswert. Hegel sah vor Weltgeschichte die Individuen nicht. Und wenn er ein Individuum sah − Alexander oder Cäsar oder Napoleon −, so war es nichts als ein Markstein der Weltgeschichte. So wie wir, wenn wir in eine moderne Fabrik eintreten, vor allem die mächtige Halle sehen − und in ihr Türme und Trommeln und Schienen und Kräne: so sah Hegel, als er auf die Weltgeschichte sah, vor allem Staaten und Kirchen und Kunstwerke und Bücher. Gewiß, den Arbeiter kann man auch finden in der Fabrik, bei genauem Hinsehen; er sieht allerdings nicht so majestätisch aus wie der Gigant, dem er dient. Hegel sah auch die Menschen, welche Weltgeschichte machten − wenn er auch nur ihre Geschäftsführer sah, die immer am besten zu sehen sind, weil sie ›Persönlichkeiten‹ darstellen. Aber selbst diese Geschäftsführer sahen nicht so majestätisch aus wie die Unternehmungen, die sie durchführten.

Das Individuum ist nur eine kleinere oder größere Durchgangs-Station der Weltgeschichte − im besten Fall; meist nur ein Holzweg, der zu nichts, zu keinem weltgeschichtlichen Knotenpunkt führt. Auf diesem Holzweg kann es ganz idyllisch zugehen. »Glücklich ist derjenige« (heißt es in Hegels ›Vorlesungen zur Philosophie der Geschichte‹), »welcher sein Dasein seinem besonderen Charakter, Wollen und Willkür angemessen hat und so in seinem Dasein sich selbst genügt.« Dies Glück kannte Hegel auch. Aber den Philosophen interessierten diese kleinen Blumen jenseits der Chaussée des Geistes nicht. Das Individuum und sein Glück interessierten diesen gewaltigsten Verfertiger von weltgeschichtlichen Schlagzeilen nicht.

Und darin folgte ihm nicht nur die philosophische Welt.

Wer auf eine stattliche Fabrik blickt, dem erscheint der einzelne Arbeiter in ihr nicht sehr großartig – nicht viel mehr als ein wanderndes Maschinen-Teilchen. Wer durch die riesigen Bücher-Mausoleen der Großstädte schreitet, auf den macht der Beitrag eines einzelnen Individuums, selbst des glänzendsten, keinen überwältigenden Eindruck. Noch der größte Beitrag, den einer seiner Kultur hinzufügen kann, ist das unscheinbare Anhängsel einer langen Tradition. Vor den Museen der Welt nimmt sich recht mikroskopisch aus, was da in irgend einer Werkstatt entsteht. Die weltgeschichtliche Perspektive macht jeden Einzelnen zu einem Zwerg, der nicht zählt.

Hegel liebte die weltgeschichtliche Perspektive. Und wie der Einzelne ein Zwerg geworden war, so ist sein Glück nur ein zwergenhaftes Ereignis. Hegel und die Seinen nahmen vom Glück keine Kenntnis, weil sie sich vergafft hatten in die Errungenschaften des Weltgeistes. Das Glück gehört nicht in diese erhabene Sphäre. Das Glück gehört nur in die sogenannte private Sphäre. Das war die Sphäre, welche die Philosophen nichts angeht. Das Geschäft, auf das es Philosophen wie Hegel allein ankam, war der Geist, der objektive Geist – der absolute Geist – der Geist, der nicht eine besondere Funktion hat in einem besonderen Leben.

Fast alles, was im Neunzehnten Jahrhundert gegen Hegel rebellierte – und gegen die idealistische Haltung, deren gewaltigster Repräsentant er war: ist die Rebellion des atmenden Einzelnen gewesen, der sein ›Leben‹, seine ›Existenz‹, sein ›Heil‹, sein ›Glück‹ (vier Worte für dasselbe!) nicht in Betracht gezogen fand. Diese Empörer (von der Romantik und Stirner und Kierkegaard bis zu Nietzsche, Ibsen und Tolstoi) wurden katalogisiert unter dem Namen des ›Irrationalismus‹ – der gegen den Rationalismus rebellierte, welcher den problematischen Menschen ersetzte durch die leichter zu rationalisierende Geschichte.

Sie wurden katalogisiert unter dem Namen ›Lebens-Philosophie‹, die gegen die Philosophen-Philosophie rebellierte; unter dem Namen ›Existential-Philosophie‹, die gegen jenes Denken schrieb, das Begriffen Existenz verlieh und die Existenz in Begriffe verdunstete. Hinter all diesen Rebellionen stand dies: zu Beginn der Massen-Kultur wurde vielen besonders schmerzlich bewußt, was für ein mageres Leben sie führten im Schatten der immer fetter werdenden objektiven Geister. Der Einzelne wurde nicht nur vor den Maschinen, auch vor der Kultur immer armseliger. Die Schmerzen darüber haben nachgelassen; aber das Nachlassen von Schmerzen ist oft ein Zeichen, daß der Organismus bereits zerstört ist.

Man kann diesen Aufruhr des nach Glück sehnsüchtigen Individuums verschieden beschreiben. Man kann sagen: der Handwerker lehnte sich auf, weil die Fabrik ihn geschluckt hatte. Oder: der Fuhrmann lehnte sich auf, weil die Eisenbahn ihn überfahren hatte. Oder: der Unternehmer lehnte sich auf, weil die Aktiengesellschaft ihn vernichtet hatte. Oder: der Denker lehnte sich auf, weil der Volksgeist ihn aufgehoben hatte. Oder: die Persönlichkeit lehnte sich auf, weil die Statistik sie eingeebnet hatte. Wie auch immer: der Einzelne, der aufs tiefste besorgt war um sein Glück, rebellierte gegen einen Zustand, der ihn immer weniger in Betracht zog.

Man muß diese Rebellion, welche die seltsamsten Erscheinungen hervorgebracht hat, hinter mancher abstrusen Logik und hinter manchem poetisch-verstiegenen Vokabularium als bedeutsame Wahrheit entdecken. Hier soll sie illustriert werden an einem schlichten Beispiel: an Ibsens dramatischem Epilog ›Wenn wir Toten erwachen‹. Hegel hatte in der ›Philosophischen Propädeutik‹ mokant geschrieben: »Menschen von großen Interessen und Arbeiten pflegen vom Volke bedauert zu werden, daß sie wenig Vergnügen haben, d. h. daß sie nur in der Sache, nicht in ihrer Accidentalität leben.« Darauf gab der Bildhauer Rubek, die Haupt-Figur in Ibsens letztem Stück, eine denkwürdige Antwort. Ibsen, ein Mann ›von großen Interessen und Arbeiten‹, trat leidenschaftlich auf die Seite der von Hegel so verächtlich gemachten ›Accidentalität‹ Glück.

Im letzten Jahr des Neunzehnten Jahrhunderts erschien Ibsens letztes Stück ›Wenn wir Toten erwachen‹. Sein Leitmotiv war ein Wort, das im Zwanzigsten Jahrhundert immer fanfarenhafter erklungen war: ›Leben‹. Professor Rubek, ein Bildhauer, hatte, mit Hegel zu reden, ›in der Sache, nicht in der Accidentalität‹ gelebt. Die ›Sache‹ war die große, berühmte, erfolgreiche Plastik gewesen, die er geschaffen hatte: ›Der Auferstehungstag‹. Was aber Hegel so verächtlich ›Accidentalität‹ nannte – und was auch der Bildhauer Rubek in seiner Werk-Gesinnung lange Zeit nur als unbeachtliche Begleit-Musik des Schaffens ignoriert hatte, ist seine Liebe zu dem jungen Modell gewesen, das ihm für den ›Auferstehungstag‹ gesessen hatte. Er hatte seine Leidenschaft für sie unterdrückt, um frei zu sein für die ›Sache‹. Liebe aber stört immer die ›Sache‹. Irene, die ihn sehr geliebt hatte, war verzweifelt davongelaufen und an der Trennung zugrunde gegangen. Nun trafen sie sich nach vielen Jahren wieder: zwei Tote, die um versäumtes Glück klagten.

Irenes Anklage lautete: du stahlst mir meinen Körper und meine Seele – ›zur Betrachtung‹; »zuerst das Kunstwerk – dann das Menschenkind«, ist deine Moral. Rubeks Selbst-Anklage lautete: »Verblendet, wie ich damals war – stellte ich das Gebilde aus totem Ton über das Glück des Lebens.« Man kann hier viele witzlose Einwände machen: zum Beispiel den, daß man auch sein Modell heiraten – und trotzdem große Werke hervorbringen kann; Rubek hätte sich an Rembrandt ein Beispiel nehmen sollen. Es ist leicht, ein unzureichendes Gleichnis zu treffen oder eine Unlogik – und bei dieser Gelegenheit die Wahrheit hinter dem unzulänglichen Ausdruck zu verfehlen.

Professor Rubek sagte: »Dieser ganze Künstlerberuf und diese ganze künstlerische Tätigkeit und alles, was damit zusammenhängt – fing an, mir so von Grund aus leer und hohl und nichtig vorzukommen.« Und auf die Frage: »Was wolltest Du denn anstatt dessen?« antwortete er: »Leben.« Und erklärte diese Antwort so: »Ja, ist's denn nicht unvergleichlich wertvoller, ein Leben in Sonnenschein und Schönheit zu führen, als sich bis ans Ende seiner Tage in einer naßkalten Höhle mit Tonklumpen und Steinblöcken zu Tode zu plagen?«

Es geht hier nicht nur um den Künstler. Im Aufbegehren des ›Lebens‹ gegen die ›Sache‹, des Glücks ›im Sonnenschein‹ gegen das Vegetieren in ›naßkalten Höhlen‹ (Wagner hat sie in Alberichs Schmiede photographiert) ist das Aufbegehren gegen eine Kultur, die nur das Produkt will – und gleichgültig ist gegen den Produzenten. Diese Gleichgültigkeit ist vielleicht ein Charakteristikum jeder bisherigen Kultur gewesen. Im Neunzehnten Jahrhundert begannen viele Toten zu erwachen.

Was ist aus ihnen im Zwanzigsten Jahrhundert geworden?

Die Freunde des Epikur

*Muß man denn immer bedächtig sein? Wer
zu alt zum Schwärmen ist, vermeide doch
jugendliche Zusammenkünfte.*

Novalis: ›Fragmente‹

Charlatane, Sigmund Freud
und der Mut zum Glück

Einige Freunde des Epikur fuhren nach dem letzten Krieg
in einen kleinen Ort, der etwa hundert Kilometer hinter
der großen Stadt Los Angeles liegt. Der Ort war von Bergen umgeben. Das Meer war nicht fern. Es wohnten hier
kleine Rentner, auch Maler und Dichter.

Bevor man zum Ort kam, lag, zur Rechten, ein Wäldchen
mit einer kleinen Lichtung. An jenem Sonntag-Morgen waren dort viele Menschen versammelt. Sie saßen auf dem
nackten Grunde, auf Decken, Matratzen und Feldstühlen.

Um Elf trat, zwischen zwei bizarr verzweigten Bäumen,
ein schmaler, feiner, dunkler Orientale von Fünfzig in den
Kreis der Lichtung, lächelte, sagte nichts und ließ dann, zwischen kleinen Pausen, winzige, schlichte, milde Sätze in die
Stille tropfen. Er war ein Nachfahr des Epikur in der Aera
der Weltkriege. Dies Wäldchen, weitab von den Ruinen der
Zeit, war sein Garten. Er sagte: »Ihr sollt die Gewohnheit
entwickeln, im Reiche des Glücks zu leben. Ihr ahnt noch
nicht, wie weit es ist; wie es immer umfangreicher wird, sobald Ihr erst einmal seine Grenze überschreitet.« Die auf
dem Boden saßen und die zwischen den Stämmen standen,
überschritten die Grenze und verloren sich glücklich im weiten Land.

Nach einer Stunde ging man nach Hause. Eine junge französische Schauspielerin hatte noch einige Minuten in glücklicher Abwesenheit geschwelgt; dann vertraute sie einem
Korrespondenten ihre Pläne an. Ein junger österreichischer

Rezitator, auf ungeniale Weise unrasiert, war noch für ein Weilchen nicht zurückgekehrt; dann hielt er einige Bekannte an, um sich ein Publikum zu sichern für die Vorlesung, die er am Abend in dem Brunnen gab, den er bewohnte. Wer Epikurs Zuhörern nachblickte, konnte mit seinen eigenen Augen sehen, wie die Einzelnen über die Grenze des Glücks-Reichs wieder zurückfielen.

Die Freunde waren geblieben. Sie hatten der Menge nachgeschaut und saßen nun am Fuße einer Eiche. Sie waren unter dem gewaltigen Eindruck: wie vielfältig das Glück am Rande des Waldes sich verflüchtigt hatte. Kann es nicht mehr sein als ein Aufschwung am Sonntagmorgen? Die Freunde des Epikur umkreisten diese Frage.

Einer sagte: »Es kann mehr sein. Aber damit es mehr werde, muß die Routine jenseits des Waldes von Grund auf zerstört werden. Auf daß die Vögel, die uns entrückten, und die Stille, die uns Ohren schenkte, und die glücklichen Worte, die uns aus dem Tag lockten, Raum haben – den ganzen Raum haben. Solch eine Feier-Stunde ist kein Glück – sondern die Illumination der Glücklosigkeit. Es muß der Alltag zerstört werden.«

Da wendete einer ein: »Denkende sollen ihr Denken ernst nehmen. Können wir diesen Gedanken ernst nehmen? Wie kann ich morgen früh den Alltag zerstören? Morgen früh habe ich zu unterrichten. Seit zehn Jahren denke ich nicht mehr darüber nach, was ich sage, weil seit hundert Jahren feststeht, was ich sage. Und man nimmt es hin, solange ich feststehe. Mein Teil ist das Mitteilen. Ihr Teil ist das Sich-einrammen. Was hat solch ein unmenschlicher Prozeß mit dem Glück zu tun? Viel eher etwas mit dem Unglück. Wie kann ich diesen Prozeß zum Stillstand bringen?«

Man erinnerte ihn an den glücklichen Schulmeister Tolstoi. Er erwiderte: »Wenn ich seine Schul-Gesetze verkündete und sagte: jeder, den das Lernen nicht glücklich macht, möge nach Hause gehen – so würde ich nicht einmal meine Stellung verlieren. Ich würde nur ausgelacht werden. Man lernt nicht, um glücklich zu werden – sondern um zu essen und Karriere zu machen. Wie soll ich diesen Alltag brechen? Wie soll ich das Glück freisetzen?«

Die Antworten, die jeden Tag gegeben werden, sind bekannt. »Der Mann auf der Straße, der Arbeiter, das Volk kann den glücklosen Alltag brechen!« Aber bisher haben sie ihn nicht gebrochen; und es ist unwahrscheinlich, daß es in Zukunft geschehen wird, da ›das Volk‹ selbst ein Produkt des Alltags ist. »Die Religion kann ihn brechen!« Aber bisher hat sie ihn nicht gebrochen, sondern stärker gemacht. Der Alltag triumphiert über alle Prahler, die sich rühmen, ihn vernichtet zu haben. Die Prahler triumphieren – als Charlatane.

Die Charlatanerie tritt sowohl philosophisch und organisatorisch gerüstet auf als auch unbekleidet – und hat so die größte Attraktion. Diese nackte Charlatanerie dekretiert blendend. Sie dekretiert irgendetwas aus der Welt heraus (zum Beispiel: den Schmerz) und irgendetwas in die Welt hinein (zum Beispiel: eine Welt-Logik) – ganz ohne geistige Unkosten. Sie dekretiert auch: was man zu tun oder zu lassen habe, um glücklich zu sein – ohne sich darüber Sorgen zu machen, ob man es auch tun oder lassen kann; und ohne zu beachten, ob die Erfüllung des Dekrets auch wirklich glücklich macht.

Die, welche diese leichtsinnigen Dekrete akzeptieren, sind die Gläubigen des Zwanzigsten Jahrhunderts. Unter ihnen gibt es verschiedene Sorten: die altbekannten Dummen; die, welche sich leidenschaftlich gern dumm machen lassen; und die, welche alle Anstrengung machen, dumm zu werden, es nicht fertig bringen – aber doch vorgeben. Sie alle sind dem Glück sehr fern. Sie haben keine Chance mehr, weil die Charlatane ihre Glücklosigkeit bereits auf den Namen Glück getauft haben.

Angesichts dieses vielfältigen Schwindels haben viele Furcht vor dem Glück. Sie halten es schon für Charlatanerie, es auch nur bei Namen zu nennen. Sie wagen sich ihm nur

in der keuschesten, besser: impotentesten Weise zu nähern –
durch Negationen. Sie machen (zum Beispiel) viel her von
der Entwicklung des Menschen zu immer größerer Freiheit – und sehen nicht, daß diese Freiheit nur ein Gespenst
ist, wenn sie nicht eine Definition des glücklichen Menschen
ist. Sie überlassen aus Angst vor der Charlatanerie das
Glück den Charlatanen.

Man kann nun die Freunde des Epikur, die unter uns
leben, einteilen in Poseure und – Kleinlaute. Der Klassiker
der Kleinlauten war der große Aufklärer Sigmund Freud.
Er stellte die Frage: »was die Menschen selbst durch ihr
Verhalten als Zweck und Absicht ihres Lebens erkennen
lassen«. Und antwortete, gut epikuräisch: »Sie streben nach
dem Glück, sie wollen glücklich werden und bleiben.« Dieser
Ansatz war ihm mit allen Epikuräern gemein.

Doch lehnte er alle überschwenglichen Hoffnungen energisch ab. Von Hiob bis Kant machte man sich Sorgen: ob
sich denn auch ein allmächtiges Wesen darum kümmere, daß
sich dem Menschen die Sehnsucht nach Glück erfülle...
Freud zog das nicht einmal in Betracht. Er sagte – dogma-
tisch, wie Skeptiker bisweilen sind: »Die Absicht, daß der
Mensch ›glücklich‹ sei, ist im Plan der ›Schöpfung‹ nicht
enthalten.«

Dies Glücklichsein war ihm recht problematisch. Er hat
nicht die Lust entdeckt, die libido – sondern ihre zwei
Tragödien: die erste, engere, welche der junge Freud beschrieb, wurde ein Teil der zweiten, weiteren, als der Hori-
zont sich weitete. Im ersten Konflikt heißt der Gegen-Spie-
ler: Egoismus und Über-Ich. Der Held heißt: ›Trieb‹,
›Sexualität‹, ›Libido‹, ›Es‹. Diese Namen haben nicht bei jedem Auftauchen dieselbe Aura. Aber es kommt doch immer
wieder darauf hinaus: daß der ›Trieb‹, eine unpersön-
liche Gier, und sein Feind, ›Ego‹, der Anwalt des Trieb-
Verzichts, den die Realität in ihrer materiellen oder gesellschaftlichen Form fordert (um der Selbst-Behauptung willen) ... daß diese beiden Urmächte aneinander geraten.

Lust oder Leben ... das ist hier die Frage. Nie zuvor ist einem Denker die Lust so gewaltig erschienen.

Die Epikuräer aller Jahrhunderte haben gefragt: wieviel soll man genießen, wieviel opfern – um des Genusses willen? Freud, dessen leise Antwort dem großen Epikur nicht unverwandt ist, entdeckte bei der Betrachtung des überdimensionalen Duells: daß die besiegte Lust, die nicht aus der Welt herausgesiegt werden kann, sich in die Neurose rettet – und in die Werke der Kultur.

Er pries Religion, Metaphysik und die Künste – soweit sie aus der Lust stammten und Lust spendeten: eine Ersatz-Lust. Er brachte das bei den Denkern in Ungnade gefallene, von Wort-Verschleißern verballhornte Glück wieder zurück auf den Thron – und scheute nicht einmal den weniger respektablen Namen Lust. Er lehrte: »Es ist das Programm des Lustprinzips, das den Lebenszweck setzt.«

Er war so kühn, diese verketzerte ›Lust‹ zu betonen, wie vor ihm Montaigne in dem großartigen Dictum: »Es behagt mir, den Leuten dieses Wort ›Lust‹, das ihnen so gar zuwider ist, bis zum Überdruß zu wiederholen.« Und Freud verschleierte ihren Ursprung nicht. Bei aller Verehrung für die Kultur wußte er, daß die Lust hier nicht ungemischt ist: daß das Glück im Meditieren und Gestalten und der Teilnahme an den großen Schöpfungen des Menschen zwar für feiner und höher gilt als jenes, das die Vitalität spendet, aber auch weniger aufwühlend ist. Heine, Nietzsche und Freud waren die drei großen deutschen Epikuräer der letzten hundert Jahre.

Und ebenso reserviert verhielt er sich den Verkündern der Glücklichen Gesellschaft gegenüber. Man könne es ihnen nachfühlen. Man söhne sich eben eher mit Schmerzen aus und mit Erdbeben – als mit dem Unglück, das einem vom Menschen zugefügt wird. Und das hält man deshalb für aufhebbar. Das hält man für ›eine gewissermaßen überflüssige Zutat‹, ›obwohl es nicht weniger schicksalsmäßig unabwendbar sein dürfte als das Leiden anderer Herkunft‹.

In Sigmund Freud lebte nicht der Enthusiasmus der großen Epikuräer.

Doch gehörte er bei aller Vorsicht im Hoffen zum Geschlechte des Epikur. Er zitierte den Bruder in Epikur, Heine, der von Nektar und Ambrosia gesungen hatte – und gar nicht metaphorisch. Der Gelehrte sang nicht. Er induzierte und deduzierte und übersetzte Nektar und Ambrosia in ein Fachwort, dem man auf den ersten Blick die Sehnsucht nicht mehr anmerkt: ›Lustprinzip‹.

Zu dieser steifen Vokabel war nun das Glück herabgesetzt. Er verketzerte diese Lust nie. Sie ist die Gesundheit, für die dieser Seelen-Doktor sehr erfolgreich tätig war. Aber was war hier aus der unbändigen Lust des ›Gottes-Staat‹ und des ›Amor intellectualis dei‹ und der Glücklichen Gesellschaft geworden? Die ›Libido-Ökonomie‹! Und wenn die Jahrhunderte zwischen Hiob und Tolstoi die Bekanntschaft des Zwanzigsten machen wollen, so mögen sie es erkennen in dem Satz des kleinlauten Epikuräers Sigmund Freud: »Wie der vorsichtige Kaufmann es vermeidet, sein ganzes Kapital an einer Stelle festzulegen, so wird vielleicht auch die Lebensweisheit raten, nicht alle Befriedigung von einer einzigen Strebung zu erwarten.« Vielleicht darf man diesem Satz hinzufügen, daß die unvorsichtigen Mörder unseres Jahrhunderts möglicherweise die Kehrseite sind der vorsichtigen Kaufleute des Glücks.

An welchen Stellen soll man ›investieren‹? Das ist ›ein Problem der individuellen Libido-Ökonomie; ein jeder muß selbst versuchen, auf welche Fasson er selig werden kann‹.

Auf welche besondere Fasson wurde er selig? Als er von einem Chirurgen hörte, der vor Gottes Thron einen von Krebs zerfressenen Knochen anklagend vorzeigen wollte, meinte Freud: »Der entscheidende Vorwurf, den ich dem Allmächtigen machen würde: warum er mir kein besseres Gehirn gegeben?« Der Satz eines skeptischen Philosophen, aus auf das Glück, welches das Erkennen zu schenken hat.

Und aus auf das Glück, welches die Künste bieten: in

den ›Phantasiebefriedigungen‹. Das Imperium der Phantasie ist das einzige mächtige Jenseits, welches Diesseits ist. Die Wünsche, die sich im härteren Medium der Realität nicht durchsetzen können, kommen hier zu bescheidener Erfüllung. Sein Kunst-Eskapismus ist nicht reaktionär, sondern human. Freud ging von der Einsicht aus: daß die Wirklichkeit für jeden mehr Härten hat, als er ertragen kann; daß deshalb Ferien von ihr beglückend sind; daß die Künste als ›Lustquelle und Lebenströstung‹ Glück spenden, das nur in diesem ätherischen Medium zu haben ist.

Wenig aber wissen wir von der Lust, die ihm Essen und Trinken und Zusammenschlafen und Atmen und Riechen und Tasten und alle jene vitalen Erfüllungen bescherten, von denen er ausdrücklich sagte, daß keine Lust-Sublimation ihre Intensität erreiche. Wir wissen wenig von diesem Freud-Glück, weil die Familie und die Schüler des größten Epikuräers im Zwanzigsten Jahrhundert die vergängliche Lust des vergänglichen Sigmund Freud, der das unvergängliche ›Lustprinzip‹ zu Ehren gebracht hatte, nicht ehren.

Kann ein Epikuräer nur entweder ein Charlatan sein – oder ein vorsichtiger Kaufmann, der nicht zuviel und nicht zuwenig in eine Lust investiert? Lust und Glück gehören zu den Grund-Elementen, die den Menschen konstituieren. Man kann von ihm Vieles sagen, was ihm mit Stein und Pflanze und Tier gemeinsam ist. Auch ist er ein Objekt der Soziologie: ein Wesen, das in Gruppen und mit Hilfe von Ideologien um die Macht kämpft. Aber sein Tag wird von Physik und Chemie und Biologie und Soziologie noch nicht voll erhellt. Weil er außerdem noch ein Wesen ist, das glücklich werden will.

Was das ist – dieser Wille wurde zwischen Hiob und Tolstoi immer umfassender. Aber ist nicht das einzige Resultat. Sie nährten zugleich die Sehnsucht nach dem Glück. Sie feuerten den Mut zum Glücklichsein an. Und vielleicht wird dieser Mut einmal als der Ursprung jenes himmlischen Zustands diagnostiziert werden, den jeder in seinem Glück vorwegnimmt. So daß, wer diesen Mut kräftigt – und wie sehr muß er heute gekräftigt werden! – dazu beiträgt, daß eines Tages (vielleicht!) der Wille zum Glücklichsein stärker ist als der glücklose Alltag.

›Vielleicht‹ – ist aber eine prekäre Position auf der Grenze zwischen leichtsinniger Gewißheit und verzagtem Unglauben. –

Nachdem ich dies Buch
wiedergelesen habe

Bisweilen wird der Schreiber eines Buchs zu seinem Leser. Es wäre übertrieben zu leugnen, daß er nicht immer noch derjenige ist, der es geschrieben hat. Aber es wäre auch falsch zu übersehen, daß Distanz möglich ist.

Mir ist aufgefallen, daß nicht deutlich genug gemacht worden ist, was von diesem Buch nicht zu erwarten ist, weil es gar nicht beabsichtigt war. Es macht nicht den Anspruch, die Vielzahl des Glücks zwischen Hiob und Freud komplett zu verzeichnen. Das hier ist kein lexographisches Kompendium.

Auch keine Habilitations-Schrift, welche die Thesen der Glücklichen und Unglücklichen, nach Glück Strebenden und vor dem Unglück Fliehenden herauspräparierte und theoretisch systematisierte. Nicht die Lehre, sondern das Leben, dessen abstrakte Formel sie ist, steht im Vordergrund. So wurde den acht hier verzeichneten Biographien des Glücks das ganze Wurzel-Geflecht gelassen, aus dem das einzelne gewachsen ist.

Oft kam die Frage auf: ist dies Detail nicht unerheblich für das zentrale Thema? Die Antwort war immer: lieber eine Einzelheit zuviel, als eine Minderung der Anschaulichkeit dieses besonderen Antlitzes des Glücks. Jedes Glück ist unvergleichlich – trotz der Typologie, die sich auch vornehmen läßt.

Ein Weg wird zum Holzweg für den, welchen er nirgendwohin führt. Aber die acht Wege, die hier verzeichnet sind, und auch die geheimeren, die man zum Schluß als verkappte und frostigere Theorien des Glücks registriert findet, sind lebende Möglichkeiten: klären die Sicht auf das eigene Glück.

Eine der großen Manifestationen des Glücks wird der

eine oder andere auf diesen Seiten vermissen: den Glückspilz, dessen Wappen das Glücksrad ist; den Liebling der
Götter, den Felix Krull. Er gehört nicht zur Schar der
Entdecker, die hier versammelt sind. Glücksritter sind vom
Glück Gerittene, Auserwählte der Göttin Fortuna, die von
keiner Theologie und keiner Philosophie durchsichtig gemacht werden kann. Man kann sich ihr nicht nähern. Man
kann sie schon ganz und gar nicht erobern.

Eben deshalb kamen alle die Anstrengungen in die Welt,
welche hier geschildert sind. Sie, die Launischste, regnet aus
ihrem Füllhorn alle Süßigkeiten auf die Erkorenen herab.
Man kann fragen: wie werde ich glücklich? Aber nicht: wie
werde ich ein Glückspilz? Wer ›Glück‹ hat, kommt nicht
in die Lage, über das ›Glück‹ nachzudenken. Die beiden
Worte sind identisch – und in ihrer Bedeutung weit auseinander. Obwohl das englische Wort happiness zeigt, daß
seine sprachliche Herkunft eine Brücke schlägt von dem einen
Glück zum andern. In Shakespeares Tagen bedeutete good
hap – übersetzen wir: daß Dir Fortuna gnädig sei! Sie
hat also nichts zu tun mit den Glücks-Schmieden von Epikur bis Freud, die hier versammelt sind.

Ausgelassen ist auch die zentrale Frage des Lesers: wie
werde ich glücklich? Beantwortet ist immer nur: wie wurde
er glücklich? Wie aber kommt man von ihm zu sich? Imitatio kann in unseren Zeitläufen nie mehr sein als – originel-
les Nachmachen. Ein Gedicht abschreiben, ist noch nicht
dichten. Ein Glück imitieren, ist noch nicht glücklich werden. Es gibt keinen Vordermann auf dem Wege ins Paradies. Jeder ist seines Glückes Schmied – in dem Sinne, daß
niemand dem Jedermann die Schöpfung seines Glücks
abnehmen kann. Und außerdem ist sehr gescheit gesagt worden: man unterscheidet Grob-, Silber- und Gold-
Schmiede.

Zwar gibt es Vorbilder, denen man abgucken kann, wie
sie es gemacht haben. Einigen wird sich der lesende Glücks-
sucher verwandt fühlen. Sie werden ihn in die Richtung

und auf Ideen bringen. Er wird sie aber abwandeln müssen, weil sein Naturell, weil die persönlichen Umstände, die Gruppe, zu der er gehört, eine Variante verlangen.

Er wird – reicher, um die vielen Erfahrungen derer, die leidvoll, lustvoll, scharfsinnig das Glück umkreisten – dennoch dieselbe Aufgabe haben, die jedem von ihnen gestellt war: sein unvergleichliches Glück zu finden. Es hätte deshalb auch wenig Wert gehabt, wenn der Verfasser seinen eigenen Versuch noch mithineingegeben hätte. Allerdings hat er keinen Hehl daraus gemacht, bei wem er sich eher zu Hause fühlt und bei wem weniger: weniger bei denen, die in ein veritables Himmelreich einzogen (Augustin), weniger bei denen, die ein Gehäuse aus Tönen und Begriffen barg (Richard Wagner) ... mehr bei den Epikuräern, die jauchzten wie Nietzsche oder ganz zaghaft die Lust priesen wie Freud. Nietzsche zeigte auch, wie sehr dies Glück nicht ein Abstraktum ist, sondern zum Greifen vor den Augen und den Ohren.

Mein Glück

Die Tauben von San Marco seh' ich wieder:
Still ist der Platz, Vormittag ruht darauf.
In sanfter Kühle schick' ich müßig Lieder
Gleich Taubenschwärmen in das Blau hinauf –
Und locke sie zurück,
Noch einen Reim zu hängen in's Gefieder
– Mein Glück! Mein Glück!

Du stilles Himmels-Dach, blau-licht, von Seide,
Wie schwebst du schirmend, ob des bunten Bau's,
Den ich – was sag ich? – liebe, fürchte, neide ...
Die Seele wahrlich tränk' ich gern ihm aus!
Gäb ich sie je zurück? –
Nein, still davon, du Augen-Wunderweide!
– Mein Glück! Mein Glück!

Du strenger Turm, mit welchem Löwendrange
Stiegst du empor hier, siegreich, sonder Müh'!
Du überklingst den Platz mit tiefem Klange –:
Französisch, wärst du sein accent aigu?
Blieb ich gleich dir zurück,
Ich wüßte, aus welch seidenweichem Zwange ...
– Mein Glück! Mein Glück!

Fort, fort, Musik! Laß erst die Schatten dunkeln
Und wachsen bis zur braunen lauen Nacht!
Zum Tone ist's zu früh am Tag, noch funkeln
Die Gold-Zierathen nicht in Rosen-Pracht,
Noch blieb viel Tag zurück,
Viel Tag für Dichten, Schleichen, Einsam-Munkeln
– Mein Glück! Mein Glück!

Gibt es eine Brücke von den hier aufgezeichneten exemplarischen Wegen und Auswegen und Überlegungen leidenschaftlicher Männer, bohrender Denker ... zu unseren Tagen? Sie müssen konfrontiert werden.

Der Leser stelle sich Mitschüler vor oder Kommilitonen oder Geschäftsfreunde. Stelle sich weiter vor, daß er von ihnen wissen will: ob sie glücklich sind – und in welchem Sinn. Was werden sie antworten? Sie werden wahrscheinlich die Achseln zucken. Das kann viel bedeuten: von einem Darüber-habe-ich-nicht-nachgedacht bis zu einem Deine-Sorgen-möchte-ich-haben.

Sollten sie, wider Erwarten, Auskunft geben, so könnten die Antworten denen ähneln, die das Französische Institut für Öffentliche Meinung vor einiger Zeit erhalten hat. Die Fragen lauteten: Was ist für Sie der Inhalt des Glücks? Und: Sind Sie glücklich?

Solch ein Unternehmen sieht nicht sehr seriös aus: von der Warte einer heutigen Elite aus gesehen. Die, welche Glück für eine altväterisch-sentimentale Vokabel halten – an Ernsthaftigkeit nicht zu vergleichen mit den zeitgemä-

ßen, von Tiefe strahlenden Worten Dialektik und Verfrem-
dung, werden dies verjährte Glück wegwitzeln. Es ist auf
die Sonntagsschulen gekommen. Und dann: was läßt sich
nicht alles gegen Statistiken vorbringen? Es ist schon fast
wieder revolutionär, ihnen einiges zuzutrauen.

Die französische Glücks-Enquête wird hier ernst genommen, obwohl sie auch spezifisch französisch und außerdem
noch recht zufällig zustande gekommen sein mag. Aber auf
ein paar Prozent kommt es nicht an, wenn so deutlich
wie hier das Verhältnis der Zeitgenossen zum Glück erscheint: ein sehr zurückhaltendes, reserviertes, kühles, ernüch-
terndes.

Acht Prozent bekundeten, daß sie sehr glücklich sind;
dann, fast zu gleichen Teilen, erklärte man sich für ein
bißchen und für nicht recht glücklich. Das erweckt den Eindruck, als ob das Glück keine Haupt-Figur im Leben der
Gegenwart ist, nur noch ein dünner Klang aus vergangenen
Zeiten, gerade noch hörbar. Und erst, wenn das Thema
Glück und Moral zur Sprache kommt, erwärmen sich –
wenigstens die Offiziellen: für die Moral.

Da fand in New York eine Marathon-Diskussion statt:
fünfzehn Stunden lang, vorbereitet von vier Besprechun-
gen, deren jede einen ganzen Abend gewährt hatte. Das
Thema war der schönste Satz des amerikanischen Schrift-
tums, den Jefferson in die Verfassung des Landes geschrieben hatte. Er bezeichnete als ›unabdingbare Menschenrechte‹:
nicht John Lockes berühmte Dreieinigkeit ›Leben, Freiheit
und Eigentum‹, sondern ›Leben, Freiheit und the pursuit
of happiness‹ – das Aus-sein aufs Glück.

Unter unseren Staats-Chefs gibt es kaum Jeffersons, auch
nicht unter den Untertanen. So versuchten die an der Unterhaltung beteiligten Generaldirektoren, Gewerkschafts-
Führer, Geistlichen und Philosophen klar (das heißt: unklar) zu machen: Jeffersons happiness sei zu übersetzen mit
Moral. Von Beginn an lautete die Parole: wozu sich lange
den Kopf zerbrechen über das vielfältige Leben dieses

Glücks in den Herzen und Köpfen? Man diktierte schlicht und schlecht: das Recht auf Glück ist ein Politikum; und meint zwar, daß jeder nach seiner Façon glücklich werden soll ... aber nicht selbstisch, anarchisch, sondern mit Pflicht-Gefühl. Dann sprach man nicht mehr über das Glück, sondern über die Pflicht – was Repräsentanten der Nation immer besser ansteht. Allerdings hatte schon im Jahre 1768 der englische Philosoph Priestley zu bedenken gegeben: Gerechtigkeit und Wahrhaftigkeit haben in sich nichts Herrliches, wenn man von ihrer Beziehung zum Glück absieht. Auch die Pflicht hat nichts Herrliches, wenn man von ihrer Beziehung zum Glück absieht.

Andere Glücklose jener Konferenz definierten Glück: »Ich und meine Mitmenschen, in voller Harmonie mit der Umwelt.« Dies Glück hat (zum Beispiel) jeder Kriegs-Gewinnler im Krieg. Im Welt-Maßstab aber ist diese Harmonie erst da, wenn die Menschheit ein einziges Räderwerk geworden sein wird, in dem die lebenden Rädchen perfekt ineinander verzahnt sind.

Wer wird dies Glück genießen? Bestimmt nicht das Rädchen. Die Bemühungen um das Glück gingen auch immer dahin, ihm sein wesentlichstes Element zu rauben: die lustvolle Bezogenheit des Daseins gerade auf diese eine, vergängliche Kreatur, die sich Ich nennt.

Kultur-Kritiker, die sich progressiv vorkommen, machen sich lustig über das amerikanische have fun; daß man sogar den Schuljungen wünscht, die Penne möge ihnen Spaß machen. Man sieht nicht, in glücksblinder Zeit, daß dieser zu Tode gehetzte fun und die ebenso zu Tode gehetzten kulturkritischen Witzeleien darüber eine Folge der offiziellen Glücks-Feindschaft sind. Sie wird auf sehr simple Weise praktiziert. Man hat das Glück gekidnappt und stellt es, wohl verkleidet, als Pflicht vor.

Vielleicht aber lebt in diesem trüben National-Slogan fun – immer noch mehr Sehnsucht nach Glück als in der langen Liste jener Glücksgüter, welche der französische Gallup poll an den Tag gebracht hat. Da steht obenan, bei Männern und bei Frauen: genug Geld, um davon zu leben. Dieses höchst bescheidene, ärmliche Geld repräsentiert nicht Glück und Glanz (›Reichtum‹ folgt erst an vierter Stelle), sondern: materielle Sicherheit. Sie ist, im Bewußtsein der überwältigenden Mehrzahl, der Inhalt des obersten Glücks.

Die Liebe hingegen – gepredigt von den vielen Geistlichen und auch den Wenigen, die in die Liebe verliebt sind – hat auf der französischen Glücks-Liste erst den siebenten Platz. Das heißt: der Weg von ihr in den Himmel ist für die Befragten nur ein kleiner Seiten-Pfad. L'amour gehört nicht mehr zu den ganz großen Dingen des Daseins.

Noch weniger überraschend ist: daß die Sprüche der Weisheit, die als Glück Nummer Sechs figuriert, daß die Ergebnisse der Philosophen, die sich durch die Jahrhunderte um das Glück bemühten, kaum gewürdigt werden. Man glaubt nicht recht daran, daß Spinoza und Marx einem auf dem Anstieg zum Glück helfen können. Vor allem Marx nicht. Darf man der Statistik trauen, so gaben nur vier Prozent der Kommunisten an, daß sie ›sehr glücklich‹ sind; und schnitten darin schlecht ab, verglichen mit den Mitgliedern anderer Parteien.

Vielleicht ist diese Ahnungslosigkeit vor den Weisheiten der Jahrhunderte, vor den Hymnen aufs Glück, mitschuld an der herrschenden Glücklosigkeit, besser: an dem herrschenden Nicht-Inbetrachtziehen der Anlage zum Glücklichsein. Sie ist, ebenso allgemein wie die Gabe der Vernunft, noch weniger entwickelt. Deshalb weiß man nicht, was anzufangen mit den berühmten Sätzchen auf dem Wege zum Glück; glaubt, daß sie zu nichts gut sind, weil man sie nicht in sein Leben zu übersetzen weiß. Hinter dieser Ratlosigkeit ist die Verwechslung von Nahrung für das höchst komplexe Wesen Mensch und Nahrung für einen seiner Bezirke: den Körper. Sie ist fertig oder nicht schwer zuzubereiten. Was aber in Bibliotheken und Museen aufgehäuft ist, kann nicht so mühelos assimiliert werden.

Die Weisheiten, die auf den Wegen zum Glück gefunden wurden, sind, wenn man sie schlicht hinunterschlingt, um sofort glücklich zu werden, nichts als Steine, die beschweren. Daher die Magie der Glückspillen, die (ohne jede Bemühung) wohltätig wirksam und außerdem das beliebteste Thema hochmütiger Kultur-Diagnostiker sind, erhaben über das Glück. Aber die viel bewitzelten Glückspillen bringen immerhin den Menschen dem Paradies näher als alle frommen Unterdrückungen tausend irdischer Seligkeiten – wie, nach dem British Medical Journal, Versuche mit Pyrahexyl ergeben haben.

Man unterschätzt die ›verulkten‹ Chemikalien (ebenso wie ihre weniger stofflichen Verwandten) auch darin, daß man sie nur als Anästhetica und Beruhigungsmittel nimmt. Ein geistreicher Hollywood-Produzent sagte: »Vielleicht sind Filme nicht Opium fürs Volk, bestimmt sind sie sein Aspirin.« Damit werden Filme ebenso unterschätzt wie die anderen Paradiese, die auf dem Wege der Chemie liegen: sie können viel mehr sein als Dämpfung des Unbehagens. Sie können, wie Huxley am Mescalin demonstriert hat, erreichen, was in früheren Jahrhunderten auf dem Wege des Fastens und Nabelbeschauens und anderer frommer Riten errungen wurde: ein leuchtendes Glück. Und wenn den Gestrengen hier sofort das Wort ›Flucht‹ einfällt – was ist eigentlich schlecht an häufigen Ferien vom Glück der materiellen Sicherheit?

Doch werden jene gesegneten Präparate und die weniger substantiellen Glück-Produzenten nie das Philosophen-Produkt hervorbringen: ein ungestörtes Verweilen auf den Höhen der herrlichsten Stunden. Materielle Sicherheit (Glück Nummer Eins im französischen Inventar – und nicht nur hier) ist ein großes, wichtiges, erstrebenswertes Gut; nur Gesicherte (zum Beispiel Ordinarien der Philosophie mit erheblichem Pensions-Anspruch) verachten es. Aber es ist noch nicht einmal die unterste Stufe zur Höhe des Glücks.

In dieser weit verbreiteten Glücks-Blindheit wird es vielen guttun zu lernen: daß es zwar auch immer Weise gab, welche die Weisheiten der vorsichtigen Askese lehrten. Es waren aber immer auch einige so göttlich unbescheiden, daß sie die Sehnsucht nach dem Glück am Leben hielten: durch ihr Glücklichsein, durch das Anspornen zum Versuch.

Das Auge wird gestärkt durch Sehen, das Ohr durch Hören... die Glücks-Empfänglichkeit, der Wille zum Glück, das Talent zum Glück, der Mut zum Glück durch Vergegenwärtigung seiner unvergeßlichen Glorifizierung: von Epikur bis Nietzsche.

Schlußwort

Ein ständiges Glück, ein lebenslanges Glück kann es nur in der Vorwegnahme von zwei Jenseits geben: das Glück im Paradies oder die Utopie. Das Jammertal Erde entspricht genau dem langen Marsch durch die Institutionen, wie ihn der arme Dutschke erlebt hat. Ewiges Glück, beatitudo Glückseligkeit, kann es nur in einem der zwei Jenseits geben, dem himmlischen Jenseits und dem irdischen, denn von der Sicht des Menschen aus gesehen ist das Leben ohne Sinn.

Deshalb schufen Religionsstifter und Philosophen eine Verzauberung, die auch in ihrer erlesensten Form nur ein Köhler-Glaube ist.

Was der Einzelne erreichen kann, ist eine momentane, sehr begrenzte Glückseligkeit. Beispiel: als ich ein Junge war, fuhren meine Eltern mit uns jedes Jahr zur Nordsee. Ich lief sofort ans Meer und war glückselig überwältigt. Eine andere momentane Glückseligkeit: beim Anhören des Schluß-duetts aus ›Aida‹, wenn die Liebenden eingemauert werden. Aber dann kommt der Absturz (auch aus der unio mystica), wie er oft genug beschrieben worden ist. Ich lasse das Beispiel der Liebe weg. Als ich von einem Hollywood-hügel in meinem Auto ins Tal fiel, hing mein linker Arm nur noch an einem dünnen Muskel. Der Arm wurde geschient und auf eine Stütze gesetzt. Da bekam ich Pantopon, ein Opiat. Ich habe nie vorher und nie nachher die Glückseligkeit des Friedens so intensiv erlebt. Aber dann kam der Absturz in die Entziehung. Ich stelle mir diese Glückseligkeit so vor, wie sie bei den modernen Drogenfressern ist. Auch ihr Absturz entspricht wohl der Glückseligkeit zuvor.

Wenn ich die Erfahrungen meines Lebens summieren darf (das Liebesleben sei nicht erwähnt), so würde ich sagen, es sind in das Leben Glückseligkeitsmomente eingesprenkelt. Wer für das Glück in der Geborgenheit einen Sinn sucht, ist verloren, da der Mensch keinen Sinn finden kann. Die großen Religionsstifter und Philosophen bis zu Schopenhauer hin versorgten die Menschen oft mit einer Geborgenheit im Glück, die nie lange hielt, sondern mehr und mehr durch armselige Interpretationen ersetzt wurde. Wer glaubt, ein sinnloses Leben nicht führen zu können, soll sich umbringen. Sinnlos bedeutet: ohne einen dauernd schützenden Sinn. Momentane Glücks- und Seligkeitspartikelchen gibt es genug. Der Mensch muß lernen, bescheidener zu werden.

Personenregister

Ludwig Marcuse
im Diogenes Verlag

»Ludwig Marcuse: ein milder Professor für deutsche Literatur, ein Querkopf, beredt, witzig und human, ein polemischer Pazifist, ein aufsässiges Original – ein blitzgescheiter Autor.« *Hermann Kesten*

»Ludwig Marcuse ist nach Schopenhauer und Nietzsche der beste Schreiber unter den deutschen Philosophen.« *Rudolf Walter Leonhardt*

Philosophie des Glücks
Von Hiob bis Freud. Vom Autor revidierter und erweiterter Text nach der Erstausgabe von 1948. Mit Register

Sigmund Freud
Sein Bild vom Menschen. Mit Register und Literaturverzeichnis

Ignatius von Loyola
Ein Soldat der Kirche. Mit Zeittafel

Mein zwanzigstes Jahrhundert
Auf dem Weg zu einer Autobiographie. Mit Personenregister

Nachruf auf Ludwig Marcuse
Autobiographie II

Heinrich Heine
Melancholiker, Streiter in Marx, Epikureer

Ludwig Börne
Aus der Frühzeit der deutschen Demokratie

Philosophie des Un-Glücks
Pessimismus – ein Stadium der Reife

Meine Geschichte der Philosophie
Aus den Papieren eines bejahrten Philosophiestudenten

Richard Wagner
Ein denkwürdiges Leben. Mit einem Register

Obszön
Geschichte einer Entrüstung

Der Philosoph und der Diktator
Plato und Dionys. Geschichte einer Demokratie und einer Diktatur

Wie alt kann Aktuelles sein?
Literarische Porträts und Kritiken. Herausgegeben, mit einem Nachwort und einer Auswahlbibliographie von Dieter Lamping

Die Welt der Tragödie

Amerikanisches Philosophieren
Pragmatisten, Polytheisten, Tragiker

Michel de Montaigne
im Diogenes Verlag

Essais
[Versuche]
*nebst des Verfassers Leben, nach der
Ausgabe von Pierre Coste ins Deutsche
übersetzt von Johann Daniel Tietz*

3 Bände im Schuber oder in Kassette. Diese Ausgabe bringt alle
Essais, eine Biographie Montaignes, Briefe Montaignes,
Etienne de la Boéties »Von der freiwilligen Dienstbarkeit«,
Kritiken zu den Essais sowie ein ausführliches Personen-
und Stichwortregister. Neuausgabe der 1753/54
erschienenen deutschen Erstausgabe

»Ein publizistisches Glanzstück: In einer prachtvoll
ausgestatteten, typographisch vorzüglichen dreibändi-
gen Edition legt der Diogenes Verlag Tietz' Überset-
zung auf, die selbst Fachleuten kaum gegenwärtig war.«
Rainer Moritz / Rheinischer Merkur, Bonn

»Ein bezauberndes Buch sind die *Essais* dieses Republi-
kaners mit monarchistischen Neigungen, dieses Chri-
sten mit heidnischer Gesinnung, dieses Renaissance-
Menschen und Humanisten mit dem mittelalterlichen
Gottvertrauen, der schon die Aufklärung ankündigt.
Ein großes Lese- und Lehrbuch vom richtigen Leben.«
Rolf Michaelis / Die Zeit, Hamburg

»Diese genialen ›Versuche‹ sind frisch wie am ersten
Tag.« *Gert Ueding / Die Welt, Berlin*

Mathias Greffrath
Montaigne heute
Leben in Zwischenzeiten

Die *Essais* von Michel de Montaigene ›liest‹ man nicht
einfach: Man ›begegnet‹ ihnen. Mathias Greffrath
begegnet Montaigne wie einem väterlichen Freund –
mit dem man über alles sprechen kann. Unbefangen

nimmt er von ihm, was ihm brauchbar erscheint für unseren eigenen Umgang mit der Welt und mit uns selber. So macht er Gebrauch von eben jener Freiheit, die Montaigne für sich selbst in Anspruch nahm. Montaignes *Essais* erweisen sich auch nach Jahrhunderten noch so frisch wie am ersten Tag. Mathias Greffrath erlaubt sich, dort weiterzudenken, wo Montaigne einen Punkt setzte: Zwischen die Auszüge aus Montaignes *Essais* schiebt er acht eigene Essays, die immer wieder der Frage nachgehen: Wie soll man heute leben? Was sagt uns Michel de Montaigne heute?

»Mathias Greffrath entwirft auf doppelt blitzgescheite Weise ein Montaigne-Panorama: Er orientiert sich an den zwei grundlegenden Übersetzungen aus dem 18. Jahrhundert (J. J. Bode, J. D. Tietz), aus denen er heutiges Deutsch ohne geschraubtes Philologengestelze, aber auch ohne modischen Jargon formt.« *Abendzeitung, München*

Essais

Eine Auswahl vorgestellt von André Gide
Aus dem Französischen und mit
einem Nachwort von Hanno Helbling

André Gides Auswahl aus Montaignes Essais umspannt all jene Themen, die Montaigne lieb waren und die auch den heutigen Leser beschäftigen: Kindererziehung und das Alter, Juristerei, Politik und Revolutionen ebenso wie Dichtung, Freundschaft und Tod. Es finden sich Gedanken zur menschlichen Urteilskraft, zur Freiheit und den Grundgesetzen der Natur, über die Gesundheit, und nicht zuletzt über den rechten Gebrauch der Freuden des Leibes.

»Das große Vergnügen, das uns Montaignes *Essais* bereiten, muß von dem großen Vergnügen herrühren, das ihre Niederschrift ihm bereitet hat und das wir so gut wie jedem Satz anmerken.« *André Gide*

»Eine Ausgabe, die mir sehr geglückt erscheint und dem Geist der beiden ganz nahe kommt, dem Glanz von Gides kühler Distinktion und der nüchternen Direktheit Montaignes.« *Der Bund, Bern*

Um recht zu leben

Eine Auswahl aus den Essais
Deutsch von Hanno Helbling
Mit einem Nachwort von Egon Friedell

»Daß ein solcher Mensch geschrieben hat, dadurch ist wahrlich die Lust, auf dieser Erde zu leben, vermehrt worden.« *Friedrich Nietzsche*

»Die von André Gide vorgestellte Auswahl verstehe sich als Einführung in die Lektüre der *Essais* und zugleich als Zeugnis für den tief vertrauten, auch eigenwilligen Umgang eines bedeutenden Schriftstellers mit einem Vorgänger.«
Dr. Peter Meuer/Bücher des Jahres, Stuttgart

Über Montaigne

Aufsätze und Zeugnisse von Blaise Pascal, Johann Wolfgang Goethe,
Ralph Waldo Emerson, Charles Augustin Sainte-Beuve,
Friedrich Nietzsche, André Gide, Heinrich Mann, Hermann Hesse,
Egon Friedell, Stefan Zweig, Richard Friedenthal,
Elias Canetti, Herbert Lüthy, Mathias Greffrath u. a. Mit Zeittafel
und Bibliographie. Herausgegeben von Daniel Keel

»Wer sich über Montaigne orientieren will, kann dies in einem Band mit dem Titel *Über Montaigne* tun, den Daniel Keel herausgegeben hat und der parallel zur Edition der *Essais* erschienen ist. Hier findet der Leser eine Reihe von wichtigen Aufsätzen, die einen guten Zugang zu dem französischen Denker ermöglichen. Einige interessante Texte sind nachgedruckt, wie zum Beispiel der von Max Horkheimer über ›Montaigne und die Funktion der Skepsis‹ von 1938, der die sozialen und historischen Hintergründe skizziert, aus denen der Skeptizismus hervorgeht. Die Zeit der großen äußeren Unsicherheit ist die Zeit, in der eine Lebens-

kunst erforderlich ist. Stefan Zweig ist auf diesen Aspekt besonders aufmerksam, und der Anlaß ist für ihn derselbe wie für Horkheimer: Mitten im Zweiten Weltkrieg schreibt er seinen Aufsatz über Montaigne – auch er ist hier nachgedruckt – und bekennt, daß er ihm jetzt am ›hilfreichsten‹ scheine, wo die Welt im Aufruhr ist. Eine bessere und liebevollere Einführung kann man nicht finden. Sie stellt den Denker dar, der sich zu seinem Beruf die Kunst des Lebens gewählt hat.«
Wilhelm Schmid / Norddeutscher Rundfunk, Hannover

Wilhelm Weigand
Michel de Montaigne

Eine Biographie

»An deutschsprachiger Literatur zu Michel de Montaigne sei verwiesen auf den *Montaigne* von Wilhelm Weigand, der vor allem als Biographie wertvoll ist.«
Herbert Lüthy

»Es gibt auf der ganzen Welt kaum ein zweites Buch, das so sehr zum Abenteuer der Selbsterkenntnis ermuntert und das Denken über Zeit und Ewigkeit so sehr anregt wie die *Essais* des Michel de Montaigne. Es ist uns hier ein geistiges und moralisches Tonikum ohnegleichen geschenkt worden. Der amerikanische Philosoph Ralph Waldo Emerson nannte diesen großen Sucher und Denker den freimütigsten und ehrlichsten Schriftsteller der Welt. Dieses Urteil aus dem 19. Jahrhundert über einen Mann im Übergang vom 16. zum 17. Jahrhundert hat noch heute ungebrochene Gültigkeit. Dabei hat Montaigne mehr für sich als für andere geschrieben, aber was ihm guttat, tut es uns erst recht. Die Existenz Michel de Montaignes zu durchleuchten ist von vielen versucht worden. In deutscher Sprache kommt kein anderer Versuch der Biographie von Wilhelm Weigand gleich.«
Oberösterreichische Zeitung, Linz

Friedrich Nietzsche
im Diogenes Verlag

»Der Geist braucht von Zeit zu Zeit einen dämonischen Menschen, dessen Übergewalt sich auflehnt gegen die Gemeinschaft des Denkens und die Monotonie der Moral… Tritt man in Nietzsches Bücher, so fühlt man elementarische, von aller Dumpfheit, Vernebelung und Schwüle entschwängerte Luft: man sieht frei in dieser heroischen Landschaft bis in alle Himmel hinauf und atmet eine einzig durchsichtige messerscharfe Luft, eine Luft für starke Herzen und freie Geister.«
Stefan Zweig

»Nietzsche ist, was sich immer deutlicher zeigt, der weitreichende Gigant der nachgoetheschen Epoche und seit Luther das größte deutsche Sprachgenie.«
Gottfried Benn

Vom Nutzen und Nachteil der
Historie für das Leben
Herausgegeben und mit einem Nachwort
von Michael Landmann

Brevier
Ausgewählt, herausgegeben
und mit einem Vorwort von
Wolfgang Kraus

Gedichte
Ausgewählt von
Anton Friedrich. Mit einer Rede von
Thomas Mann

Die schönsten Gedichte
Ausgewählt von Anton Friedrich

Walter Nigg
Friedrich Nietzsche
Mit einem Nachwort von Max Schoch

Kleine Diogenes Taschenbücher

»Literarische und philosophische Kostbarkeiten.«
Kölner Stadt-Anzeiger

»Diogenes düst mit seinen Kleinen Taschenbüchern quer durch die Weltliteratur und setzt auf das Buch als Gebrauchsgegenstand und damit auf die Popularisierung einer stillen Art des Vergnügens in einer dröhnend lauten Welt. Wir ziehen mit.«
Eva Elisabeth Fischer / Süddeutsche Zeitung, München